Las fuerzas extrañas

Letras Hispánicas

Letras Hispánicas

Leopoldo Lugones

Las fuerzas extrañas

Edición de Arturo García Ramos

CÁTEDRA

LETRAS HISPÁNICAS

© Ediciones Cátedra, S. A., 1996
Juan Ignacio Luca de Tena, 15. 28027 Madrid
Depósito legal: M. 32.053-1996
I.S.B.N.: 84-376-1455-4
Printed in Spain
Impreso en Gráficas Rógar, S. A.
Navalcarnero (Madrid)

Índice

Índice

Introducción

El arte de cada época trasunta una visión del mundo, *la* visión del mundo que tienen los hombres de esa época y, en particular, el concepto que esa época tiene de lo que es *la realidad*. La civilización burguesa tiene también su concepto: es el de una realidad *externa y racional*. Esto sí que significa una deshumanización, porque la genuina realidad incluye al hombre, ¿y desde cuándo el ser humano está desprovisto de interioridad y cómo es posible suponer que el hombre sea solamente racional?

ERNESTO SÁBATO, *Hombres y engranajes.*

Leopoldo Lugones.

A fines del siglo XIX un género que tradicionalmente ha sido olvidado por la literatura en lengua española —el cuento— apunta un desarrollo y estima crecientes entre los escritores insurgentes: los modernistas. Diversos condicionantes coadyuvan a que en la nueva estética el cuento fantástico gane predicamento y un buen número de escritores participe de las inquietudes que Poe transmitió a Baudelaire y a los simbolistas franceses, y éstos a los hispanoamericanos.

La primera edición de *Las fuerzas extrañas* tiene fecha de 1906, pero algunos relatos han sido publicados en *La Tribuna* a fines del siglo anterior. No parece casual que el libro de Lugones aparezca en fecha tan relevante, convulsiva y metamórfica como es el comienzo de siglo; la época en que asistimos al principio de ciertas ideas y tendencias y al fin de otras. Lugones se hará eco de todas en su libro, sensible a las nuevas inquietudes de la época, atento también a los últimos vigores de temas y problemas heredados.

El «fin de siglo» nombra de nuevo lo que era conocido con la gastada expresión de Modernismo. La amplía, la universaliza, nos insta a considerar analógicamente los movimientos culturales, las nuevas creencias, las novedades políticas y científicas de unos países con otros y, por qué no, de unos continentes con otros. Una clásica definición de Federico de Onís citada por Gutiérrez Girardot en la introducción del sugerente *Modernismo*[1] repara en

---

[1] Barcelona, Montesinos, 1983, pág. 18.

ello sin que debamos insistir en otras aclaraciones al concepto:

> El Modernismo es la forma hispánica de la crisis universal de las letras y del espíritu que inicia hacia 1885 la disolución del siglo XIX y que se había de manifestar en el arte, la ciencia, la religión, la política y gradualmente en todos los demás aspectos de la vida entera, con todos los caracteres, por lo tanto de un hondo cambio histórico cuyo proceso continúa hoy.

Octavio Paz ha subrayado que «el modernismo» (versión hispanoamericana del concepto «fin de siglo») supone por vez primera el cambio del sentido de las influencias entre América y España. Novedosamente, los escritores de aquélla sirven de modelo a los de ésta. La influencia de Edgar A. Poe, unánimemente considerado como precursor de las ansiedades culturales del «fin de siglo», en los escritores europeos, justificaría la apreciación de que también en otras lenguas se ha invertido por vez primera la influencia entre continentes.

Que *Las fuerzas extrañas* no sea un libro aislado, sino el fruto de una época convulsa, lo demuestran algunas de las convergencias en los movimientos culturales del cambio de siglo, complejas y contradictorias: 1) *crisis de conciencia religiosa* (descripciones apocalípticas, presencia del satanismo y de lo demoníaco); 2) *nuevas esperanzas surgidas en aras del progreso* (el cientifismo, las interpretaciones esotéricas o pseudo-científicas); 3) *refugio en la obra artística* (elogio del decadentismo, amoralismo, culturalismo); 4) *la conciencia crítica en torno al saber humano* (la explicación fantástica del universo, la vinculación entre culturas, la exaltación del misterio, el simbolismo).

Ilustran la crisis de la conciencia religiosa escritores como Jean Paul, Hegel, Nietzsche (entre los citados por Gutiérrez Girardot) y Maurice Barrès (Hinterhaüsser), que suscriben esta afirmación: «Dios ha muerto.» Octavio Paz busca los albores del tema de la muerte de Dios en Jean Paul Richter, en quien encuentra el origen del que se derivan «el oniris-

14

mo, el humor, la angustia, la mezcla de los géneros, la literatura fantástica aliada al realismo y éste a la especulación filosófica»[2].

En su *Fin de siglo. Figuras y mitos*, Hinterhaüsser nos habla de Cristo como uno de los temas que se alzan en *leitmotiv* de la época. Hay cierta noción de decadencia en Europa que hace surgir la idea de la necesidad de un redentor, al tiempo que se toman en consideración todas las premoniciones apocalípticas. La cultura y el mundo occidental se interpretan ya agotados y se abren paso las visiones catastrofistas (entre las que se destacan las de Ernest Hello y León Bloy). Entre tales recreaciones apocalípticas cabe considerar alguna de las imaginaciones del autor de *Las fuerzas extrañas* (*El origen del diluvio, La lluvia de fuego, La estatua de sal*): «...entonces se creía vivir en una época de postrimerías»[3].

Estudia Hinterhaüsser la recreación de Cristo como protagonista de tres novelas finiseculares: *Nazarín* de Galdós, *Il Santo* de Fogazzaro y *Le desesperé* de León Bloy. La vuelta a la imagen de un Cristo humanizado y despojado de boato religioso armoniza con la interpretación de una época que tiende al laicismo y a la saturación cultural dotada de atributos religiosos. Descreimiento y nuevas creencias son impulsos que caracterizan la época; el materialismo o el cientifismo adquieren predicamento al mismo tiempo que la teosofía y diversas formas de misticismo. Hinterhaüsser observa que los autores del «fin de siglo» se enfrentan a las concepciones nacientes de las ciencias mediante la formulación de mitos o religiones, a veces por la resurrección de «residuos religiosos, más o menos auténticos». Es decir, al tiempo que Maurice Barrés proclama «Tous les dieux son morts ou lointains» (*Les taches d'encre*, 1885), otros elevan los conceptos de sustancia o energía a categorías de divinización.

Se ha iniciado un proceso no tanto de amoralismo (uno de los lugares comunes que repite la crítica sobre la literatura finisecular) como de «secularización» —Girardot—, cu-

---

[2] En *Los hijos del limo*, Barcelona, Seix Barral, 1989, pág. 74.
[3] *Fin de siglo. Figuras y mitos*, Madrid, Taurus, 1980, pág. 32.

yas manifestaciones de mayor trascendencia adoptan los nombres de *positivismo* (en Hispanoamérica) y de *Krausismo* (en España), dos movimientos que sustituyen la fe en Dios por la fe en el progreso. El otro sustituto de Dios es la obra artística: el culto a la belleza es su máxima, y el concepto de símbolo uno de sus pilares básicos.

El propio Girardot recuerda cómo participa L. Lugones de las nuevas formas de pensamiento: a *Las montañas de oro* (1897) precede una introducción sobre «la muerte de Dios» y pretende una misión profética para el poeta. Qué habrá de pregonar el artista es lo que difiere de unos escritores a otros: quien se incorporará al progreso y sus conflictos sociales como vía de escape, quien se refugiará en el culto a lo artístico. La vía para el surgimiento de la literatura fantástica se ampara en el crisol de teorías y concepciones que sacuden una época, así como en la irrenunciable pasión del hombre por conquistar la totalidad (tendencia que subyace siempre al estímulo de la ficción fantástica):

> La triple verdad que buscaban los finiseculares era la de una nueva totalidad, era la superación de las escisiones de la vida moderna. Pero la nueva totalidad que buscaban, la que abarcara al cuerpo, el sentimiento y el pensamiento, la Naturaleza y el espíritu, la interioridad y el mundo exterior, era una totalidad inmanente, sin más allá, y captable y expresable con símbolos nítidos y el lenguaje de la ciencia[4].

Estas palabras de R. Gutiérrez Girardot encajan a la perfección en la concepción que debe servirnos para cualquier explicación que de *Las fuerzas extrañas* quiera hacerse. Y lo llamativo de esa búsqueda de la totalidad en lo «científico» reside en que el ejemplo de L. Lugones no será aislado, sino que es muestra de lo que en otras lenguas se manifiesta; en que dicha búsqueda no es del todo ingenua, sino que se perfila con contornos de ironía y las versiones que proponen como exégesis del universo son también reversiones de complejidad mayor que aquélla implícita en una lectura li-

---

[4] *Modernismo*, pág. 108.

teral, no exentas acaso de ambigüedad; en que lo poético es el valor más constante en el desarrollo de teorías cuyo cientifismo es sólo una parte de los componentes literarios.

Si estas suposiciones son ciertas, no cabe ninguna duda respecto a que Lugones estaba en el ápice de estas corrientes finiseculares: su descreimiento del catolicismo, y aun del cristianismo, la incorporación de las ciencias en su literatura, la participación en los círculos teosóficos argentinos. Su caso es ejemplar a tal punto que pocos pueden responder tan exactamente a la descripción de los escritores finiseculares, que formula R. Gutiérrez Girardot, como Leopoldo Lugones. Según el crítico dos instintos caracterizan a los escritores de esta época:

> [...] la búsqueda de una nueva totalidad inmanente de pensamiento, sentimiento y cuerpo, de un principio subyacente a las «correspondencias», depararon a la literatura un enriquecimiento de intensidades y sensaciones, de mundos insospechados y de mundos ocultos, pero a la vez de sentimiento de vértigo ante el infinito...[5].

Estos dos instintos son: *comprensión* y *evasión*. La ciencia y la teosofía son, en el argentino Lugones, el símbolo de estas dos tendencias.

El simbolismo y modernismo; principio de una nueva poética

Octavio Paz ha explicado el modernismo hispanoamericano en simetría con la revolución que el romanticismo suscita en las letras europeas —excepto en la literatura española—; ha interpretado que el modernismo es otro romanticismo, o acaso, el único romanticismo en la lengua española. El modernismo es interpretado por el autor de *Los hijos del limo* como una «reacción frente al empirismo y el cientifismo positivistas»[6].

---

[5] *Modernismo,* pág. 109
[6] *Los hijos del limo,* pág. 128.

El modernismo y el simbolismo son semejantes si no idénticos para el poeta mexicano, y el análisis de E. Wilson no dista del realizado por él. Analiza el romanticismo como un movimiento opuesto al cientifismo que caracterizó al siglo XVIII y del que son representantes Descartes y Newton. La imaginación se vio constreñida por lo racional y reaccionó en sucesivos movimientos: romanticismo frente a neoclasicismo, simbolismo frente a naturalismo. Este segundo movimiento, «esta segunda reacción a fines de siglo, equivalente a la reacción romántica» tiene su origen en Poe, incorporado a la literatura francesa por Baudelaire. Poe añade a la literatura la «notación de sensaciones suprarracionales». Otra fuente de influencia es Wagner: el simbolismo pretende alcanzar verbalmente logros reservados tradicionalmente a la música.

El simbolismo representa finalmente una estética amparada en la creación por analogía, por lo que sus linderos traspasan la lógica y se relacionan con frecuencia con diversas teorías ocultistas y esotéricas[7].

Las coordenadas culturales que representa el movimiento simbolista originan en poesía un sistema de peculiar expresividad cuyo punto de partida estriba en la desconfianza con que el poeta se enfrenta al lenguaje, vehículo común de comunicación y materia convencional de significados, para trasmitir una red de sensaciones, realidades y experiencias de individualidad señera: la palpitación del poeta. De esa imposible trasmisión, que es tema constante en la literatura contemporánea, surge la necesidad del símbolo, creador de un complejo haz de significados. El símbolo es signo que representa indirectamente, se apropia del misterio haciéndolo centro de su quehacer poético, se instala en lo indefinido y apenas sugerido.

Sin duda E. Wilson contempla el simbolismo como origen de alguno de los más persistentes caminos de la literatura en el siglo presente: el surrealismo, el arte novelístico de Joyce, todas las renovaciones formales que han sucedido

---

[7] *Vid.* Ricardo Gullón, «Simbolismo y modernismo», en *El simbolismo*, Madrid, Taurus, 1979, José Olivio Jiménez (ed.).

a estas dos tanto en teatro como en novela o poesía, deben explicarse mediante la referencia a la poética que evidencia los límites del lenguaje o aquella que hace del misterio su centro de gravedad.

Una consecuencia se derivará de esta concepción del acto de creación verbal que llamamos poesía y no sólo poesía: «El lector, a su vez, repite la experiencia de autocreación del poeta y así la poesía encarna en la historia»[8]. El cuento obligará cada vez más a una participación del lector. Borges creará esa poética del lector[9]. Con el ejemplo extremo de *Continuidad de los parques*, el relato en que Cortázar (creador de *Rayuela*, apenas si es preciso recordar que es la novela del lector por excelencia) asesina al lector.

O. Paz cree que el simbolismo es el otro romanticismo europeo y que su principio rector es la analogía: un sistema de semejanzas, de identificaciones y equivalencias. La isometría silábica cede su magisterio a la analogía. De la concepción analógica del poema, de la obra escrita ascendemos a través del discurso de O. Paz a la correspondencia universal, una suerte de panteísmo que unifica las más variadas religiones y creencias:

> La analogía aparece lo mismo entre los primitivos que en las grandes civilizaciones del comienzo de la historia, reaparece entre los platónicos y los estoicos de la Antigüedad, se despliega en el mundo medieval, y, ramificada en muchas creencias y sectas subterráneas, se convierte desde el Renacimiento en religión secreta, por decirlo así, de Occidente: cábala, gnosticismo, ocultismo, hermetismo[10].

Cita Paz un sorprendente ejemplo, el de Charles Fourier y su teoría de la «atracción apasionada», según la cual las relaciones humanas se verían regidas por analógicas leyes de atracción a las formuladas por Newton. Baudelaire va aún

---

[8] *Los hijos del limo*, pág. 128.

[9] Emir Rodríguez Monegal, *Borges. Una biografía literaria*, México, F. C. E., 1987, pág. 304.

[10] *Los hijos del limo*, pág. 102.

más lejos: los sonidos se corresponden con los colores, con las ideas; el mundo es un conjunto de palabras.

El símbolo fue un procedimiento rector de la poética de «fin de siglo»; su actividad creativa tendía tanto a mostrar las diversas «correspondencias», es decir, concepciones teosóficas u ocultistas, como a la revelación del *procedimiento de creación*. Nuevamente hemos de considerar a Lugones como iniciador ejemplar de la nueva poética. Sus relatos se ubican en el territorio imaginativo que aparece dominado por las analogías —puede hacerse cómputo de las veces en que emplea el término para advertir lo persistente que es en su creación—, sus creaciones son el origen de un nuevo porceder artístico.

Hay una cierta tendencia entre los historiadores de la literatura fantástica a considerar que ésta surge en el siglo pasado, opuesta a la afirmación de Bioy Casares, prologuista de la compilación realizada en colaboración con Borges y Silvina Ocampo *(Antología de la literatura fantástica)*, quien la considera tan antigua como el hombre.

La vinculación del romanticismo a la nueva corriente es notoria y escapa a nuestro trabajo. Tal vez por esa relación que Octavio Paz observa entre Romanticismo y Modernismo podríamos justificar que el segundo origine el cuento fantástico o lo continúe. Pueden señalarse no obstante diferencias de uno a otro movimiento. Hoffmann y Bécquer propenden al satanismo, el Modernismo a la «desmiraculización del mundo»: «...un proceso por el cual partes de la sociedad y trozos de la cultura se liberan del dominio de las instituciones y símbolos religiosos», según palabras de P. Berger que recuerda Gutiérrez Girardot[11].

La tradición del cuento fantástico en las letras hispanoamericanas es una innegable evidencia que sustenta su prestigio en una de las aportaciones culturales más complejas y tal vez no la menos alabada, ni la menos variada en cuanto a la disparidad de sus creaciones. Hay diversidad en la discutible unidad de lo que denominamos cuento fantástico.

---

[11] *Modernismo*, pág. 28.

El intento de fijar su aparición puede parecer, por lo demás, ingenuo o ilusorio. Si relativizamos de un modo general, es posible concluir con Oscar Hahn[12] que es una tradición que se remonta al descubrimiento para hallar las primeras huellas de un movimiento que encuentra su desembocadura en el *boom* de los años 60:

> Desde sus orígenes, la descripción o la interpretación de América se alimenta de componentes maravillosos. Mas a esto hay que añadir las propias versiones autóctonas, de evidente naturaleza mítica o legendaria. Al iniciarse la formación de las literaturas nacionales en la Independencia americana, muchos acudirían al elogio de estos materiales[13].

Nadie pone hoy reparos a la influencia de los cronistas y los relatos precolombinos sobre los escritores que han renovado la narrativa hispanoamericana en este siglo. Pero la historia literaria es también una organización de las formas estéticas y, una de ellas, el cuento, no adquiere mayoría artística hasta el siglo XIX: el siglo de Poe y sus herederos, entre los que pudiéramos inscribir el nombre de Lugones.

En la apertura de *El castillo de Axel*[14], un conjunto de ensayos sobre algunas de las figuras literarias que mayor influencia han ejercido durante el siglo, E. Wilson confía en señalar algunos principios explicativos de la obra de Yeats, Joyce, Eliot, Proust y Valéry; principios que el autor sitúa en el simbolismo. También para una justa valoración de la obra de Lugones y del lugar que le corresponde en la historia del cuento fantástico hispanoamericano cuyo desarrollo atribuimos a J. L. Borges, J. Cortázar, Bioy Casares, Silvina Ocampo, Felisberto Hernández, Macedonio Fernández, Anderson Imbert, entre otros, encontramos un punto de origen en el simbolismo hispánico —el modernismo— cuyos hallazgos se continuarán en no pocos de los escritores citados y son iniciados por el autor de *Las fuerzas extrañas*.

---

[12] *El cuento hispanoamericano en el siglo XIX*, México, Premiá, 1982, página 12.
[13] Ídem.
[14] E. Wilson, *El castillo de Axel*, Barcelona, Versal, 1989.

Quizá no sea casual que el denominado simbolismo europeo halle en Hispanoamérica su nominación propia en el modernismo, punto de partida del escritor argentino que con la publicación de *Las fuerzas extrañas* en 1906 inaugura un modo literario: el cuento fantástico. En otro contexto aplicable a nuestro escritor podríamos sugerir una conclusión como la de Wilson: «La historia literaria de nuestro tiempo es, en gran parte, la del desarrollo del simbolismo y de su fusión o conflicto con el naturalismo»; es decir, de la literatura fantástica y el realismo.

Las nuevas religiones

Suele asociarse el Modernismo a las diversas formas de religión que se incluyen bajo lo que se denomina teosofía. Se menciona asimismo el nombre de madame Blavatsky como fundadora de tal corriente espiritual, pero no se atiende a cuáles sean sus creencias o presupuestos.

Parece claro que en gran medida la afición a lo exótico despierta en los modernistas un culto por las concepciones religiosas o esotéricas de otras épocas y culturas:

> desde Orfeo y los misterios de Eléusis, Odín, el Dorpus hermeticum de Bizancio, el neoplatonismo y el neopitagorismo místico, pasando por Merlín, el Grial, el Ars Magna de Lulio y la alquimia en la Edad Media; por Marcilio Ficino, Cornelio Agripa, Paracelso y Nostradamus...[15].

Un cierto eclecticismo de corte erudito parece distinguir las diversas corrientes religiosas simbolizado en el intento del abate Eliphs Lévi de fundir los dioses griegos con el cristianismo y que tiene su correspondencia en el Lugones integrador de la ciencia y la fantasía, de la religión y la leyenda, de la teosofía y la filosofía. Esa hibridación es lo más característico de *Las fuerzas extrañas*.

En literatura, la influencia de la teosofía se hizo notar po-

---

[15] Gutiérrez Girardot, pág. 137.

niendo de relieve las diversas correspondencias entre religiones, buscando sustitutos en la cultura o en la ciencia:

> Lugones y Antonio Machado encontraron su puerto seguro en la masonería, en ese humanitarismo que invoca sus orígenes en lo más arcano de la historia[16].

W. B. Yeats es paradigmático en este punto, pues el sustituto de su religión tradicional constituye básicamente la definición de la religión finisecular: «laica y saturada de cultura»[17].

Podemos considerar que en esta actitud se halla el origen de las tendencias fantásticas en la literatura, nunca homogéneas ya que es posible encontrar aunadas la sacralización de ciertas creencias eruditas al tiempo que la profanación de las anteriores.

Con poca fortuna acuñó Valera la influencia francesa en las letras hispánicas en la frontera del «fin de siglo» como «galicismo mental». Consideraba el castizo novelista que las consecuencias de este influjo fueron el ateísmo y la blasfemia además del predominio de la fantasía. Una fantasía que encontraba su vena inspiradora en la teosofía, en las nuevas religiones surgidas de la crisis de la propia:

> Ahora la filosofía experimental, esto es, la negación de la religión y de la metafísica, ha quitado a muchos las esperanzas ultramundanas. La única filosofía especulativa que ha quedado es pesimista, es uno a modo de budismo[18].

Los avances científicos señalan la caducidad de los dogmas, lo experimental cobra rango de realidad y los escritores se defienden frente a la fragmentación, a la clasificación

---

[16] Gutiérrez Girardot, pág. 144.

[17] Hinterhaüsser, pág. 38.

[18] *Obras completas*, Madrid, 1934, tomo XXVI. Suele citarse la carta en que Valera opina sobre *Azul* de Rubén Darío y señala que la fantasía rota de «nebulosas o semilleros de astros, fragmentos y escombros de religiones muertas con las cuales procura formar algo como ensayo de nuevas creencias y renovadas mitologías» (*vid.* Gutiérrez Girardot, *op. cit.*, págs. 26-27).

y diversificación proclamando su escepticismo ante el progreso, recurriendo a toda concepción del universo que defendiera su unidad. Por ello acuden a las teorías platónicas o pitagóricas, a toda teoría que describa las *correspondencias* como arquitectura cosmogónica.

Ricardo Gullón[19] ha apuntado el proceso de adquisición heterogénea de las más diversas teorías por los modernistas. Éstos se valieron de la cábala, el budismo, la teosofía, todo aquello que añadiera una explicación bajo la que concebir la analogía universal ya exaltada por Poe, por Gérard de Nerval, por W. B. Yeats.

El esoterismo no tiene una ortodoxia delimitada; parte de un búsqueda de significado para lo perceptible, para los fenómenos y los seres. El instrumento básico del que se sirven es la *analogía*, lo que Baudelaire denomina «correspondencia»[20]. La analogía busca la relación entre lo material y lo espiritual para encontrar la unidad esencial del universo. En tal sentido puede señalarse una cierta relación entre la teosofía y el monismo, cuyo desarrollo tiene lugar también en el siglo XIX.

La teosofía, originada a partir de madame Blavatsky y el Coronel Olcott propone esa unidad universal en la fusión de las religiones:

> La Teosofía aspira a la síntesis, demostrando en moral, el origen común de todas las religiones; en ciencia, la ley única que engloba todos los conocimientos; en sociología, la solidaridad será el triunfo definitivo de la paz[21].

Pero al margen de la atención que los escritores dediquen a tan heterogéneas doctrinas, lo importante es subrayar que a consecuencia del vigor de estas teorías emerge una estética, tanto en la poesía modernista como en la prosa. La poesía se tiñe de religiosidad y aspira a la imagen que forma la

---

[19] *Pitagorismo y modernismo*, Santander, Gonzalo de Bedia, 1967.

[20] Tal identificación se recoge en «Nuestra estética», un artículo de L. Lugones publicado en *Philadelphia*, Buenos Aires, 1901 y citado por Marini Palmieri (véase la bibliografía).

[21] Marini Palmieri, pág. 84.

analogía. La prosa elige el camino de la analogía a través de la creación fantástica, busca inspiración en la tradición grecolatina, encuentra un importante antecedente en el pitagorismo, bajo cuya lógica el universo tiene proporción armónica musical y numérica resumida así por E. Sábato:

> El 1 era el número místico por excelencia, puesto que era el origen de todos los demás, el que por desdoblamiento engendra la multiplicidad del mundo; el 2 es el signo de ese desdoblamiento o de esa oposición, como en la tesis y en la antítesis de Hegel; el 3, suma del origen y la duplicidad, tiene que ser, necesariamente, un número sagrado; el 4 es el cuadrado de 2; la suma del 3 y del 4 da 7, prestigioso en muchas religiones...[22].

Además, el pitagorismo creía en la inmortalidad, en la reencarnación y tanto el valor simbólico de los números, como la concepción pitagórica del cosmos, como esa idea de la eternidad dejan su huella en *Las fuerzas extrañas*. Lo que es más difícil de deslindar es hasta qué punto fueron verdaderas creencias aquellos temas que constataron los escritores del «fin de siglo». En su *Autobiografía* R. Darío alude a que aquél fue un camino que debió de abandonar antes de que le condujera por derroteros incontrolables por la razón; de paso deja entrever que Lugones permaneció más profundamente inmerso en asuntos teosóficos. ¿Qué opinar de Lugones, o de Yeats? Éste estudió astrología, magia, teosofía —leyó como Lugones a Blavatsky—, creyó en la unidad esencial y escribió diversos ensayos en que expone su concepción teosófica y mística. Y sin embargo, E. Wilson lo define: «...el romántico aficionado a la magia va siempre acompañado y frenado por un racionalista moderno»[23]. Lo mismo cabe decir de Lugones que, como vemos, no mantiene una actitud solitaria, sino que sus cuentos se explican como fruto de unas coordenadas culturales que le identificaban con Nerval, Huysmans o el propio Yeats. La

---

[22] *Uno y el universo*, Barcelona, Seix Barral, 1982 (1.ª ed. 1945), pág. 108.
[23] *El castillo de Axel*, pág. 50.

teosofía sirvió al argentino para anudar su pasión por la formulación científica con el conocimiento de las culturas grecolatina y hebraica: la literatura, la religión, la ciencia, la cultura clásica formaron la savia de un nuevo género, lo que podríamos denominar la unidad esencial de Lugones. Su obra nos muestra las semejanzas entre el mundo argentino y el clásico griego, se sirve del platonismo o el pitagorismo para la explicación del universo, compara las mitologías más alejadas. Indagó así en las posibilidades que literariamente le ofrecía el método de la analogía teosófica, pero como ha recordado O. Paz[24], analogía e ironía se dieron a un tiempo, y los relatos de Lugones son también la expresión de un escéptico.

Sobre el genio de Leopoldo Lugones

> Si tuviéramos que cifrar en un hombre
> todo el proceso de la literatura argentina [...]
> ese hombre sería indiscutiblemente Lugones
> (J.L. Borges).

Una de las cualidades más destacadas por los biógrafos del escritor es su carácter proteico, su versatilidad: Julio Irazusta elogia lo acendrado de sus juicios en poesía, oratoria, sociología, ciencias naturales, historia; Pedro Luis Barcia le atribuye trabajos sobre zoología, botánica, arqueología, matemáticas, etimología. Quien desee comprobar lo variado de su producción puede consultar la obra de ordenamiento bibliográfico realizada por Miguel Lermon (*Una contribución a la bibliografía...*). Borges señala en su libro *Leopoldo Lugones* que juzgarlo sea acaso juzgar toda la historia de la literatura argentina, tal es el valor de su influjo —no es necesario haberlo leído para ser su discípulo, dice también.

Nacido en Córdoba, en Villa María del Río Seco el 13 de junio de 1874, nace como escritor en esa provincia con el seudónimo de Gil Paz.

---

[24] *Los hijos del limo*, cap. IV.

El año en que Darío publica *Prosas profanas* y *Los raros* se incorpora a la vida cultural bonaerense donde es saludado con elogios por Rubén, quien describe así su expresiva mirada:

> Dos ojos miopes, a través de esos anteojos, dicen muchas cosas al que sabe comprenderlos: el chambergo cubre una cabeza de sublevado[25].

Rubén descubre ya en él un joven talento, «moderno», habla de su vocabulario bíblico renovado, refleja su socialismo encendido en esos años.

En 1916, el libro *Cabezas* dedica un elogio del nicaragüense al argentino que confirma los vaticinios en torno a su valía. Destaca Rubén la amplitud de la obra de Lugones, su «infuso conocimiento de cosas inmemoriales que se ha transmitido a través de innúmeras generaciones»; la fuerza de su estilo y su proteísmo sin límites:

> Ya en la tarea de ideas revélase la inagotable mina verbal, la facultad enciclopédica, el dominio absoluto del instrumento y la preponderancia del don principal y distintivo: la fuerza. Propaganda patriótica, ciencia civil, historia, cuento, enseñanza, discurso ocasional, todo es pletórico, todo está lleno de vital y viril fuerza[26].

Antes de presentar *Las fuerzas extrañas*, el lector debe estar atento a alguna de las cualidades y circunstancias del hombre que las pergeñó; debe atender a la complejidad del autor, a su emblemática presencia en las letras de su país[27]. Desde 1874 a 1938 la vida de Leopoldo Lugones está presidida por una triple obsesión: la política, la literatura y la ciencia. En las tres asoma el ser intrincado que fue, su áni-

---

[25] «Un poeta socialista. Leopoldo Lugones», en *El Tiempo*, Buenos Aires, 12-5-1896. Recogido por Ricardo Gullón en *El modernismo visto por los modernistas*, Barcelona, Labor, 1980.

[26] *Obras completas de Rubén Darío*. Tomo II : *Semblanzas*, Madrid, Afrodisio Aguado, 1950, pág. 993.

[27] Su fecha de nacimiento conmemora el «Día del escritor».

mo contradictorio, la insatisfacción —como acicate de constantes búsquedas. Esa misma falta de conformismo, acaso el ansia de absoluto en esas tres pasiones, es el probable motivo de su suicidio, interpretado con emoción por Ezequiel Martínez Estrada:

> Cansado de manipular la realidad, de sostenerla en vilo, de exigirle que produjera maravillosos frutos miliunanochescos, se ausentó. No tenía sino la alternativa: aceptar el mundo como es o levantar de nuevo el vuelo. Era tarde ya, estaba cansado —y además se había parado en un lugar de la tierra sin seres de su especie. Había volado soñado. Estaba solo y esto es lo último que demostró, también en el idioma del símbolo[28].

La política

Lugones viró en política desde una juventud socialista a una madurez fascista. En 1835 había sido uno de los fundadores del Centro Socialista en Córdoba. Desde su arrumbamiento a Buenos Aires, ciudad a la que llega a hacer fortuna precedido ya de una cierta fama local en Córdoba, se incorpora al partido socialista de la capital (con otros intelectuales como Roberto Payró y José Ingenieros). Como «poeta socialista» es saludado por Rubén Darío en un artículo publicado en *El Tiempo*, en Buenos Aires en 1896. Tiene veintidós años: Rubén lo describe como «obsedido por una locura ideal»; anota su participación en la fiesta del primero de mayo pronunciando un discurso.

La efervescencia ideológica le lleva al *épater le bourgeois*, abomina del capitalismo, exalta la revolución social:

> Entre el pueblo y ella (la sociedad burguesa), hay esta diferencia: que ella muere de indigestión y el pueblo, de hambre; que ella se aburre en los palcos de sus óperas y el pue-

---

[28] Véase en la bibliografía E. Martínez Estrada, pág. 138

blo comprende al payaso; que ella se arrastra y el pueblo, cuando más, se arrodilla[29].

Rubén lo ve ya con la perspectiva de quien habrá de cambiar de rumbo cuando se atemperen los humores juveniles.

Un artículo laudatorio dedicado al conde de Abruzzos, heredero al trono de Italia, suscita críticas en el partido y Lugones lo abandona. Se acercará ahora al anarquismo y expresará sus ideas en *La Montaña*, publicación que funda con Ingenieros y Payró. Continúa sus diatribas incendiarias contra los políticos, los gobernadores públicos... Parecen cuadrarle bien las palabras que Borges dedica a Villiers de L'isle Adam: «Los hábitos de su época exigían que un escritor abundara no sólo en frases memorables, sino en epigramas impertinentes»[30].

Entre tanto ha escrito un artículo titulado *El sable*, en el que da muestras de un exaltado militarismo: ¿fue siempre superficial y pasajero su acercamiento al socialismo? Así lo reconoce Guillermo Ara: «Poco después, Lugones hará historia del socialismo y del terrorismo anárquico como si nada hubiera tenido que ver con él. Y en el fondo era realmente así»[31].

Tal vez pudiera entenderse que la misión que le encomienda el gobierno de recorrer e informar a propósito de la situación en que se conservaban los restos de *El imperio jesuítico* —título del libro que publicó en 1904— marcan el emerger de un Lugones que vivía hasta entonces en estado latente: el fervoroso exaltador de lo argentino. Una línea temática que continúa en *La guerra gaucha* y, más tarde, en *El payador*, en el que analiza lo argentino a través de la emblemática figura de *Martín Fierro* con tintes de epopeya clásica grecolatina. En lo heroico anida su militarismo.

Tras viajar por Europa en varias ocasiones, al tiempo que

---

[29] *El payador. Antología de poesía y prosa*, Caracas, Biblioteca Ayacucho, 1979, pág. 273.
[30] Leopoldo Lugones, *La estatua de sal*, Madrid, Siruela, «Biblioteca de Babel», 1985, pág. 10.
[31] Guillermo Ara (ed.), *El payador*, Caracas, Biblioteca Ayacucho, página 270.

estalla la Primera Guerra Mundial, Lugones da un viraje radical en su concepción ideológica explicada así por L. Lugones, hijo:

> En su razón filosófica está la causa exclusiva de su desarraigo liberal; en ella asimismo, la explicación de su cambio de rumbo de ciento ochenta grados, su paso de las doctrinas de izquierda a las de derecha, del sistema de la libertad de todos respecto del Estado [...] a la enseñanza política totalitaria, cuya base es la preeminencia del país sobre el interés privado[32].

Durante la Primera Guerra Mundial defenderá el intervencionismo en favor de los aliados. La fascinación por Francia derivó en que fuera invitado por el gobierno de este país en 1921 a visitar los campos de batalla, así como en su propósito de fundar una *Unión Franco-Argentina*.

«Lugones empezaba a afectar desdén por el pueblo, se nos convertía en reaccionario» escribe el poeta Ernesto Palacio.[33] Las palabras se refieren a 1922, pero en 1923 exalta el movimiento de Mussolini en conferencias que da en el teatro Coliseo. Se manifiesta partidario del rearme, alerta contra el peligro de los extranjeros que viven en La Argentina, se declara partidario de la violencia para vencer obstáculos.

En 1925 pronuncia un polémico discurso en Ayacucho que contiene esta frase emblemática del punto ideológico al que ha llegado: «Ha sonado otra vez, para bien del mundo, la hora de la espada.»

La ciencia

Si pensamos «que la literatura es en algún grado, una forma de saber»[34], las otras pasiones que absorbieron la vida de Leopoldo Lugones pueden considerarse una sola: ansia de

---

[32] «Estudio preliminar» a los *Cuentos fatales*, Buenos Aires, Huemul, 1967, pág. 8.

[33] Ernesto Palacio en «Lugones vivo» (véase Bibliografía).

[34] Blas Matamoro, *Saber y literatura*, Madrid, Ed. De la Torre, 1980, pág. 9.

conocimiento. Ironía del destino: la vida le esperaba con un desenlace semejante a los que él imaginó para alguno de sus protagonistas de *Las fuerzas extrañas.*

La versatilidad de este escritor, la enorme variedad de temas en que esculpió sus ideas, asombrará en cualquier época. Con razón le atribuyó Borges un cierto don de ubicuidad en la literatura argentina: empezó todos los caminos, los que estaban por hacer (señala las vías de lo argentino, fija su tradición cultural), y los que había que comenzar (su poesía anticipa la literatura de vanguardia, sus cuentos inician la corriente de la literatura fantástica). Ezequiel Martínez Estrada resume así esa vocación de inquirir acerca de todo, de investigar todas las disciplinas del saber humano: «La formación espiritual de Lugones es su primera obra de arte»[35]. Pedro Luis Barcia le atribuye trabajos sobre «botánica, zoología, arqueología, matemáticas, etimología, sectas orientales, poesía persa...»[36]. También insiste en ello Julio Irazusta en el retrato que hace del autor, de quien dice que tanto «en la poesía, la oratoria, la sociología, las ciencias naturales, la narración, la historia...» destacaba su estudio y penetración.

Los resultados de tal acumulación de saber no son siempre acertados, pues tienden a impregnar su obra hasta el prosaísmo.

En la *Historia de Sarmiento* (cap. IV) contará el autor cómo la afición por las ciencias comenzó pronto en él; hacia 1922 con la lectura de un significativo título, *Las metamorfosis de los insectos.* De hecho, en su primera composición poética, *Los mundos,* hace gala ya de su saber científico.

De entre todos los temas tratados por Lugones, fueron recogidos en volumen los que interpretan la cultura griega (*Estudios helénicos,* 1924; *Nuevos estudios helénicos,* 1928) o los que tratan de explicar el universo *(El tamaño del espacio,* 1921, *Ensayo de una cosmogonía en diez lecciones* —incluido en

---

[35] E. M. Estrada, *Leopoldo Lugones, retrato sin retratar,* Buenos Aires, Emecé, 1968, pág. 127

[36] *Cuentos fantásticos,* Madrid, Castalia, 1988, pág. 13.

Las fuerzas extrañas—, 1906). Citaremos estos dos porque tienen repercusión en el libro que prologamos.

Lo científico fue para él algo más que una afición, como lo demuestra que *El tamaño del espacio* fuese una conferencia impartida en la Facultad de Ciencias Exactas, Físicas y Naturales, que especule en dicha conferencia a propósito de las ideas de Einstein —cuyo nombre vendría a sustituir la «edad de Newton», según Lugones—, que Einstein y Lugones fueran amigos (el primero se asombraba de que en esas fechas sus teorías circularan ya en Buenos Aires) y se encontraran en Ginebra en 1924 y en Buenos Aires en 1925 (es anécdota que cenara en casa de Lugones durante dicha visita[37]).

Es algo más que una *boutade* que Lugones quisiera, durante su viaje a París en 1911, que Rubén Darío le presentase al doctor Encausse —según refiere el nicaragüense en su *Autobiografía*[38]. La afición de Lugones por la investigación científica habrá de explicar muchas páginas de *Las fuerzas extrañas*, su participación en los círculos teosóficos bonaerenses es asimismo una prolongación de sus inquietudes científicas. Teosofía y ciencia no aparecen diferenciadas en esas fechas.

La literatura de Hinton, Verne, Wells y otros, se apoya ancilarmente en la ciencia, lástima que Alfonso Reyes no deslindara ese capítulo. La literatura científica de Lugones tiene correspondencia con la de Wells, estudioso de biología con T. M. Huxley —amigo de Darwin. La de Wells y la de Lugones son literaturas que preludian lo nefasto del progreso, que exigen una sombra de pesimismo sobre el futuro de la humanidad.

La literatura

Casi no deberíamos insistir en la última de las pasiones, y más importante, en la vida de Lugones. Lo literario contamina y se proyecta en cada acto de la vida del escritor.

---

[37] Miguel Lermon recoge estas curiosidades en su *Contribución bibliográfica*, págs. 92, 93 y 94.
[38] Rubén Darío, *op. cit.*, Madrid, Afrodisio Aguado, 1950, pág. 134.

Caricatura de Lugones aparecida en el número del primer aniversario de la revista *Caras y Caretas*, el 7 de noviembre de 1899.

Como en Borges, la exaltación de lo militar tiene una procedencia epopéyica y al comentar el *Martín Fierro* sus palabras reviven en el fondo episodios homéricos[39]. Del mismo modo nos es posible adivinar que ciencia y literatura fueron en su quehacer vasos comunicantes; tanto que sin menoscabo de su saber científico cabe decir que el Lugones literario se proyectó peligrosamente en sus exposiciones físicas o matemáticas al servicio de una explicación verosímil del universo y cuyo fruto más original lo tenemos en esa *Cosmogonía en diez lecciones* que completa *Las fuerzas extrañas*.

Si la información científica de Lugones fue más que notable, no hay que asombrarse del enciclopedismo del que parece hacer acopio en sus libros. Lugones fue un gran lector. Lo corrobora Julio Irazusta con un divertido cálculo:

> *Las montañas de oro* no es, sin duda, la obra maestra de Lugones, pese a la opinión de Darío, que la considera lo mejor de su producción, cuando en 1912 aún no estaba concluida. Pero revela tan vastos conocimientos y tal maestría de expresión, que cuesta explicarse cómo los adquirió el autor, apenas llegado a los veintitrés años. Por lo general no se tiene idea de la cantidad de libros que es capaz de leer un joven que desde los primeros años de la adolescencia dedica sus mayores afanes a la vida del espíritu. Tres, cuatro libros por día, no son una ración excesiva para un lector vo-

---

[39] Quizá pudiéramos establecer un paralelismo entre alguna de las notas que identifican a Borges y a su antecesor, Lugones: en un juego que al propio autor de *Ficciones* le ha gustado simular al comienzo de ese estudio que hemos de citar tantas veces cuyo título es el nombre del autor. Por su genealogía exaltaron la heroica vida militar y se mostraron orgullosos de lucir los nombres insignes de sus progenitores patrióticos. También su obra contiene esta similar adhesión. Ambos partieron de exaltaciones políticas marxistas en su juventud, para culminar sus días en posiciones bien contrarias. Practicaron una obra miscelánea que se dejó llevar por igual del cosmopolitismo universal y del regionalismo lingüístico. Pareja es su exaltación de una obra que analizaron ambos, *Martín Fierro*. Borges fascina por su inmenso saber, Lugones no le va a la zaga, antes que aquél, ya había recorrido el helenismo y se había perdido en el laberinto de las traducciones homéricas.

raz. Tal promedio sostenido durante los años que van del despertar espiritual a la época del florecimiento poético, permite llegar a un cálculo de varios miles de libros leídos[40].

Resumiremos diciendo que fue un escritor atento a la literatura de su tiempo con una gran formación clásica. No maticemos tampoco si le adscribimos al movimiento modernista, pues Rubén incorpora a este escritor a la literatura finisecular, es su gran maestro, le infunde una poética en verso y quizá en prosa.

Literatura la suya, como la de Darío o la de Martí, de fundación, en un esfuerzo por incorporar la literatura hispanoamericana a la tradición occidental con voz propia, sin pérdida de identidad.

Literatura híbrida, como la de tantos escritores de su tiempo, —de lengua española y no española—, lo nacional y lo extranjero, el pasado y el presente, las inquietudes íntimas y las concepciones sociales. Reforma las obsesiones finiseculares y les incorpora los temas que inauguran la modernidad en los albores del nuevo siglo.

Su último gesto, el suicidio, responde también, tal vez, a un impulso literario con el que pretendió acabar la vida como el que culmina una obra de arte anticipada y explicada en los *Estudios helénicos:*

> [...] la muerte voluntaria, por prevista o por aceptada en la serenidad de un desenlace necesario, constituye el heroísmo, es decir, la belleza exaltada a lo sublime.

«*Excursus*» *sobre la literatura fantástica*

Si es cierto que con la misma legitimidad podemos interrogarnos sobre qué sea lo real o, su antinomia, lo fantástico, lo es que la misma sensación de etereidad conceptual, de volatilidad verbal, convienen por igual a ambos, y habre-

---

[40] Julio Irazusta, *Genio y figura de Leopoldo Lugones,* Buenos Aires, Eudeba, 1968, pág. 37.

mos empezado a comprender por qué toda definición de lo fantástico ha pecado de insuficiente, simplista o insustancial.

«Lo que *es* repele el abrazo verbal» (Ciorán), lo que no es con mayor motivo. Todo intento de definición parece condenado al fracaso. Nada alcanzaremos si se pretende hacer pasar lo literario por la prueba de la verdad. La literatura es un fingimiento, sus personajes son «Sombras... de bulto bello», sus acontecimientos habitan el reino de la imaginación. Lo que la literatura fantástica descubre es la red de vasos comunicantes entre nuestra imaginación y la realidad; una interdependencia mucho más sólida de lo que suponíamos antes de leer cuentos fantásticos; una revelación de nuestro sistema perceptor de los eventos del mundo. Esta perspectiva abre un peligroso piélago en el que la literatura fantástica pudiera despeñarse: la abstracción de un discurso propenso a cobijarse en lo filosófico o especulativo de lo real antes que corporeizar entes de ficción dotados de vida propia. Lo filosófico puede ahogar lo literario, como reprochó Edgar Allan Poe (un fundador de lo fantástico) a Hawthorne por abusar de la alegoría en sus ficciones. Más tarde se lo reprocharía el más filosófico de los cuentistas fantásticos, Borges al señalar «que una alegoría es tanto mejor cuanto sea menos reductible a un esquema»[41].

Que el cuento fantástico tiene una sobrevivencia paradójica ha sido axioma de quienes se han enfrentado a este género ambivalente y contradictorio que niega y afirma lo real al unísono; para no escapar a esta ley el propio Borges afirma en otro lugar: «Los individuos que los novelistas proponen aspiran a genéricos (...); en las novelas hay un elemento alegórico» (OC, 746). También, acaso con más razón, el cuento fantástico, porque si hay que creer al Alfonso Reyes de *El Deslinde*, la literatura nunca rompe por completo la ligadura por la que permanece asida a lo real y, por tanto, nos hacemos la pregunta de A. Risco: «¿cómo no leer referencialmente?».

---

[41] «Nataniel Hawthorne», en *Otras inquisiciones, Obras completas*, Buenos Aires, Emecé, 1974.

Mágicamente, el lenguaje nos permite concebir lo desconocido, lo insondable, en la literatura fantástica, porque intuiciones que apenas somos capaces de bautizar, pasan a posesionarnos en la lectura de una de esas creaciones de las que cabe decir: «su procedimiento esencial, la catacresis, que es un mentar con las palabras lo que no tiene palabras ya hechas para ser mentado» (A. Reyes, *La experiencia literaria*).

El crítico quisiera poder concretar lo fantástico en la literatura así llamada, pero el concepto no se deja cercar y su fluir no proviene de un solo punto; puede partir del personaje irreal, sobrenatural; de la causalidad que rige el mundo imaginado en alteraciones de tiempo (gran enigma) o espacio (ídem); puede ser un modo de narrar o de leer. La relación de lo fantástico con la creación literaria es tan contaminante como la que señala Alfonso Reyes entre la literatura y la historia o las ciencias. La literatura permite el roce de cualquier disciplina (en colaboración ancilar) sin perder su esencia; pero aquélla a quien toque, mutación maravillosa, se convertirá en literatura. Lo mismo puede decirse de la literatura realista con respecto a la denominada fantástica: por mínimo que sea el contacto con lo fantástico la mutación se produce y la creación entra en la nómina de las fantásticas. Ello nos hace concebir la convención realista como un sistema en el que una vez que abrimos una grieta o fisura, por mínima que sea, la alteración equivale a la refundación de lo real, de nuestra concepción de lo real. Tan frágil es que podríamos hablar igualmente de sentimiento de realidad que de sentimiento de lo fantástico o irrealidad.

Convencionalmente señalaremos que la corriente fantástica cobra vida en momentos en que la literatura parece discurrir por la vertiente de lo real, de lo racional y lo reglado: las postrimerías del siglo de la razón o «Siglo de las luces», el albor del siglo XX tras el esplendor realista. El arte no se somete, no se deja ceñir, no se constriñe a la ciencia ni a los cánones literarios y brota incontinente en el ámbito que le es propio: la fantasía.

Puede interpretarse esta reacción como un despertar de la conciencia del hombre frente a las ilusiones que lo embaucan: el nuevo orden del siglo XVIII, la revolución industrial, el progreso.

Pero acaso el cambio fundamental se opere en el lector más que en el texto. La literatura fantástica nace con la necesidad de superar el rechazo por el lector de lo fantástico. Esto es la consecuencia de que el escritor fantástico se declare como tal en el siglo presente, con una impunidad que no es comparable a ninguna otra época, pues el lector medieval o el romántico aceptaban la posibilidad del suceder fantástico; en cambio, el lector del siglo XX, auspiciado en esa osadía de principios del escritor, acepta lo escrito como pura materia imaginaria.

El proceso implica dos fenómenos paralelos: que el lector del siglo XX sea mucho más maduro que el de siglos anteriores, y que la literatura se alce por sí misma como creación independiente, autónoma.

La literatura fantástica nace de esa doble provocación al lector: afirma su irrealidad, rechaza el realismo ingenuo en el que el lector se cobija.

No es inmediata su aceptación. Pasarán años antes de que la palabra «fantástico» se desligue de sus connotaciones despectivas para el lector.

El rechazo del realismo ingenuo no es sólo una actitud de la literatura fantástica. La evolución en la prosa narrativa que consigna Erich Auerbach en su libro *Mímesis* —hablamos de la literatura realista— deriva en un intento de aprehender la realidad desde múltiples puntos de vista, subrayando la imposibilidad de su captación total; ahondando en el subjetivismo. Virginia Woolf o Joyce respresentarían esa vía en el realismo. La literatura fantástica persigue logros semejantes por otro camino.

Si la noción de realidad es cambiante como el mismo universo por la acción del tiempo, ¿a qué esperar que la que se cierne a lo fantástico permanezca inmutable? Cambiará con la conciencia colectiva de las gentes y será distinta si nos trasladamos de civilización o cultura. Es más, la concepción del mundo, el progreso científico o técnico, y las calas de lo fantástico en lo insondable irán, paradójicamente, de la mano.

Algunos filósofos niegan la posibilidad de exigir un pensamiento capaz de integrar armónica y sistemáticamente el universo mundo («filosofía de *momentos únicos*, tal es la única filosofía», Ciorán): ¿es lícito en el caso de la literatura que, a falta de mejor denominación, nombramos fantástica? Tal sistema o unidad hay que perseguirlo en los *momentos, —obras, corrientes, movimientos— únicos*.

Practicar una literatura fantástica tiene derivaciones formales en el texto que se produce, por el hecho de que se sustituye una cierta causalidad predecible por otra en la que impera lo sorprendente, lo nuevo. La aventura deja su lugar a lo fantástico. La literatura fantástica está condicionada más que cualquiera otra a ese asombro: niega posibilidad alguna de vaticinar lo que sucederá.

A cambio de este volver la espalda a las leyes del mundo, la literatura fantástica reafirma su propio proceder literario a la búsqueda de la coherencia discursiva, de la perfección formal. Compensación formal que suple el alejamiento intencionado del mundo reglado o consentido por todos.

La literatura fantástica paga su tributo al alejarse del mundo justificándose, en sus albores, mediante exégesis pseudocientíficas o teorías más o menos esotéricas que se enhebran en la trama en proceso paralelo a la madurez lectora y a la proclamación de la literatura como creación no sujeta a dependencia o rémora de ningún tipo.

El grado de confabulación con el lector irá en aumento hasta obligarle cada vez más a discernir, completar, el objeto literario. La obra se torna cada vez más abierta: abierta a las interpretaciones y significados, como ha subrayado U. Eco[42].

Lo fantástico es una agresión al mundo real, no un canto amable, no un halago. Lo fantástico suele llevar al lector al pesimismo. Es una metáfora degradante del universo. No ensalza, humilla al individuo. Fue acceso de salvación de lo inexorable en el pasado, la muerte, el otro mundo fuera del tiempo, otras formas de existencia en las que perpetuarse.

---

[42] *Obra abierta*, Barcelona, Ariel, 1985 (2.ª ed.).

En el presente es manifestación palpable de la fragilidad de lo real, es decir, del mundo que creemos inmutable, sólido, protector.

El escritor adopta una postura frente a su mundo al vincularse a la estética fantástica. Esa posición es relativismo de todo logro o consecución del ser humano y podría equivaler, desde otro punto de vista, a la ironía.

Como Ciorán, el creador de ficciones puede suscribir esta máxima: «nuestras más profundas certezas no son más que mentiras que actúan...»[43].

También puede ser un canto amable, pero siempre llevará la sugerencia implícita del cambio del mundo que nos rodea, no de su inmóvil complacencia. Su aparición podría calificarse, no obstante, de excepcional.

Lo fantástico es una estética: una búsqueda de la belleza que se considera inefable. Quizá es una estética que precisa una mayor exégesis si comparamos las incursiones teóricas en torno al quehacer literario que realizan Borges, Cortázar, Quiroga o Macedonio, con las habituales en escritores cuya estética no es la fantástica.

Como tal estética se rige por una convención artística tan férrea y tan voluble como la que pueda gobernar la creación artística. No renuncia a cautivar al lector; por el contrario, realiza un *tour de force* que Iréne Bessière ha definido como «el imposible verosímil». Tal vez no tan imposible, porque en sus últimas consecuencias los relatos fantásticos hacen temblar la concepción que teníamos del mundo y lo real.

Los autores fantásticos proclaman a cada tanto su fe en lo que escriben; sus obras existen en el plano imaginario, bien, pero ¿quién se atreve a instaurar, fundar, lo real?

Tal vez en esa aparente contradicción realidad-ficción subyace uno de los más complejos e interesantes procesos de la literatura fantástica: el hacedor de ficciones no renuncia a su condición de embaucador, de fascinador del lector, y la lucha contra una cierta resistencia del lector a lo fantás-

---

[43] En *Adiós a la filosofía*, Madrid, Alianza, segunda reimpresión 1988, pág. 67.

tico. Por ello debe vigilar con gran perfección la coherencia fantástica de lo que escribe.

El escritor presenta su mundo ajeno a toda contaminación de realidad, pero esa actitud se va volviendo cada vez más sospechosa: nos remite a la realidad a través de símbolos, nos muestra con tal realismo lo irreal que sentimos nuestra propia irrealidad. Perfila los límites del hombre frente al universo, su capacidad de percepción.

En última instancia, lo fantástico remite, como lo poético, a lo perecedero: nace y muere en la imposibilidad del hombre para explicarse o enfrentarse a su propia fugacidad en el mundo.

Sea como fuere, el lector se ve abocado a una profunda catarsis tras ese acto de generosidad que implica la lectura de la obra fantástica, participar en el juego de reconocer las pautas de un universo que no es el universo. De ahí que se haya señalado la necesidad del lector maduro, de un lector que esté dispuesto a ser otra vez Don Quijote, porque de resultas de su participación en el juego van a borrarse los límites de la realidad y la ficción.

Pedro Salinas traduce un poema de Elizabeth Barrett Browning:

> Fíjate bien. Ningún bien se saca de no ser generoso, ni siquiera con un libro, y calcular las ganancias: tanta ayuda ganada por tanto leído. No; es cuando nos olvidamos espléndidamente de nosotros y nos lanzamos con el alma de cabeza, en las honduras de un libro, seducidos por su belleza y su sabor a verdad, cuando sacamos de él el bien bueno.[44]

Expresa muy exactamente lo que queremos decir a propósito de la literatura fantástica; exige, como quería Goethe, que al leer algo nos convirtamos en algo.

Lo fantástico no se identifica con lo evasivo. No huye del mundo, al contrario, lo desintegra, lo afantasma, dada la irrealidad sobre la que se sustenta nuestra concepción de él.

---

[44] Pedro Salinas, *El Defensor,* Barcelona, Círculo de Lectores, (1.ª ed., 1954), pág. 196.

Nos devuelve a la realidad más ricos, dueños de una conciencia sobre lo ingobernable en insondable de una parte de nuestro ser. En tal sentido, lo fantástico comienza con la duda de Descartes, y puede decirse que es una prolongación tautológica de la misma.

No parece haberse reparado suficientemente en el grado de realidad de la literatura fantástica, y sorprende lo mucho que los autores de esta literatura se han absorbido por el problema de lo real o de la realidad. Cuando el hombre fue consciente de la imposibilidad de alcanzar lo real en su dimensión absoluta, comenzó la literatura fantástica; al extremo de que el escritor parecía ser consciente de que el único modo de afrontar la realidad en la obra literaria era haciéndolo precisamente desde lo extraño o imaginario.

Podemos desconocer la motivación en la representación de los eventos bíblicos, pero de lo que no cabe duda es de que para ellos éstos no representaban lo irreal, lo ajeno o lo real. Al contrario, su concepción del mundo abarcaba también dicha imaginería y no sería honesta su representación si omitieran lo que podríamos denominar sus demonios, sus fantasmas.

En consonancia, los Borges, Cortázar, Felisberto Hernández, etc., no hubiesen sido honestos si no hubiesen incorporado a sus creaciones sus propios fantasmas; la duda siempre acechante de que nuestro grado de realidad es, en el fondo muy frágil, y se quiebra a poco que el hombre se enfrente a solas consigo mismo.

Sorprende, y acaso sea coherente con este englobar lo irreal en lo real, que el proceso descrito por E. Auerbach en torno a la novela realista atraviese por fases diversas, que van desde una afirmación de los hechos novelados, a una mayor objetividad con ausencia del narrador —Flaubert—, para alcanzar en el siglo XX un grado tal de anegación de lo real, de abandono a la contingencia de lo incierto, «hasta hacer desaparecer la impresión de una realidad objetiva»[45].

Desde un vértice opuesto, la literatura fantástica se apro-

---

[45] *Mímesis*, México, Fondo de Cultura Económica, tercera reimpresión 1982, pág. 59.

xima paulatinamente a la literatura realista, pues, si en principio predominan las demonologías y los bestiarios más o menos exóticos, el punto de confluencia se alcanza en el momento en que se propone hacer real lo subjetivo originado en la mente del narrador o del personaje.

No ha cambiado sólo nuestra concepción de la realidad —en constante mutación—, hay también una nueva actitud del lector hacia la obra literaria que se ampara en la evolución del concepto mismo de lo *verosímil*. Una vieja noción de vigorosa vigencia. Sospechan, no obstante, los críticos el cambio producido en la disposición del lector, uno de los fundamentos del concepto aristotélico.

Mucho se ha hablado del término, pero es difícil encontrar mayor profusión de ideas que entre los escritores de relatos fantásticos. Recordaremos sólo algunos motivos. Poe reprocha a Hawthorne su proceder alegórico porque acaba con la magia de la trama, con la individualización de lo que se cuenta, de sus protagonistas. Desde luego, aunque sea para contravenir su vigencia, Macedonio dedica numerosas páginas a fundar una nueva estética que trata de destronar el imperio de lo verosímil en la ficción. Cabe sospechar, sin embargo, que el genial escritor, acaba siendo la base en alguna de sus propuestas de Borges, quien ofrece ya un nuevo verosímil.

Magistralmente ha desbrozado el camino hacia este concepto E. R. Monegal al enlazar la concepción del autor de *El arte narrativo y la magia* —Borges— con el proceder de que serán protagonistas los autores que integraron el *realismo mágico*. Sutilmente, la historia parece tejer sus hilos y, tras las menciones de Cortázar en sucesivas aproximaciones al cuento y lo fantástico, así como en las efectuadas por Borges o Bioy Casares, puede vislumbrarse que el nuevo verosímil se inspira en el aserto de Coleridge acerca de que la lectura es la «suspensión voluntaria del descreimiento», palabras que recuerda Alfonso Reyes en *El deslinde*[46], quien ha definido la literatura desde su complejidad de ente que participa siempre de lo real, aun a pesar de su voluntad imagi-

---

[46] *El deslinde*, México, Fondo de Cultura Económica, Lengua y Estudios Literarios, 1983, pág. 186.

naria, sometida por ese «polo de sujeción» que él ve entre la literatura y el mundo.

En uno de sus sentidos, pues, el verosímil es cambiante y no otra realidad, sino el pacto al que llegan lector y escritor en la compleja comunicación literaria. Pacto que ha de actualizarse, además, en cada situación de lectura, por cada lector.

LOS TEÓRICOS DE LO FANTÁSTICO

La literatura es materia que no suele admitir cuantificación, y calificación sólo a veces. Al hablar de la literatura fantástica no podemos olvidarnos de los esfuerzos que importantes teóricos han realizado a fin de individualizar la materia. Sus ramificaciones son, no obstante, de imposible aislamiento. Acaso una de las razones de que la labor investigadora sea tan poco fértil estribe en la evolución propia del género: en el presente siglo lo fantástico ha buscado nuevos linderos con lo real, nuevos límites de imposible discernimiento entre ficción y realidad.

Los críticos primeros buscaban la definición del fenómeno (Callois, Louis Vax) y su clasificación. Acaso no trataban de definirlo en sí mismo, sino en las manifestaciones literarias de posible influencia (lo poético, lo terrorífico, lo simbólico o alegórico).

La obra de T. Todorov marcó una importante etapa al clasificar y definir el último fantástico, aquel cuyo efectismo se fundamentaba en la ambigüedad. Se amplió el término por toda la crítica continuadora de este estudio, cuyas principales virtudes fueron clasificatorias, pero dejaban el fenómeno sin explicar. Lo intentó luego Iréne Bessière desde un ángulo que incluyera la significación misma del relato fantástico. Aún así, las pautas generales siguen siendo pocas, otra cosa es la significación y análisis de este o aquel escritor, ahí los frutos son mayores.

Estudios aparte, las mejores intuiciones sobre lo fantástico se encuentran en la obra de los autores. Borges, Macedonio, Cortázar, Bioy Casares, han demostrado que su comprensión del hecho va más allá; que su actuar es fruto de una reflexión estética de gran alcance y que propone una visión particular del mundo.

Cada uno, por otra parte, se crea una poética muy personal; aunque se aprecien semejanzas, los rasgos individualizadores son más notables. Incluirles juntos no deja de ser convencional y la primera característica conjunta (escriben relatos fantásticos) está insatisfactoriamente definida, tal vez porque hacerlo fuera lo que llamaría Octavio Paz poner «puertas al campo».

Sea porque el escritor de literatura fantástica se ve impelido a explicar su arte, a justificarse; sea porque el escritor contemporáneo quiere practicar arte consciente, es lo cierto que, aunque esporádicas, prácticamente todos han realizado calas a propósito de la literatura fantástica. Macedonio, por ejemplo, prácticamente no hizo sino ejercitar su vocación de teorizador de estética literaria *(Museo de la novela de la Eterna* es una prueba). Tanto en la formulación de su Belarte, como en la práctica de sus obras de ficción —límite inexistente para él— la teoría y la praxis se complementan y acompañan invariablemente. Borges y Bioy Casares publican con Silvina Ocampo la *Antología de la literatura fantástica*, en la que apuntan cualidades de este *modus* literario y se transparenta la concepción ecléctica de los compiladores.

Borges indagará en lo fantástico sucesivamente, y su poética será en buena medida la de los que le siguen en el tiempo: el prólogo a *La invención de Morel* y el ensayo *El arte narrativo y la magia* son inexcusables, aunque el documentado Rodríguez Monegal ha citado otros trabajos[47].

Cortázar ha glosado su teoría del relato fantástico en «Del sentimiento de lo fantástico» o «El cuento breve y sus alrededores»[48].

Otras incursiones irán apareciendo en estas páginas, éstas son las imprescindibles.

---

[47] Así puede corroborarse en la mayor parte de la bibliografía que E. Rodríguez Monegal ha dedicado a Borges, pero es particularmente ilustrativo el libro *Borges por él mismo*, Caracas, Monte Ávila, 1983.

[48] Ambos se recogen en *La casilla de los Morelli*, Barcelona, Tusquets, 1973.

El posible verosímil. Fin del excursus

Una cita de Coleridge, que consecutivamente han recordado Borges, Bioy Casares o Cortázar, describe el acto de la lectura de textos de ficción como la «voluntaria suspensión del descreimiento», es decir, un fenómeno que convierte las ficciones fantásticas en tolerables, admisibles, siquiera temporalmente. Pero tal suspensión no es absoluta, para que la ficción devenga en aceptable debe cumplir cierto grado de verosimilitud, incluso si la ficción es fantástica, o quizá más aún si no lo es —según admite J. L. Borges en su prólogo a *La invención de Morel.*

La primera intuición que corrobora este extremo es: los cuentos fantásticos no son tan fantásticos como parecen[49]; no pueden prescindir del mundo de la experiencia, no obedecen a reglas azarosas o caóticas, sino a un sometimiento aún mayor que el que corresponde a la literatura que convencionalmente denominamos realista[50]. A modo de ejemplo pueden citarse unas palabras de Oscar Hann:

> Los materiales narrativos del cuento fantástico hispanoamericano del siglo XIX provienen de creencias cristianas, supersticiones populares, ideas filosóficas y debates intelectuales de cada momento histórico-literario. Esto prueba que ni siquiera la literatura fantástica, considerada por muchos teóricos como el prototipo de la ficción autónoma, puede desligarse de la realidad en que fue creada; porque si bien es cierto que estos cuentos se rigen por la tendencia literaria imperante y por su sistema de preferencias, tanto la tendencia como el sistema son expresiones super-estructurales de una realidad concreta: la sociedad latinoamericana del siglo XIX[51].

---

[49] Véase nota 9.

[50] En el sentido que atribuye a esta palabra R. Jacobson en «El realismo artístico», *Polémica sobre el realismo*, Buenos Aires, Tiempo Contemporáneo, 1972, pág. 157 y ss.

[51] *El cuento fantástico hispanoamericano en el siglo XIX*, México, Prima, 1982 (2.ª ed.), pág. 85-86.

La primera conclusión a que llega el estudioso de la literatura fantástica —estudiada en relación con la idea de lo real que correspondía al tiempo en que fue concebida cada creación— es que tiene, paradójicamente, muy poco de fantástica. So capa de esta denominación se oculta una literatura que nunca se desliga de lo real, que tiene como primera intención la de ahondar en nuestra concepción misma de la realidad.

Siendo así, no habrá de extrañarnos que lo fantástico se alíe a lo científico. Para emplear una fórmula de Alfonso Reyes: la ciencia cumple en la literatura fantástica una función ancilar. También las creencias religiosas, las supersticiones, los mitos, las concepciones mágicas. Ambas tendencias tienen su representación en *Las fuerzas extrañas*.

Ya en *La montaña mágica*, el novelista Thomas Mann afirmaba:

> La ciencia natural moderna, como dogma, reposa únicamente en esa metafísica de las formas de conocimientos que nos son propias; espacio, tiempo, causalidad —formas en las que se desarrolla el mundo fenomenal—, y que existen independientemente de nuestro conocimiento.

No otra es la fenomenología del mundo fantástico creado por Lugones y por los autores que le suceden. El tiempo, el espacio y la causalidad resumen el acceso a lo fantástico en sus más diversas formas. Para todos los autores de esta literatura son éstos los temas claves que justifican la presencia de lo fantástico, que lo hacen verosímil. Y ello porque, como Borges y otros se han empeñado en demostrar, la concepción que de esos principios citados formula la ciencia misma es fantástica. También lo ha apuntado Thomas Mann:

> [...] como [...] a pesar de los más desesperados esfuerzos, no se ha podido representar un tiempo finito ni un espacio limitado, se ha decidido creer que el tiempo y el espacio son eternos e infinitos con la esperanza de conseguir una explicación un poco más perfecta. Pero al establecer el postulado de lo eterno y de lo infinito, ¿no se destruye la

lógica y matemáticamente todo lo finito y todo lo limitado? ¿No queda todo reducido a cero?

Estas reflexiones y las que siguen (en ese capítulo de *La
montaña mágica* titulado «Cambios») ponen de relieve la
coincidencia entre la literatura fantástica y la respuesta científica a la concepción de la realidad.

El descreimiento temporal de Coleridge tiene así su primera justificación en la formulación científica de algunos
conceptos sobre los que la ciencia se apoya, y de paso se
dota a la literatura fantástica del grado de tolerancia que po-
sibilita su verosimilitud.

Resolver los problemas de interpretación que suscita este
último concepto es en gran parte solucionar la concepción
de la literatura fantástica. La historia de la estética registra el
devenir evolutivo del concepto y en la actualidad la crítica
deslinda al menos cuatro diferentes: a) el que trata de hacer
pasar la fábula por historia; b) el que vigila la adecuación
del género a ciertas reglas que hacen verosímil un texto; c)
que lo contado sea conforme con la común opinión:

> Por último, actualmente se hace predominante otro em-
> pleo: se hablará de verosimilitud de una obra en la medida
> que ésta trata de hacernos creer que se conforma a lo real y
> no a sus propias leyes [...] lo verosímil es la máscara con
> que se disfrazan las leyes del texto, y que nosotros debemos
> tomar por una relación con la realidad[52].

Podríamos completar éstos señalando aquellas intuiciones que Borges acuñó tanto en «La postulación de la realidad» como en «El arte narrativo y la magia»[53]. Lo verosímil
es fruto para él de la creación en la obra de una causalidad
propia, y descubre al menos cuatro modos por los que lo
fantástico puede ser aceptado (puede suspender nuestro

---

[52] T. Todorov, *Lo verosímil*, Buenos Aires, Tiempo Contemporáneo,
pág. 13.
[53] Han sido estudiadas por E. Rodríguez Monegal en «La narrativa hispanoamericana. Hacia una nueva "poética"», en *Teoría de la novela*, Madrid, SGEL, 1976, pág. 171-228.

descreimiento): a) el rasgo circunstancial; b) dejar sin explicación una causalidad posible; c) invitar a que sea el propio lector el que complete cierto hecho fantástico; d) que todo el relato sea «un juego de vigilancias, ecos y afinidades»[54].

Los textos son cambiantes, como la realidad, las formas de hacer verosímil o fantástico es preciso estudiarlas en cada autor, en cada narración.

Los modelos: Villiers de L'isle Adam, Darío y Poe

No sin cierto desdén —procedente acaso de la concepción de *La fuerzas extrañas* como una concesión de Lugones a la ociosidad del gran público— señala Mas y Pi en uno de los estudios pioneros acerca de la obra de Lugones:

> *Las fuerzas extrañas*, libro en que la fantasía desbordante y loca de un Poe se alía a veces a la serenidad de un Villiers de L'isle Adam...[55].

Inquirir qué pueda haber de Villiers o de Poe en Lugones pasa por advertir qué opinaba éste sobre la imitación de los modelos. En su discurso de despedida a Rubén Darío, quizá su modelo más importante, declara que para imitar «con éxito a un artista superior, se necesita ser otro artista superior: pero cuando se es esta cosa excelente, ya no se imita a nadie: se crea»[56].

El artista verdadero es aquel capaz de expresar su desigualdad, su inconfundible individualidad, con métodos que le son propios. El artista es artista porque es original, principio individualizador irrenunciable para Lugones. Él percibe el arte con tintes religiosos divinizadores. El poeta, definición de la quintaesencia del artista literario, acuña la civilización, la transmuta con su lenguaje —un len-

---

[54] Véase *Ficcionario*, México, F. C. E., 1985, págs. 44 a 55.

[55] Mas y Pi, *Leopoldo Lugones y su obra*, Buenos Aires, Renacimiento, 1911, pág. 115.

[56] Recogido en la obra de Ricardo Gullón *El modernismo visto por los modernistas*, ed. cit., pág. 234.

guaje nuevo, liberado de moldes preconcebidos— y la imaginación («la otra facultad activa en el fenómeno poético»).

Es éste un escritor de espíritu nietzscheano, exaltador del impulso individual, impelido por su fuerza creadora hacia el hallazgo de lo original, de lo nuevo. Representantes de lo nuevo son Villiers y Rubén, por eso hay que juzgar su obra atendiendo a dos apreciaciones que muestran un cierto reconocimiento a sus modelos. De Rubén afirma: «después de él, todos cuantos fuimos juventud cuando él nos reveló la nueva vida mental, escribimos de otro modo que los de antes»[57]. A propósito del influjo que lo francés ejerce: «No hay obra humana de belleza o de bondad que prospere sin su grano de sal francesa»[58].

Sobre la posible influencia de Villiers puede hablarse de un paralelo entre uno y otro escritor en dos líneas temáticas, sin que en ningún caso la semejanza alcance grado de identidad, sino más bien un halo que proporciona la época, dos vías de inspiración siempre fortalecidas por la búsqueda del escritor argentino.

El camino científico, de gran relevancia en *Las fuerzas extrañas*, está anticipado en Villiers, quien realiza una suerte de enumeración sumarial de los temas por él tratados en sus obras:

> ¡Qué descubrimientos! ¡Qué invenciones! ¡Todos harán su agosto! ¡La Humanidad se convierte, entre dos diluvios, en un hecho positivamente divino! Recapitulemos:
> 1.º El polvo de arroz negro, para aclarar la tez de los negros marrones.
> 2.º Los reflectores del Dr. Grave, que van, desde mañana, a abrir con carteles el vasto muro del cielo nocturno.
> 3.º Las telas de araña artificiales para sombreros de sabios.
> 4.º La Máquina de Gloria del ilustre Bathybius Bottom, el perfecto barón moderno.
> 5.º La nueva Eva, máquina electro-humana (¡casi ani-

[57] Ídem, pág. 237.
[58] Ídem, pág. 239.

mal!) que ofrece el cliché del primer amor, por el extraño Thomas Alva Edison, el ingeniero americano, el Padre del Fonógrafo[59].

No hay duda de que entre ambos escritores existe un notable distanciamiento tanto en los temas como en su desarrollo. Una de las características que confiere a una narración de Lugones su sello personal es la especulación, el predominio en ocasiones del discurso científico. Para Villiers esto es secundario; lo científico es en el francés subsidiario y coadyuva a la crítica moral, a la sátira de la sociedad presidida por la confianza en el progreso a la que se dirige. Las teorías científicas de Villiers casi podrían emparentarse con aquellas que en la España del siglo XVIII proponían los *novatores* como soluciones para mejorar el país y de las que Cadalso se hace eco en sus *Cartas marruecas*. Villiers no se dirige al lector cientifista, Lugones sí, le hace un guiño literario en su propia jerga.

Otra línea temática que emparenta a ambos autores es la bíblica, de la que *Epílogo. El anunciador* es un ejemplo, quizá el más próximo a alguno de los casos del argentino *(La lluvia de fuego, La estatua de sal)*. Enumeradas someramente las posibles implicaciones de un relato en otro, descubriríamos las características siguientes del relato de Villier que encontraremos luego en Lugones:

1. Es una larga descripción que recrea con lujo de detalles un ambiente de inspiración bíblica (una sala del palacio del rey Salomón).

2. Es un relato de tema apocalíptico o próximo, de gran predicamento en la literatura finisecular.

3. La descripción realizada por ambos autores nos muestra un anacrónico mundo decadente: festivo, amoral, exquisitamente aderezado.

4. Algunas imágenes de Villiers parecen aproximarse a las empleadas por el escritor americano:

---

[59] La cita pertenece a *Le traitement du Tristan Chavassus*, citamos por la edición de Ediciones Cátedra a cargo de Enrique Pérez Llamosa, Madrid, 1984, págs. 315-316.

[...] una lluvia desconocida, fuera, en anchas gotas apreta-
das: sin embargo, la noche permanece clara por encima de
las sombras en los cielos[60].

Con todo, y aunque hagamos mención de otros relatos
en los que pueda vincularse la inspiración de Lugones a la
de Villiers de L'isle Adam y sus *Contes cruels* —las connotaciones que pudieran acercar *La impaciencia de la multitud* a
Los caballos de Abdera, con semejante revelación final sobre
el personaje protagonista; las evocaciones que de Tierra
Santa se hacen en *Intersigno* o *El duque de Portland*, que tal
vez tienen su eco en *El milagro de San Wilfrido* o en *La estatua de sal*; el desenlace *cruel* de los relatos de Lugones— con
todo, las semejanzas no pasan de ser un punto de partida,
nunca una imitación.

El magisterio de Rubén Darío

Nadie pone en duda la influencia de R. Darío en la obra
de Lugones. El nicaragüense lo ganó para la causa modernista desde el instante en que el argentino arribó a Buenos
Aires. Elogios a ese joven poeta socialista son vertidos por
Rubén en las páginas de *La Nación* o en su propia *Autobiografía*.

La coincidencia en el tiempo en la capital argentina va
unida a otras no menos significativas: Darío comienza la
publicación de relatos de tema fantástico o esotérico[61], se
interesa por la teosofía y los libros de Blavatsky. Como We-
lles, participa de una visión poco idealista del avance científico e industrial:

A cada paso se dice: El hombre va conquistando la naturaleza, dominando las cosas y los elementos. El hombre
realiza el milagro. El hombre es como los semidioses de

---

[60] Ídem., pág. 346.
[61] R. Darío, *Cuentos fantásticos*, Madrid, Alianza, 1979 (2ª ed.). José Olivio Jiménez, autor de la selección y el prólogo, es quien constata este dato.

los fabulosos tiempos paganos. Pero a cada paso las fuerzas ocultas se vengan, o el demonio llamado casualidad hace su obra[62].

Estas palabras parecen escritas como prólogo a *Las fuerzas extrañas*. Parecida perspectiva adopta Rubén en algunos de sus cuentos fantásticos, publicados en las revistas bonaerenses durante su estancia en la capital argentina, cuando comparte con Lugones o Patricio Piñeiro su curiosidad por los asuntos teosóficos, pseudocientíficos. *Verónica* (luego titulado *La extraña muerte de Fray Pedro*) narra la historia de un monje a quien pierde «el demonio de la ciencia» porque «la ciencia constituye sencillamente, en el principio, el alma de la Serpiente; en el fin, la esencial potencia del Anticristo»[63].

El estímulo de Rubén debió ser importante para que Leopoldo Lugones emprendiera la vía de las narraciones fantásticas, aunque no hay que exagerar su influencia. Rubén ejerce el influjo del estímulo que implica el revelar las numerosas corrientes que en París constituyen la nueva literatura (el simbolismo); en Buenos Aires publica *Los raros* (entre otros da a conocer a Poe, Leconte de L'isle, Villiers, Leon Bloy). Pero es fundamentalmente su magisterio el que influye para que otros emprendan el camino que él sugiere con sus cuentos, como señala Raimundo Lida:

> Donde cobran particular importancia —por cierto más decisiva de la que suele concedérseles— es en la historia general del cuento español e hispanoamericano, y la cobrarán mayor aún cuando se precise en la literatura de cada país lo que el cuento debió a la imitación y ejemplo de Darío[64].

Pero si Darío es quien quizá da el primer paso —con relatos como el titulado *El caso de la señorita Amelia*, en el que R. Lida observa cierta presencia de Poe o Catulle Mendès y una tendencia a la explicación pseudo-científica en la línea

[62] *Obras completas*, Madrid, Afrodisio Aguado, 1950, t. II, pág. 776.
[63] *Cuentos completos*, México, F. C. E., 1983 (1.ª ed., 1950), pág. 416.
[64] En su prólogo a *Cuentos completos* de Rubén Darío, ed. cit., pág. 65.

de lo que nos mostrarán *Las fuerzas extrañas*—, si en *La muerte de Salomé* recurre al tema bíblico, y R. Lida comenta del primero: «por lo demás anterior al de Lugones de *Las fuerzas extrañas*»[65], la influencia se dio también en sentido contrario, como reconoce el propio prologuista de los cuentos de Darío:

> Donde sí han dejado su huella *Las fuerzas extrañas* es en el calculado horror de *La larva*, y al libro de Lugones aluden unas palabras del comienzo[66].

Hay un punto en el que Lugones se desvía de Darío y lo supera. Los cuentos del segundo son de poeta, los del primero de cuentista. Los relatos de Darío delatan en numerosas ocasiones que la pasión de poeta atrofia a la de narrador. El argumento pasa a un segundo plano y, como Catulle Mendès, se recrea en las imágenes descriptivas, se detiene «en súbitos remansos de lirismo y (aun se desvía) tras el esplendor de ciertas imágenes»[67].

Edgar Allan Poe

Es sabida la influencia de Poe en la literatura francesa tras haber sido dado a conocer por Baudelaire. Después influirá en la literatura finisecular, en *Las fuerzas extrañas*. Borges acusa a Lugones de haberlo leído. Incluso se ha señalado el paralelo que ofrecen *Eureka* y el *Ensayo de una cosmogonía en diez lecciones*.

Que ejerciera alguna influencia en él es menos importante que trazar los eslabones que unen a uno y otro en una corriente literaria de la que participan escritores de otras lenguas. Tanto a Poe como a Lugones les identifica acendrar el ejercicio de la literatura fantástica en pos de fuerzas aún no exploradas: el mesmerismo, por ejemplo, en el caso del nor-

---

[65] Ídem, pág. 61.
[66] Ídem, pág. 62.
[67] *Cuentos fantásticos,* ed. cit., pág. 9.

teamericano *(Mesmerican Revelation)* —«Poe se familiarizó con el tema, leyendo abundante bibliografía científica o pseudo científica»[68].

Italo Calvino ha señalado dos líneas en los cuentos fantásticos del siglo XIX: una inauguraría Hoffmann, cuyo principal rasgo definidor sería el de mostrar lo fantástico («fantástico visionario»); otra, la escuela creada por Edgar Allan Poe, que aspira a crear lo fantástico de modo conceptual, que no precisa de otro espacio que el cotidiano. En ésta, el cuento «va hacia la paulatina interiorización de lo sobrenatural»[69]. Señalemos que la línea de Lugones es esta segunda y que, aunque encontremos un cuento que es mera visualización *(La lluvia de fuego)*, nunca hay en su obra lo que Cortázar llamó «gran despliegue de cotillón sobrenatural»[70].

No sabemos qué puede haber de directa influencia entre uno y otro, aunque sí es posible señalar que ambos entroncan en una misma corriente. Poe influyó en los simbolistas, a través de los que probablemente caló en Lugones. Encontramos una serie de coincidencias, pero no una imitación próxima: la desconfianza en el progreso, la narración articulada a través de un diálogo expositivo, la coincidencia en algunos temas.

«LAS FUERZAS EXTRAÑAS»

Dos partes configuran el libro: doce relatos y una *Cosmogonía en diez lecciones*. Hay quien ha interpretado que el número no es azaroso:

> It is interesting to note that the book contains twelve stories-twelve being of the numbers sacred of the Pythagoreans, representing the dodecahedron, the geometrical figure employed in constructing the universe. If the one counts

---

[68] E. A. Poe, *Cuentos* 2, Madrid, Alianza, 1970 (1.ª ed. Univ. de Puerto Rico, 1956), pág. 506.

[69] *Cuentos fantásticos del XIX*, 1, Madrid, Siruela, 1987, pág. 16.

[70] *Último round*, t. I, Madrid, Siglo XXI, 1974, pág. 81.

the divisions of the «Cosmogonía», it becomesaparent thet there are twelve of these also: The Proem, ten lessons, and the Epilog...[71].

La notable diferencia de tono entre la segunda parte y la primera hizo decir a Borges que el propósito de la *Cosmogonía* era el de «expresar seriamente una hipótesis»[72].

Hecha esta diferenciación, el agrupar conforme a alguna clasificación los cuentos fue ya emprendido por Speratti Piñero en un pionero estudio sobre el libro[73]. Allí señalaba la diferencia entre los cuentos cientifistas: *La fuerza Omega, La metamúsica, Viola Acherontia, El Psychon, Yzur*; los cuentos de tema legendario: *El milagro de San Wilfrido, La lluvia de fuego, La estatua de sal, Los caballos de Abdera, El escuerzo.*

Un ensayo de Alix Zuckerman[74] divide el primer grupo: los de base científica *(La fuerza Omega, La metamúsica, Viola Acherontia, El Psychon)* y los de fuente entre científica y filosófica *(El origen del diluvio, Un fenómeno inexplicable, Yzur).*

Las clasificaciones posibles son múltiples porque el libro contribuye con gran diversidad a ampliar la corriente fantástica originada durante el romanticismo; porque los ingredientes con que Lugones configura sus relatos no se dan puros, sino híbridos. La presencia de los temas religiosos se produce al mismo tiempo que la de los científicos, los esotéricos, los míticos; la recurrencia a cualquier imaginería es ahora posible, por más que ésta no pertenezca al ámbito religioso cristiano —como era predominante si no exclusivo en el período romántico. Se sustituye el relato de milagros (del que aún pervive un título) por una nueva atmósfera en la que lo fantástico no tiene la inmediata explicación de lo

[71] T. W. Jensen, «The Pithagorean Narrative of Leopoldo Lugones», en *The Pithagorean Narrative of Darío, Nervo and Lugones,* Universidad de Michigan, 1985, pág. 202.

[72] *Leopoldo Lugones,* en *Obras completas en colaboración,* Madrid, Alianza, 1983, pág. 49.

[73] Recogido en *La literatura fantástica Argentina,* México, Impr. Univ., 1957.

[74] «*La fuerzas extrañas* de Leopoldo Lugones: análisis crítico», en *Estudios críticos sobre la prosa modernista hispanoamericana,* J. O. Jiménez (ed.), Nueva York, Eliseo Torres & Sons, 1975.

Caricatura de Lugones aparecida en *Fray Mocho* el 30 de mayo de 1913.

sobrenatural codificado a través de la imaginería religiosa. El horror a lo demoníaco es cambiado por el miedo a la fuerza desconocida —cuyas nefastas consecuencias son gratuitas—, a la nada —derivada del desarrollo de teorías materialistas. Al orden divino sucede el caos preconizado en el satanismo romántico. Hay un nuevo terror próximo como consecuencia del proceso de secularización del que ya hemos hablado.

Es principalmente esta apertura a múltiples temas la que hace difícil clasificar sus relatos, lo característico de todos ellos es la fusión de fuentes diversas puestas en relación analógica —como es propio en la literatura finisecular.

Para una nueva clasificación habría que considerar que el libro parece haber sido concebido con referencias permanentes entre unos relatos y otros. No diremos como Irmtrud König que la narración *Ensayo de una cosmogonía...* es la explicación de todos los relatos, pero es evidente una cierta unidad o continuidad temática entre algunos de ellos, como si el autor los hubiera concebido por series en la que los científicos nos remiten a la *Cosmogonía* y otros se corresponden temáticamente entre sí.

La lluvia de fuego muestra acaso lo que no se dice en *La estatua de sal* —el primero nos revela el proceso por el que fue destruida Gomorra, el segundo condena al monje Sosístrato por desear que le sea revelada la destrucción de Sodoma y Gomorra de labios de la estatua de Lot. El mono aprende a hablar en *Yzur* y usurpa la personalidad del protagonista en *Un fenómeno inexplicable. La fuerza Omega* cuenta la posible transformación en energía incontrolable de las vibraciones musicales; *La metamúsica* propone que el universo es música, movimiento de la onda etérea que se transforma en luz, calor, sonido... En realidad, *Viola Acherontia* está en relación con estos dos relatos.

El *Ensayo de una cosmogonía* propone una explicación para el origen del universo, pero también tenemos una explicación del *Origen del diluvio* y de la teoría de la evolución de las especies en *El Psychon*. Sólo *Los caballos de Abdera, El milagro de San Wilfrido* y *El escuerzo* parecen abrir caminos únicos. Aunque también esto podríamos relativizarlo: la parodia del primero sobre las conductas humanas tiene una clara correspondencia con la vida licenciosa desplegada en *La lluvia de fuego*; la ambientación del segundo evoca así mismo la realizada en *La estatua de sal*. Sólo *El escuerzo* inaugura un modo nuevo del que Borges destaca que con él Lugones «entra plenamente en lo sobrenatural»[75].

El modernismo ha significado la apertura temática que ya hemos señalado, así como la búsqueda de las relaciones entre las concepciones más diversas, ésa es la primera característica que en el libro de Lugones se aprecia: abigarrada variedad.

Los posibles verosímiles

Entendidos globalmente, estos cuentos desarrollan una diversidad de procedimientos de verosimilización que se adecua al tema que les da surgimiento. Se crea un vínculo insoluble entre el artificio por el que se desarrolla el relato y su tema o el argumento. Se proponen diversos sistemas de «causalidad mágica» para aportar coherencia a la narración:

a. La explicación pormenorizada.
b. La continuación de una temática tradicional.
c. El desarrollo de un rasgo circustacial con probidad.
d. La alegoría.
e. La omisión de toda explicación.

Quisiera que esta clasificación diera idea de varios aspectos capitales para entender la ubicación del Lugones cuentista en las letras argentinas. Primero, de su rechazo de toda uniformidad temática o compositiva: lo que justifica que no sean los cuentos cientifistas los únicos que componen el libro. También puede inferirse que se continúa en su obra aún la temática tradicional, pero que indudablemente va siendo desplazada por un nuevo espíritu, cuando no por una sensibilidad completamente nueva: así lo reflejan los relatos de tema folclórico y religioso. Pero también se advierte que en *Las fuerzas extrañas* se da un proceso que po-

---

[75] Borges, *op. cit.*, pág. 49.

dríamos definir como de búsqueda: Lugones inquiere las estructuras posibles del cuento. De ahí que en la clasificación que hemos propuesto importe menos la cantidad de relatos que integran cada apartado que la forma concreta empleada por el autor. Debe considerarse este último aspecto como quizá el esencial. Si en este libro parece haber encontrado una forma de relato próxima al ensayo (cuyo ulterior desarrollo corresponde acaso al autor de *Ficciones),* no volverá sobre ella en sus *Cuentos fatales* (Buenos Aires, Babel, 1924) y, salvo en Borges, la explicación de carácter ensayístico no volverá a prosperar en la literatura fantástica. En cambio, algunos relatos manifiestan que la ficción va alzándose frente al mundo no para explicarlo, sino para completarlo o descubrirlo. Manifiestan la tendencia a creer en la ficción y no en sus posibles explicaciones, al tiempo que Lugones descubre que debe ir dando entrada al lector en la fábula: instándole a que atribuya alguna explicación a lo narrado u obligándole a completarlo.

Por esta última vía alcanza el autor la modernidad en el cuento fantástico. La quintaesencia de lo fantástico está para algunos en esa ambigüedad que instala al lector en la duda y aleja al relato de justificaciones imposibles o digresiones que prosaicamente buscan convencer. Por eso *Yzur, La lluvia de fuego, La estatua de sal* son algunas de las invenciones más perdurables.

La explicación pormenorizada

Los relatos cientifistas

Un buen grupo de los relatos incluidos en *Las fuerzas extrañas* basa su desarrollo en la explicación minuciosa de un asunto fantástico, sometiendo así al texto a las mismas reglas que dominan el acuñamiento de una exposición científica: empleo del argumento de autoridad, contraste entre hipótesis diversas, ejemplos aducidos en defensa de cierta argumentación, abundancia de definiciones, uso de neologismos de apariencia científica.

A tales artificios se adaptan los cuentos denominados cientifistas; es decir, aquéllos en los que el discurso expositivo desplaza en mayor o menor grado al puramente literario o narrativo.

Podríamos establecer una diferenciación entre ellos, puesto que forman el grupo más numeroso del libro:

a. Los que formulan una concepción sobre el origen del universo: *Ensayo de una cosmogonía* y *El origen del diluvio.*

b. Los que exponen la manifestación de una fuerza: *La fuerza Omega, La metamúsica, El Psychon, Viola Acherontia.*

c. Aquellos que pueden entenderse como una prolongación del darwinismo: *Yzur, Un fenómeno inexplicable.*

En el principio: *Ensayo de una cosmogonía* y *El origen del diluvio*

Narración y exposición se yuxtaponen en estas dos creaciones de modo que lo literario pasa a un segundo plano para que el primero lo ocupe el discurso razonado y «científico». Lo «científico» está sugerido, pero no creemos que Lugones pretendiese que los discursos de uno y otro se tomasen por tales. La ironía final en el segundo de encontrar una sirena, o la irrupción de la fantasía en la «décima lección» nos llevan a pensar más bien en una suerte de ficción que se disfraza de exposición científica.

La tendencia en ambas composiciones parece ser la de incorporar razonadamente la imaginería fantástica tradicional: así en la «cuarta lección» se trata de dar una explicación de los espíritus, en la décima de cierta tradición china en torno a los eclipses lunares o del mito de Prometeo. Por su parte, *El origen del diluvio* nos da una posible explicación de las sirenas o de los gigantes. Todo ello en el seno de un desarrollo temático que sigue el más puro formalismo expositivo, con cita de datos técnicos. Además, el relato que explica el diluvio podría considerarse como una continuación del *Ensayo de una cosmogonía.*

La *Cosmogonía* es fruto de alguna de las teorías más en boga a fines del siglo XIX: la teoría atómica de la materia, la teoría ondulatoria de la luz, el desarrollo de la electricidad, el magnetismo y la radioactividad.

El punto del que Lugones parte para explicar el cosmos es el de un fluir infinito de éter luminoso longitudinal, que coincide con la descripción de la luz formulada por Newton, quien pensaba que los rayos de luz «constaban de una corriente de partículas con movimiento rectilíneo»[76]. El siguiente paso es el nacimiento de una nueva dimensión del universo al curvarse la línea de la luz: la luz se transmite en frecuencias de onda como describe Thomas Young[77] para explicar que la gama de colores no es sino un conjunto de frecuencias ondulatorias diferentes en las que se transmiten los rayos luminosos —proceso parejo al de la diferenciación de las notas en el sonido.

Nacen así los átomos, una primera organización de la materia que origina la aparición de la tercera dimensión. El universo es entonces un infinito conjunto de lentejas. Lugones lo explica así:

> [...] la primera manifestación de la energía absoluta [...] fue un movimiento de desarrollo absolutamente longitudinal, un rayo γ; y [...] este movimiento engendró el espacio. El rayo en cuestión llevaba en su propio curso la segunda dimensión, puesto que serpenteaba; y sus ondulaciones al acentuarse, concluyeron por dividirlo en arcos cuyos extremos [...] se unieron formando ruedas y engendrando el espacio de segunda dimensión.
>
> En el ámbito de estas ruedas formáronse polígonos [...] que fueron los primeros seres, con una existencia análoga a la de los que conocemos, y que constituyeron los prototipos lineales de los átomos.
>
> Las ruedas luminosas se atrajeron, y al chocar o absorberse según sus magnitudes, se desarrolló en ellas el volumen a que tendían, transformándolas en lentejas, en ovoides y en esferoides, y engendrando por consecuencia el espacio de tercera dimensión, nuestro espacio, al par que la

[76] Stephen F. Mason, *Historia de las ciencias*, vol. 4, Madrid, Alianza, 1986, pág. 102.
[77] Ídem, págs. 103 y ss.

rotación planetaria. Los polígonos se convirtieron en poliedros y nacieron los átomos, que son centros de fuerza
individualizada.

Esto ha expuesto al final de la «cuarta lección» y el autor
se detiene para refutar otras teorías contrarias: la de Laplace
y el «experimento de Plateau». No es sino un símbolo de la
oposición del argentino al positivismo.

El libro en que Laplace hace su exposición de la formación del sistema solar por la rotación de una nebulosa y su
condensación es el principal objeto de crítica en la «quinta
lección». Una de las claves para entender a Lugones aparece en este capítulo:

> Los estados de la materia y de la conciencia, así como
> la generación de unos elementos por otros, puesto que la
> vida [...] es un perpetuo cambiar de estado, explican me-
> jor la evolución total del universo que la hipótesis cos-
> mogónica de la ciencia, sin subordinarla exclusivamente
> a la materia ni al azar que es lo arbitrario...

La incorporación, la fusión de lo científico y de lo espiritual es la esencial diferencia de método entre Lugones y los
científicos materialistas. Esa vía se ampliará cada vez más en
las lecciones siguientes e incorporará la fábula a la concepción del universo. Lo científico se aúna con lo imaginario,
la realidad con la fantasía, lo material con lo espiritual.

En la «lección sexta» se señala que el resultado de las diversas energías que se liberan en las fusiones de los átomos
es el equilibrio pitagórico de la «música de las esferas» y que
la lucha por la supervivencia, principio de la evolución bio-
lógica no es ajena a la transformación de la materia. La energía liberada en la transformación será el sustento de la evolución del universo y tiene nombres científicos: electricidad; o fantásticos: «entidades incorpóreas, o sea espíritus» y
«personajes fantásticos».

Todo el universo físico se vivifica y la radioactividad es
considerada como «la sensibilidad de la materia», se habla
de la «fatiga de los metales», al tiempo que lo humano in-

tenta explicarse desde un prisma materialista: «La sangre es un potentísimo reservorio de electricidad», «el amor es el producto eléctrico del contacto de dos cuerpos heterogéneos».

Y todo ello abarcado por una concepción pitagórica que vele para añadir la concepción del universo a un sistema en el que se incluye la magia y lo poético, bajo el gobierno numérico del 7 («el septenario de la manifestación»).

Pasemos por alto el valor de la argumentación[78], lo interesante estriba en que la exposición sirve de fundamento a alguna de las fuerzas extrañas que se ejemplifican en otros relatos bajo una concepción que integra las más diversas manifestaciones en forma coherente. Más que una cosmogonía podríamos hablar de un «cosmocuento» en el que aparece la concepción pitagórica del universo, base de *La fuerza Omega* y *La metamúsica*. *Viola Acherontia* surge de una idea que se expone en la «Sexta lección»: «El olor es también una forma de radioactividad.»

El bestiario que antecede al hombre en *El origen del diluvio* aparece aquí explicado: «...el espíritu del hombre existía ya, pero no dividido todavía en seres humanos...».

El igualamiento del hombre al mono se propone en *Yzur*, en *Un fenómeno inexplicable* y se formula en *Cosmogonía*: «...si el hombre no era·más que un peldaño, no había razón para que fuese el superior (...) el mono antecesor se ha convertido en un primo...».

Al final de *El origen del diluvio* la reunión espiritista se libera de la presencia del alma reveladora encendiendo la luz. En la *Cosmogonía* leemos: «Cuando se dice que la luz ahuyenta los espectros, se expresa una verdad más grande de lo que parece.»

En *El Psychon* se nos dice que las sirenas son un estado intermedio en la evolución humana, idea que se ha expresado en *El origen del diluvio* —en el que una sirena se aparece al final— y que en la *Cosmogonía* se expone aludiendo a las diversas formas del hombre antes de que éste alcance su fi-

---

[78] No suscribimos las siguientes palabras de Borges: «El propósito del autor es expresar seriamente una hipótesis», *op. cit.*, pág. 49.

gura actual. Una de esas formas se describe así: «peces con cara humana»[79].

La *Cosmogonía* es una argumentación que quiere culminar en la prevalencia de lo espiritual sobre lo material cuya manifestación es la inteligencia que rige el universo. Las consecuencias son algunas directrices que amalgaman hasta dar unidad a los relatos del libro:

—superación del positivismo;

—reorganización de la concepción del mundo en torno al hombre;

—manifestación de la influencia de la teosofía.

La *Cosmogonía* es, como argumentación científica, una burla de teorías más o menos en boga; ahora bien, como narración, no puede pasar desapercibida para nadie la culminación del relato («Epílogo»), a la que sólo alguna de las mejores páginas del escritor puede comparársele.

La música callada de *La fuerza Omega* y *La metamúsica*

Dentro de los cuentos científicos estos dos forman una unidad temática, una suerte de variación en torno al mismo asunto: la transformación de la música en energía.

El plan seguido por el autor es muy paralelo en ambos: un narrador que participa en la acción como testigo de la experiencia nos refiere los antecedentes de un «investigador» al que le liga una estrecha amistad que surge a raíz del mutuo interés por los temas científicos o esotéricos[80], después de un tiempo de ausencia los amigos se encuentran y el «investigador» revela al narrador un descubrimiento. Durante toda la exposición del científico —que ocupa la mayor parte del relato—, el otro adopta una actitud de descreimiento o de franca ironía que contrastan con el final dra-

---

[79] Véase en *Ensayo de una cosmogonía en diez lecciones,* la «Décima lección».

[80] Así, en *La fuerza Omega* dice: «...mi despreocupación por el qué dirán debió agradar a aquel desdeñoso, pues desde entonces intimamos. Nuestras pláticas sobre el asunto favorito fueron largas...» Y en *La metamúsica*: «Analogías de condición y de opiniones nos acercaron, nos amistaron y concluyeron en sincera afección.»

mático (la muerte en el primero; la pérdida de los globos oculares, en el segundo).

La fuerza Omega y *La metamúsica* reducen el argumento al mínimo. Lo esencial lo constituye la exposición teórica del fenómeno. El discurso argumentativo realiza la función de sustentar la verosimilitud del relato.

En las dos exposiciones se amalgama lo científico con lo espiritualista, teosófico o pitagórico. Esto último se destaca como origen de la argumentación de los dos relatos en la fórmula: el mundo mantiene su equilibrio por cierta armonía musical que procede de una distancia matemática entre los planetas. Los dos cuentos sostienen que esa música de las esferas es susceptible de transformarse en energía: la fuerza «Omega» y una fuerza luminosa (la «metamúsica»). El procedimiento empleado es también idéntico en ambos: el acorde do-fa-sol-do constituye el origen de la fuerza capaz de desintegrar la masa molecular de un cuerpo (si incide directamente en el centro de cohesión de sus moléculas, se dice en *La fuerza Omega,* aserto¹ que es válido también para explicar lo que sucede en *La metamúsica).*

El pitagorismo al que nos hemos referido como una de las pseudo-religiones de los modernistas deja en estos dos relatos sus huellas más evidentes. El estímulo creativo lo encuentra Lugones en las concepciones mas diversas: cristianismo, pitagorismo, cientifismo.

La música fue tema predilecto de los modernistas. Ya los simbolistas trataron de aproximar la poesía a la música; se sintieron seducidos por su misterio y buscaron su inspiración o copiaron sus estructuras. La obra de otros escritores de relatos fantásticos continúa esta indagación en la magia del arte musical: Horacio Quiroga escribirá *La llama*, un cuento protagonizado por el propio Wagner; Felisberto Hernández, pianista de profesión, evocará sus experiencias en *Mi primer concierto;* Cortázar escribe *Las ménades* o *El perseguidor;* Silvina Ocampo *La música de la lluvia* y *La sinfonía*; la lista sería larga. Lo diferente en el caso de Lugones es que la música es una invitación a la fantasía razonada, una explicación del universo; es decir, la concepción pitagórica de sus relatos explícitamente revelada:

—El universo es música —prosiguió animándose—. Pitágoras tenía razón, y desde Timeo hasta Kepler, todos los pensadores han presentado esta armonía.

A estos dos habría que añadir, como relatos que exponen el descubrimiento de una nueva «fuerza», *El Psychon* y *Viola Acherontia*. El primero nos presenta a un científico al margen de la ciencia «seria» que pretende la licuación del pensamiento —la etimología del título conserva la motivación lingüística— y acaba en una casa de salud para enfermos mentales. El segundo narra las «correspondencias» baudelerianas entre el mundo humano y el vegetal: un jardinero busca la sugestión de las violetas para que éstas emitan «un tósigo mortal sin olor alguno: una ponzoña fulminante e imperceptible». Busca pues, una *flor del mal*. Lo llamativo del argumento es la coincidencia en el tema con otro cuento que escribirá Macedonio Fernández: *Tantalia*.

Advertimos en estos dos cuentos la ausencia de final climático que caracteriza la mayoría de los que componen el libro. También debemos señalar cómo Lugones prodiga la ironía en éstos como en otros, de forma que se critica el experimentalismo positivista en auge a fines del XIX.

El eslabón perdido: *Yzur* y *Un fenómeno inexplicable*

Como otros relatos científicos, *Yzur* se origina a partir de una hipótesis expresada casi al comienzo en una suerte de prólogo o presentación muy característica de los cuentos de Lugones:

> Los monos fueron hombres que por una u otra razón dejaron de hablar. El hecho produjo la atrofia de sus órganos de fonación y de los centros cerebrales del lenguaje; debilitó casi hasta suprimirla la relación entre unos y otros, fijando el idioma de la especie en el grito inarticulado, y el humano primitivo descendió a ser animal.

A partir de la formulación, los datos científicos —que en otros cuentos llegan a desplazar e ignorar lo puramente narrativo— apenas son consignados o cotejados mediante la referencia a hipótesis de científicos diversos. El relato describe fundamentalmente y sin postergaciones expositivas la experiencia de hacer hablar a un mono con la perspectiva de que éste es un ser que ha callado durante miles de años por voluntad propia.

Otros datos confirman que es ésta una narración considerada de forma diferente por su autor: no hay asomo de la ironía que contamina de escepticismo los otros relatos científicos; no se narra a través de un testigo que contacta con un descubridor, sino que es el propio narrador el protagonista de la experiencia. La consecuencia es una mayor inmediatez de la materia narrada que atrapa en mayor grado al lector que en otras narraciones.

El relato avanza en ascenso hacia un final climático como pocas veces en Lugones y la acción no la protagonizan otros personajes que el propio Yzur, el mono, y el relator. De modo que participamos así del sentimiento de soledad que acecha a éste último; del abismo comunicativo que separan al mono y al hombre. Experimentamos también la sensación de que algo telúrico les une y sobrepasa:

> Desde un obscuro fondo de tradición petrificada en instinto, la raza imponía su milenario mutismo al animal, fortaleciéndose de voluntad atávica en las raíces mismas de su ser.

El final es espléndido; una metamorfosis se opera en el animal humanizado con minuciosa verosimilitud: en su agonía, Yzur atenaza el brazo de su amo, abre angustiosamente los ojos y... habla. Con prodigiosa incursión en lo fantástico llega el autor al centro mismo de lo inefable —aquello que fue ápice de modernidad en el simbolismo—: «¿cómo explicar el tono de una voz que ha permanecido sin hablar diez mil siglos?».

En *El inmortal*, Borges narrará la historia de un tribuno romano que en Tebas encuentra a un jinete perseguidor del río cuya agua le vuelva inmortal. Llega frente a la Ciudad de los Inmortales tras una pesadilla de la que despierta maniatado. Así conoce a los trogloditas que viven en sus alrededores, y uno se convierte en su compañero. Como el narrador de *Yzur* con el mono, intenta enseñarle algunas palabras y le bautiza Argos —nombre del perro de Ulises. El troglodita es descrito como perteneciente a «...un mundo sin memoria, sin tiempo» (como el simio Yzur). Un día de lluvia, Argos rompe a hablar: él fue Homero.

Tal vez Lugones sirviese de inspiración a Borges. Lo cierto es que ambos concibieron el lenguaje como instrumento de suprema revelación. Como en la *Biblia*, nombrar la realidad es para estos escritores crearla. Lugones y Borges confieren a la palabra atributos fantásticos.

Yzur es símbolo de que Lugones opera con formas narrativas diversas: la expositiva y la que vive sólo de la ficción. Los avances científicos y los orígenes del cuento coinciden en el tiempo para dar lugar a una primera poética del cuento fantástico en que el escritor siente la necesidad de demostrar, de convencer al lector. La literatura busca el asidero ancilar —recordemos a A. Reyes— de campos no literarios (biología, física, astronomía). Al mismo tiempo, otra vía de creación propone que la ficción no encuentre sustento más que en sí misma, en los propios mecanismos literarios. Se evitan las digresiones explicativas y se incorpora al lector al centro mismo del argumento. *Yzur* es una forma intermedia entre ambas poéticas; su primera parte lo vincula a otros relatos científicos, pero las últimas páginas y ese final acuciante reflejan un procedimiento de semejantes líneas a las trazadas en *La estatua de sal* o *La lluvia de fuego*, creaciones entre las que *Yzur* se cuenta como una de las mejores del libro.

La tradición

El milagro de San Wilfrido y El escuerzo

Un segundo grupo se caracteriza por continuar una tradición que sirve como aval de verosimilitud y, en consecuencia, se hace innecesaria toda explicación; basta que se aluda a un milagro para que nuestra imaginación codifique los hechos en un sistema preciso de referencias entre las que la oración o la cruz, por ejemplo, actúan como vías de acceso a lo sobrenatural que siempre culmina el relato proclamando un orden divino regidor del universo. Basta también la referencia a que determinado hecho es concebido como causa (causa mágica) de un efecto. La vinculación con la creencia ajena, con la tradición popular, libera al narrador del deber de explicar, aunque él deberá contar como si lo creyera.

El milagro de San Wilfrido y *El escuerzo* practican sendas incursiones en estas tradiciones imaginarias. El primero contiene precisiones espaciales[81] y temporales[82], detalles histórico y una lujosa erudición que pretenden la mayor aceptación por el lector de los acontecimientos. La exactitud, la aportación de datos, pueden resultar impedimentos cuya consecuencia sea la contraria de lo que se procuraba: hacer más creíble lo contado.

El ambiente y el tema de *El milagro de San Wilfrido* recuerdan las narraciones románticas. Como ellas, integra una anécdota caballeresca galante, con un motivo religioso y sitúa la acción en la Edad Media. Leopoldo Lugones emplea la primera persona para narrar otros relatos, no éste: la tradición ha transmitido el argumento, no es preciso añadir más testigos; tal es el fingimiento del que se parte; las «reglas del juego» diría Cortázar. El narrador emplea una significativa forma impersonal que lo libera de la responsabilidad de lo narrado: «Contábase a propósito de...» Para que el relato sea más verosímil se hace acopio de datos, fechas, referencias de carácter erudito.

Los tiempos del relato son dos. El primero nos refiere el milagro de una flor que se transforma en el casco de Wilfrido. Este caballero ha castigado con la muerte a su mujer por un adulterio que ella no cometió y el casco le muestra

---

[81] «Alrededor de Jerusalén, desde la puerta de Damasco hasta donde el Cedrón penetra en el valle de Sové que los latinos llaman el valle de Josafat.»

[82] «El 15 de junio de 1099», «la ciudad ilustre fundada el 2023 año del mundo».

70

el camino de la redención y de la unión con ella: el combate contra los infieles. El segundo tiempo cuenta la muerte de este personaje que de la vileza, del asesinato injusto, pasa a la heroicidad, y luego a la santidad.

Lugones vigila menos el argumento de este cuento que el de otros. A veces parece conformarse con la mera enumeración:

> Desde los hijos de Jebus, hasta Sesac; desde Joas hasta Manasés, hasta Nabucodonosor, hasta Tolomeo Lago, hasta los dos Antíocos...

Ese repaso de héroes recuerda la épica clásica, en la que nombrar a los combatientes era uno de los tópicos habituales.

En otra ocasión, el narrador contempla la ciudad de Jerusalén y al reparar en la mezquita Gameat-el-Sakhra nos refiere digresivamente sobre la cúpula: «levantada por Omar a indicación del patriarca Sofronio, sobre las ruinas del templo de Salomón».

La digresión es tan importante como el relato. En ella se pone de evidencia la cultura del autor, su capacidad para concitar la presencia de numerosos acontecimientos que colaboren a la aceptación de los que él va a narrarnos.

Además, el propio autor ha separado las partes del relato: la descripción de Jerusalén, su historia, sus murallas; la presentación de Wilfrido con salto hacia el pasado que explique el milagro del casco; refiere luego la *presente* hazaña, y el narrador concluye con una referencia que pretende comprobar la realidad de lo narrado. Esta última parte es prescindible y caduca, un vestigio romántico que ya no es válido.

Falta de solidaridad entre las partes, tendencia a la digresión, postergación del argumento, otro elemento hay que añadir a esta nómina de aspectos que evidencian un cierto desdén por el argumento: incluye personajes cuya participación en el relato queda sin justificación. Tal es el caso de Pedro el Ermitaño, a quien se presenta en la primera secuencia como evocador de la historia de la ciudad, para no volver a hacerse referencia a él.

El escuerzo es también un relato en dos tiempos en el que el primero sirve como motor de la verdadera historia —hasta aquí en nada difiere de *El milagro*. Una peculiaridad importante la constituye el hecho de que aquí el narrador actúa como protagonista de la primera historia: un niño se encuentra con un sapo que en lugar de huir ante su presencia se enfrenta a él, hinchándose. El muchacho lo mata.

Tal anécdota, que se repite con simetría escrupulosa en el caso que, a propósito de éste, nos es referido; lo diferente será el trágico desenlace que culmina el segundo argumento. Ya no nos lo cuenta el narrador directamente; sino a través de una «vieja criada» —a quien se traslada la responsabilidad de la veracidad de lo narrado.

El terror, cuando el protagonista que lo sufre es un niño, da una «vuelta de tuerca», se afirma en la narración de H. James. *El escuerzo* parte de una premisa semejante para adentrarse en los inútiles esfuerzos de la madre protagonista por sortear la fatalidad. Una suerte de *fatum* preside la segunda narración hasta su clímax de profundo y simple horror:

> Un frío mortal salía del mueble abierto, y el muchacho estaba helado y rígido bajo la triste luz en que la luna amortajaba aquel despojo sepulcral, hecho piedra ya bajo un inexplicable baño de escarcha.

Hemos dicho que la fuente de inspiración es el folclore, que actúa en este cuento con notable vigor, pues logra transmitir con realidad una de las fuentes perennes de la literatura fantástica: la superstición. El contraste de este relato con el resto es evidente si nos fijamos en la economía de elementos con la que éste está narrado. Ausencia de toda erudición: la anécdota se evoca límpida de toda referencia, lo que no deja de asombrar en Lugones. Es el único relato, —acaso con *La lluvia de fuego*— en que no se hace gala de saber. Los personajes que intervienen cumplen una finalidad muy precisa: en la primera parte la superstición es sostenida por la «vieja criada», la postura escéptica la mantiene una Julia a la que caracteriza «el amable desenfado de su coquetería de treinta años»; en la segunda tenemos a una «pobre vieja» llamada Antonia y a un muchacho que también descree de las supercherías. La última referencia a lo económico de medios de que se vale el relato vincula esta creación de Lugones con lo fantástico moderno: el relato se interrumpe con la descripción de la muerte del joven, no se vuelve al tiempo primero ni se detiene en explicación alguna a propósito de la fábula, y se nos deja en esa ambigüedad que define lo fantástico puro en opinión de Todorov.

Con este relato ha abierto Lugones un camino nuevo que continuará Horacio Quiroga. Juntos acercaron su mirada al interior del Continente durante un viaje por Misiones que Quiroga recuerda en el relato *Los perseguidos*:

> Esto pasaba en junio de mil novecientos tres.
> —Hagamos una cosa —me dijo aquél [Lugones]—. ¿Por qué no se viene a Misiones? Tendremos algo que hacer.
> Fuimos y regresamos a los cuatro meses, él con toda la barba y yo con el estómago perdido[83].

Quizá en la médula de *El escuerzo* esté esta experiencia que abrirá el camino fundamental a la creatividad de Quiroga. Muchas serán las supersticiones que éste incorporará a sus relatos, alguna tan próxima a la de éste como la referida en *Los cazadores de ratas* (octubre de 1908), en que se cuenta que las víboras regresan para vengarse al lugar en que fue matada su pareja. Como en el cuento de Lugones, la víctima es un hijo.

La probidad de un rasgo circunstancial

La lluvia de fuego

Depurado de toda tentación explicativa este relato, uno de los más alabados de la serie de *Las fuerzas extrañas*, recrea

---

[83] *Cuentos*, Caracas, Biblioteca Ayacucho, 1981, pág. 32.

con prolijidad la destrucción de Gomorra por un testigo «desencarnado», y cada circunstancia que se evoca se integra con coherencia en el relato.

Estamos ante un tipo de verosimilitud muy diferente del que cataliza el argumento de aquellos relatos expositivos en los que predomina la teoría sobre la narración, la ciencia o la teosofía sobre la literatura. Cuando el cuento no busca otros recursos que la solidaridad entre los elementos del propio texto y desdeña la función ancilar de otras materias. Acierta Lugones en *La lluvia de fuego*, al que el lector juzga más verosímil que alguno de sus cuentos largamente digresivos para demostrar la existencia de una fuerza o la veracidad de un experimento. La ficción se alza aquí como lo que es, una imaginación sin complejos sobre su validación, portadora de un mundo coherentemente concebido. Borges señalaba a propósito del *Quijote* que sus aventuras

> no están muy bien ideadas, los lentos y antitéticos diálogos —razonamientos, creo que los llama el autor— pecan de inverosímiles, pero no cabe duda de que Cervantes conocía bien a Don Quijote y podía creer en él[84].

Esa intuición la tenemos también al leer *La lluvia de fuego*: la narración en primera persona es inverosímil, los hábitos del personaje anacrónicos, la descripción del espacio acaso aluda a las ciudades de la llanura[85], pero la narración levanta una fantasía urdida con precisión en torno al acontecimiento del cataclismo de Gomorra. En su *Leopoldo Lugones*, Borges exalta como virtud del relato su «minuciosa probidad». Otras ficciones fantásticas ha definido de manera semejante:

> Lo admirable es la infinita probidad de esa imaginación, la coherente y minuciosa verdad de su mundo fantástico,

---

[84] *Otras inquisiciones*, en *Obras completas*, Buenos Aires, Emecé, 1974, página 674.

[85] Así lo afirma Borges en su ensayo sobre Lugones.

escribe sobre la obra de C. S. Lewis *Out of the Silent Planet*[86]. El fenómeno literario del que habla Borges es nominado por él mismo como «rasgo circunstancial»[87], y lo describe a partir de *El hombre invisible* de H. G. Wells como «pormenores lacónicos de larga proyección»[88]. En el ejemplo, la invisibilidad da lugar a una serie de consecuencias minuciosamente descritas; en nuestro relato la derivación de pormenores relatados parte de esa «lluvia de fuego» que obliga al protagonista a refugiarse en diversos lugares de la casa (la bodega, el sótano), contamina el agua y crea una sofocante atmósfera infernal, prende fuego a toda la ciudad hasta su total aniquilación en un proceso consignado de un modo gradual.

Con la misma probidad se explicitan las invenciones circunstanciales en torno al amoralismo —dandismo— del personaje protagonista; su hedonismo exhibe un catálogo amplio de goces mundanos: los sexuales, un mancebo «dejó ver sus piernas glabras», las cortesanas muestran «el seno desnudo» y él al contemplar a una joven exhibida en una caravana que «anunciaba amores monstruosos» exclama: «Bello cartel, a fe mía»; el comer y el beber, los años le han ido inclinando a cambiar los excesos sexuales por los del gourmet: «Ahíto de mujeres y un poco gotoso, en punto a vicios amables nada podía esperar ya sino de la gula.» Sumémosle a estos goces un sutil refinamiento: sus descripciones del fenómeno quieren transmitirnos un espíritu sensible y cultivado que sabe captar lo esencial del momento, su excepcionalidad y magnificencia. Este hombre, orgulloso de su biblioteca, que hace leer a un criado mientras come, exhibe una absoluta indiferencia frente al mundo. Como cualquier escritor de fin de siglo se espantaba de lo vulgar, éste dice que «aborrecía a los hombres» con un aristocratismo de niño finisecular que desemboca en la valora-

---

[86] *Textos cautivos*, Barcelona, Tusquets, 1986, pág. 300.

[87] Véase *La postulación de la realidad* en *Discusión* o el prólogo a *El elogio de la sombra*.

[88] *La postulación de la realidad*, en *Prosa completa*, Barcelona, Bruguera, vol. 1, pág. 63.

ción del espectáculo como una ruptura de la ramplonería cotidiana. Se extraña ante esa fantasía crepuscular como un Baudelaire anacrónico:

> Reanimado por el vino, examiné mi situación. Era asaz sencilla. No pudiendo huir, la muerte me esperaba; pero con el veneno aquél, la muerte me pertenecía. Y decidí ver eso todo lo posible, pues era, a no dudarlo, un espectáculo singular. Una lluvia de cobre incandescente! La ciudad en llamas! Valía la pena.

Un último rasgo definidor es su absoluta indiferencia ante el dolor humano, como no sea para deleitarse en los valores estéticos del horror. Así reconoce las excelencias de la voz humana, pero sólo para evocar con perversa fruición sus méritos en cuanto fenómeno estético:

> Quemada en sus domicilios, la gente huía despavorida, para arderse en las calles, en la campiña desolada; y la población agonizó bárbaramente, con ayes y clamores de una amplitud, de un horror, de una variedad estupendos. Nada hay tan sublime como la voz humana.

Toda una corriente de la literatura finisecular se encuentra representada en el dibujo de este protagonista anónimo. El aristocratismo y la profanación, el amoralismo y el sadismo; el goce del mundo ajeno a cualquier concepción ética frente a la proclamación de lo artístico como hiperestesia y sensualismo; todo ello se funde en el narrador y protagonista de *La lluvia de fuego*. Coincide su perfil punto por punto con el esbozo que a través de G. Bryan Bummell (quien poco antes de morir exclama : « ¡On est bien changé, voilà tout!»), Barbey d'Aurevilly (que escribe un libro sobre el anterior y acuña así la definición del *dandysme* apuntalado a partir del principio de «la impasible imperturbabilidad ante las peripecias de la vida») y Baudelaire (quien propugna desafiar lo vulgar haciendo de la propia persona «una obra de arte»), que se opone al progreso y juzga que nuestra cultura se halla ante su cataclismo:

> [...] su dandy no sólo recuerda el melancólico resplandor de una puesta de sol —«es magnífico, sin calor y lleno de melancolía»—, sino que en momentos extremos cree ver en él una premonición del fin del mundo: «El mundo va a acabarse. La única razón por la que podría durar es el hecho mismo de que existe»[89].

Estas semejanzas no agotan la fecundidad de significados del texto. El mundo configurado en *La lluvia de fuego* es también un reflejo de los *Estudios helénicos* que tanto apasionaron a Lugones. La misma actitud ante el suicidio juzga él en el mundo clásico que la adoptada por el protagonista de este relato: «...con el veneno aquél, la muerte me pertenecía». Ya se han recordado unas palabras del autor a propósito del suicidio clásico: «La muerte voluntaria... constituye... la belleza exaltada a lo sublime.»

Probablemente sea ésta una analogía más de las que recorren el libro: a la fusión de religiones que propone la teosofía, a la analogía entre el hombre y las fuerzas telúricas que proclama el simbolismo, se añade una analogía entre épocas de «Grecias, Romas y Francias» como contaba Darío en «Divagación».

Irmtrud König ha destacado que el cuento condensa «los conflictos, las angustias y las nostalgias del hombre moderno»[90].

La tumultuosa vida en las ciudades modernas, la representación parabólica o metafórica de las formas de vida finiseculares, la desconfianza en el progreso, dejan su huella en el cuento. En un magistral ensayo ha destacado Walter Benjamin la importancia del tema de la multitud en la literatura del siglo XIX y especialmente en Baudelaire que se

> enfrenta a la ciudad con la mirada del exilado. Se trata de la visión del paseante, cuya forma de vida representa, con un resplandor consolador, la desesperanzada vida venidera de los habitantes de las grandes ciudades[91].

---

[89] Hinterhäusser, *op. cit.*, págs. 77-78.
[90] *La formación de la narrativa fantástica hispanoamericana en la época moderna*, Frankfurt, Lang, 1984, pág. 192.
[91] *Sobre el programa de filosofía futura*, Barcelona, Planeta, 1986, pág. 134.

La actitud del protagonista no puede ser más pareja a la aquí descrita. La lluvia ha parado, y antes de que arrecie por segunda vez, contempla a la multitud bullendo en las calles de esta fingida Babilonia:

> Acodado en el parapeto de la terraza, miraba con un desconocido bienestar solidario, la animación vespertina que era todo amor y lujo.

Contempla cuanto sucede a su alrededor con el distanciamiento que aconsejaba Barbey, con esa «mirada de exilado» que destaca Benjamin: la multitud («más numerosa que nunca»), la gente de placer, los jóvenes que recogen el cobre de las calles para venderlo. Al anochecer, vuelve al paseo entre la multitud. Es quizá la mejor descripción que de la ciudad se hace:

> La ciudad, caprichosamente iluminada, había aprovechado la coyuntura para decretarse una noche de fiesta. En algunas cornisas, alumbraban perfumando, lámparas de incienso. Desde sus balcones las jóvenes burguesas, excesivamente ataviadas, se divertían en proyectar de un soplo a las narices de los transeúntes distraídos, tripas pintarrajeadas y crepitantes de cascabeles. En cada esquina se bailaba. De balcón a balcón cambiábanse flores y gatitos de dulce. El césped de los parques, palpitaba de parejas...

Este paseante solitario, fascinado por el tráfago mundano entre el que ahoga su honda soledad, que invita a cenar a dos amigos —pero apenas queda consignada la cena, ellos no hablan, no dialogan con el protagonista—, que se encuentra *in extremis* con un único superviviente y apenas intercambia con él una información escueta —que nos es referida, no directamente transcrita— simboliza el afantasmamiento al que conduce la vida moderna en las ciudades, el anonimato —él mismo, como hemos dicho, carece de nombre— en que se disuelve la personalidad del individuo entre la multitud.

Poe describe en *El hombre de la multitud (The man of the Cowd)* las calles de Londres a una hora crepuscular —como en el relato de Lugones— en que se acentúa el bullicio y el tráfago anega al individuo. El narrador, «capaz de leer la historia de muchos años en el breve intervalo de una mirada»[92], describe en primera persona su fascinación, el estado anímico que esa multitud le inspira:

> This latter is one of the principal thorough fares of the city, and had been very much crowded the whole day. But, as the darkness came on, the thong momently increased; and, by the time the lamps were well lighted, two dense and continuous tides of population were rushing past the door. At this particular period of the evening I had never before been in a particular situation, and the tumultuaous sea of human heads filled me, therefore, with a delicious novelty of emotion[93].

Baudelaire describe un proceso aún más cercano al que Lugones registra en *La lluvia de fuego*. Perderse en la multitud es para él una forma de acceder a la soledad[94]. Lo expresa en el poema *La solitude*, pero alcanza su formulación más precisa en *Les foules*, cuya lectura carga de significado el cuento de Lugones:

> Il n'est pass donné à chacun de pendre un bain de multitude: jouir de la foule est un art; et celui —la seul peut faire, aux dépens du genre humanin [...]
> Multitude, solitude: termes égaux et convertibles pour le poëte actif e fécond [...]
> Le promeneur solitaire et pensif tire una singulière ivresse de cette universelle communion...[95].

Benjamin subraya que el paseante solitario de Baudelaire ve en París un mercado que todo lo degrada, el arte y las relaciones humanas. Puede considerarse a Lugones continuador de este tema dominante en la literatura contemporánea.

---

[92] La cita es de Cortázar: Poe, *Cuentos 2*, Madrid, Alianza, pág. 500.
[93] *The completed stories and poems of E. A. Poe*, Londres, Chancellor Press, 1988, pág. 211.
[94] «La solitude», en los *Petits poëms en prose* o en *Les foules*.
[95] Barcelona, Boch, 1975, págs. 100-102.

Así pues, la probidad del relato surgido a partir de unos pocos rasgos circunstanciales y su referencialidad a un tiempo al pasado y al presente, le dotan de una extraordinaria verosimilitud. Un nuevo verosímil que será ensayado más adelante por Borges, Cortázar o Bioy Casares.

La alegoría

Los caballos de Abdera

Un ensayo de E. A. Poe sobre Hawthorne critica el uso que éste hace de la alegoría porque la ficción, el relato propiamente dicho, cede su lugar a la abstracción, al concepto, y escamotea la narración. La alegoría puede aceptarse, dice Poe, si la narración la sugiere en un nivel significativo muy profundo, pero no si se muestra en la superficie pues la consecuencia será la pérdida de la verosimilitud. Este concepto interesaba intensamente al autor de *William Wilson* o *The pit and the pendulum* —y a Bioy Casares, Borges o Cortázar.

También Borges, en un conocido ensayo sobre el mismo escritor *(Nathaniel Hawthorne)*, rememora las acusaciones de Poe y sintetiza las posturas a favor o en contra de la alegoría simbólicamente representadas por la actitud contraria de Croce y la vindicativa de Chesterton. Croce argumenta que la alegoría es una suerte de «mascarada» o de «adivinanza, más extensa, más lenta y mucho más incómoda que las otras»[96]. Chesterton sostiene que «puede haber diversos lenguajes que de algún modo correspondan a la inasible realidad»[97], uno de ellos sería la alegoría.

El autor de *La biblioteca de Babel, El informe de Brodie, El inmortal*, no puede negar toda validez literaria a la alegoría. De su argumentación se infiere que es despreciable aquella en que cada término es sustituible por otro infaliblemente; pero sumamente enriquecedora la que multiplica los signi-

[96] *Ficcionario*, México, F.C.E., 1985, pág. 279.
[97] Ídem, pág. 280.

ficados del texto. Así, cuando sugiere que alguien objete a Dante la concepción de Beatriz como sustituto de la «fe» anota:

> la verdad es que en el mundo hay una cosa (...) que cabe indicar por dos símbolos: uno, asaz pobre, el sonido «fe»; otro, Beatriz, la gloriosa Beatriz que bajó del cielo y dejó sus huellas en el Infierno para salvar a Dante. No sé si es válida la tesis de Chesterton; sé que una alegoría es tanto mejor cuanto sea menos reductible a un esquema, a un frío juego de abstracciones[98].

Lo que en el fondo equivale a las palabras de Poe: la alegoría no puede proponer una sustitución en la superficie de suerte que anule la narración en favor del significado a que equivale.

Los caballos de Abdera es un relato alegórico que describe una sociedad cuyo refinamiento llega a humanizar la conducta de sus caballos, merced al delicado trato que se les da; hasta el punto de que los equinos se asocian y se rebelan contra el hombre.

Como en *La lluvia de fuego*, el modelo de referencia para describir ese mundo decadente es el «burgués», la parodia de la alegoría afecta en primer lugar a la hipersensibilidad y el refinamiento finiseculares. Así, la frivolidad de las yeguas, su preocupación por la belleza personal, el gusto de los caballos por las artes —la pintura, la escultura, la poesía—, el refinamiento en el apetito. El hedonismo y la indiferencia, que desemboca en abierta crueldad, son semejantes a los del testigo de la destrucción de Gomorra.

El relato da cuenta de la rebelión de los équidos, desbocados por sus propios deseos de placer, de riqueza. Como un ejército humano, saquean, violan, asesinan.

Los caballos de Abdera es una alegoría que no deviene en simple abstracción. Lugones narra con minuciosa realidad el estruendo producido por el ejército de cuadrúpedos en un *crescendo* de horror suspendido sólo por el silencio que

---

[98] Ídem, pág. 280.

precede al combate final. El relato fantástico adopta la forma narrativa del mito, y Lugones rinde culto a una de su pasiones: el mundo helénico. Pero el pasado cobra su verdadero significado en la alusión alegórico-paródica y la fábula regresa al presente finisecular como un *boomerang* para denunciar alguna de las costumbres del presente: el materialismo y mercantilismo burgueses, la vida inauténtica y artificiosa, la deshumanización.

En 1896, R. Darío nos ha presentado a Lugones como un socialista revolucionario; en 1906 —fecha en que se publica el relato— el escritor registra el desencanto de los ideales revolucionarios. La aparición de Hércules como culminación del relato está más cerca de la exaltación de la epopeya, de lo heroico, que en *El sable* preludia *La hora de la espada*.

Saber o no saber

La estatua de sal

El relato más moderno de los escritos por Lugones es *La estatua de sal*; porque con él comienza una nueva actitud en el escritor de ficciones fantásticas cuya máxima puede ser resumida diciendo que se invita al lector a que complete cierto hecho fantástico y deja sin explicar una causalidad posible, que podríamos resumir con la fórmula siguiente de José Bianco: *never explain*[99]. Tal principio, la ambigüedad, es el origen de la poética sobre la literatura fantástica definida por T. Todorov.

En *La estatua de sal* el lector asiste a la muerte de Sosistrato sin saber qué le dice al oído la resucitada mujer de Lot justo antes. Ese no conocer es sugerente, sorpresivo, magistral. Es el comienzo del juego con el lector en el cuento fantástico, un juego que se irá complicando en Macedonio Fernández, Felisberto Hernández, Bioy Casares, Borges, el propio José Bianco y Julio Cortázar.

---

[99] *Ficción y reflexión*, México, F.C. E., 1988, pág. 408.

Nadie coincidiría en la modernidad del relato antendiendo únicamente al tema; una narración de argumento bíblico con un narrador introductor que evoca ante un auditorio el motivo central: el protagonizado por el monje Sosistrato. Pero dejemos de lado la impresión primera, pues Lugones ha manejado una materia tradicional con total originalidad. El argumento observa una repetición *ad infinitum* de aquellas de que hace gala Borges. Condenada la mujer de Lot por no haber podido resistir su curiosidad en el momento en que huía del cataclismo de Sodoma, Sosistrato vuelve a repetir su propio destino al preguntar fatalmente a aquélla sobre lo que vio tras reconocerse «actor en la tragedia». También el lector de *Las fuerzas extrañas* ha cometido el mismo pecado de saber lo sucedido en la destrucción bíblica (de Gomorra, en *La lluvia de fuego*) y, como en *Continuidad de los parques* (Cortázar), es el último destinatario de la tragedia del protagonista. De Lugones a Cortázar hay un largo camino literario que encuentra su atajo en este relato. El lector es partícipe, cómplice, en la narrativa del autor de *Final de juego*, y el símbolo o epítome de esa actitud creativa es su asesinato en *Continuidad de los parques*.

Somos pues, como Sosistrato, castigados por querer saber, la transgresión más condenada en los relatos de *Las fuerzas extrañas*, que da unidad misteriosa y sentido a las invenciones del libro: ¿por qué todos los científicos culminan su experiencia con la fatal e inexplicable vuelta en su contra de la fuerza que descubren? Hay en Lugones una advertencia frente al optimismo positivista y la confianza en el progreso; nos previene contra el ansia de saber y relativiza así el conocer humano.

No es por casualidad que lo fantástico nazca a lo largo del tiempo de lo desconocido, de lo inexplicable. Tampoco que la tradición del cuento fantástico muestre una importante vía argumental en la que el saber aparezca puesto en cuestión (se ha citado como una de las señas finiseculares): Macedonio Fernández esgrime frente a la ciencia el sarcasmo, Borges mina la confianza en nuestra concepción de lo real atentando contra alguno de nuestros presupuestos básicos (las nociones de tiempo, espacio, causalidad).

Quizá pudiéramos ver en *La estatua de sal* un apólogo de lo que esta colección de relatos ha querido significar: el peligro de saber y lo ingenuo de creer que sabemos. Tal es el mensaje que Lugones destinaba a los lectores de su tiempo.

Esta edición

Las fuerzas extrañas fue editado por primera vez en 1906
(Buenos Aires, Arnoldo Moen y Hermano, Editores), aunque algunos relatos habían sido ya publicados en diversas
revistas: una primera versión de *Un fenómeno inexplicable*
que llevaba el título de *La Licantropía* en la revista teosófica *Philadelfia* (1898); *El milagro de San Wilfrido* en *El Tiempo*
(15-IV-1897) y en *Caras y caretas* (7-IV-1906); *El escuerzo* en *El
Tiempo* con el título *Los animales malditos* (10-XII-1897); *El
Psychon* (31-I-1898), *La estatua de sal* (17-V-1898), *La Metamúsica* (29-VI-1898) y *Viola acherontia*, con el título *Acherontia
Antropos* (31-I-1999) en *Tribuna*; *La fuerza Omega*, en *El Diario* (1-I-1906). A estos relatos se sumaron los que faltan hasta completar el número de los doce que editamos, más la
Cosmogonía. La segunda edición apareció en 1926; el autor
añadió una «Advertencia» y corrigió los textos hasta hacer
exclamar a su bibliógrafo Miguel Lermon: «Entre las dos
ediciones existen variantes apreciables en el texto.⁵

Nosotros hemos considerado que la edición de 1926,
última hecha en vida del autor, está más próxima al deseo
final de Leopoldo Lugones y es la que seguimos. No obstante anotamos las variantes que con respecto a la edición
de 1906 se registran. Corregimos la ortografía cuando ésta
se refiere a cambios en las normas de acentuación y anotamos cualquier otra variación, aunque haya sido debida a
error. Respetamos, en cambio, el uso, sólo en posición de
cierre, de los signos de exclamación e interrogación que
hace el autor.

Bibliografía

EDICIONES DE «LAS FUERZAS EXTRAÑAS»

Las fuerzas extrañas, Buenos Aires, Arnoldo Moen y Hermano, Editores, 1906.
Las fuerzas extrañas, Buenos Aires, M. Gleizer Editor, 1926.
Las fuerzas extrañas, con una introducción de Leopoldo Lugones (hijo), Ed. Centurión, 1948.
Las fuerzas extrañas, introducción y notas de Leopoldo Lugones (hijo), Buenos Aires, Ed. Huemul, 1966.
Las fuerzas extrañas, ed. estudio preliminar y notas de Pedro Luis Barcia, Buenos Aires, Ediciones del 80, 1981.
Las fuerzas extrañas, Madrid, Ediciones del Dragón, 1987.

CUENTOS DE «LAS FUERZAS EXTRAÑAS» EN ANTOLOGÍAS DEL AUTOR

Antología de la prosa, selección y comentario de Leopoldo Lugones (hijo), Buenos Aires, Centurión, 1949. Incluye: *La lluvia de fuego*.
Los caballos de Abdera; cuentos escogidos, México, Lectura Selecta, 1929. Incluye: *Los caballos de Abdera, La lluvia de fuego, La estatua de sal*.
Leopoldo Lugones, selección de poesía y prosa, estudio preliminar de Leopoldo Lugones (hijo), Buenos Aires, Ediciones Culturales Argentinas, 1962. Incluye: *Viola acherontia*.
Las primeras letras de Leopoldo Lugones, estudio preliminar y notas de Leopoldo Lugones (hijo), Buenos Aires, Centurión, 1963. Incluye: *El milagro de San Wilfrido, La estatua de sal, El psychon*.
El payador y antología de poesía y prosa, Caracas, Ayacucho, 1979. Incluye: *La lluvia de fuego, Los caballos de Abdera, Yzur*.

La estatua de sal, Madrid, Siruela, «La Biblioteca de Babel», 1985. Incluye: *La estatua de sal, La lluvia de fuego, Yzur, Los caballos de Abdera.*

CUENTOS DE «LAS FUERZAS EXTRAÑAS» EN OTRAS ANTOLOGÍAS

ANDERSON IMBERT, Enrique, *Veinte cuentos hispanoamericanos del siglo XX*, Nueva York, Appleton-Century-Crofts, 1956. Incluye: *Yzur, La lluvia de fuego, Los caballos de Abdera.*

BIOY CASARES, Adolfo, OCAMPO, Silvina y BORGES, J. L., *Antología de la literatura fantástica*, Buenos Aires, Ed. Sudamericana, 1965. Incluye: *Los caballos de Abdera.*

CÓCARO, Nicolás, *Cuentos fantásticos argentinos*, Buenos Aires, Emecé, 1963. Incluye: *La lluvia de fuego.*

WALSH, Rodolfo J., *Antología del cuento extraño*, Buenos Aires, Hachette, 1956. Incluye: *La estatua de sal.*

BIBLIOGRAFÍAS SOBRE LUGONES

BECCO, Horacio Jorge, *Leopoldo Lugones: bibliografía en su centenario (1874-1974)*, Buenos Aires, Ediciones Culturales Argentinas (Ministerio de Cultura y Educación), 1975.

LERMON, Miguel, *Contribución a la bibliografía de Leopoldo Lugones*, Buenos Aires, Edicones Maru, 1969.

ROGGIANO, Alfredo Ángel, *Bibliografía de y sobre Leopoldo Lugones*, México, Rev. Hispanoamericana núm. 53, Ed. Cultura, 1962.

TREVIA PAZ, Susana Norma, *Bibliografía del cuento fantástico en el siglo XX*, Buenos Aires, Fondo Nacional de las Artes, Peuser, 1966. Leopoldo Lugones en págs. 27-30.

LIBROS SOBRE LEOPOLDO LUGONES

ARA, Guillermo, *Leopoldo Lugones: la etapa modernista*, Buenos Aires, Industrias Gráficas Aeronáuticas, 1955.

— *Leopoldo Lugones*, Buenos Aires, La Mandrágora, 1958.

— *Leopoldo Lugones uno y múltiple*, Buenos Aires, Maru, 1967.

BORGES, Jorge Luis y EDELBERG, Betina, *Leopoldo Lugones*, Buenos Aires, Troquel, 1955.

CANAL, Feijoo, *Lugones y el destino trágico*, Buenos Aires, Plus Ultra, 1976.

CASTELLANI, Leonardo, Buenos Aires, Theoría, 1964.

Cambours Ocampo, Arturo, *Lugones; el escritor y su lenguaje*, Buenos Aires, Theoria, 1965.

Capdevila, Arturo, *Lugones*, Buenos Aires, Aguilar, 1973.

Corro, Gaspar Pío del, *El mundo fantástico de Lugones*, Univesidad de Córdoba (Argentina), 1971.

Cúneo, Dardo, *Leopoldo Lugones*, Buenos Aires, Jorge Álvarez, 1968.

Etchecopar, Máximo, *Lugones o la veracidad*, Guadalajara (México), Univ. Autónoma, 1963.

Ghiano, Juan Carlos, *Lugones, escritor*, Buenos Aires, Raigal, 1955.

Irazusta, Julio, *Genio y figura de Leopoldo Lugones*, Buenos Aires, Eudeba, 1968.

Jitrik, Noé, *Leopoldo Lugones, mito nacional*, Buenos Aires, Palestra, 1960.

Lugones, Leopoldo (hijo), *Mi padre*, Buenos Aires, Centurión, 1946.

Martínez Estrada, Ezequiel, *Leopoldo Lugones: retrato sin retocar*, Buenos Aires, Emecé, 1968.

Mas y Pi, Juan, *Leopoldo Lugones y su obra (estudio crítico)*, Buenos Aires, Renacimiento, 1911.

Moreau, Pierina Lidia, *Leopoldo Lugones y el simbolismo*, Buenos Aires, La Reja, 1974.

Núñez, Jorge A., *Leopoldo Lugones*, Córdoba, Univ. Nacional, 1956.

Olivari, Marcelo, *Leopoldo Lugones*, Buenos Aires, Imp. López, 1940.

Omil, Alba, *Leopoldo Lugones, poesía y prosa*, Buenos Aires, Nova, 1968.

Rebaudi Basavilbaso, Óscar, *Leopoldo Lugones. Ensayo sobre su obra literaria*, Buenos Aires, Casa Pardo, 1974.

Torres Roggero, Jorge, *La cara oculta de Lugones*, Buenos Aires, Castañeda, 1977.

Artículos sobre Leopoldo Lugones (narrador)

Barcia, Pedro Luis, «Composición y temas de *Las fuerzas extrañas*». Estudio preliminar a *Las fuerzas extrañas*, Buenos Aires, Ediciones del 80, 1981, págs. 9-45.

— «Los cuentos desconocidos de Leopoldo Lugones», *Cuentos desconocidos* de L. Lugones, Buenos Aires, Ediciones del 80, 1982, págs. 7-52.

— «Introducción biográfica y crítica», *Cuentos fantásticos* de L. Lugones, Madrid, Castalia, 1987, págs. 9-76.

Benítez, Jesús, «Introducción» a *Lunario sentimental*, Madrid, Cátedra, 1988.

BORGES, Jorge Luis, «Prólogo» a *La estatua de sal*, Madrid, Siruela, «La Biblioteca de Babel», 1985.

— «Prólogo» a *El Imperio Jesuítico*, Buenos Aires, Hispamérica, 1985. También recogido en *Biblioteca personal* de J. L. Borges, Madrid, Alianza, 1988, págs. 25-26.

— «A Leopoldo Lugones», dedicatoria de *El hacedor*. En *Obras completas*, Buenos Aires, Emecé, 1974, pág. 779. *Prosa completa*, Barcelona, Bruguera, 1980, pág. 309.

— «Lugones: una obra maestra», Buenos Aires, *Clarín*, Suplemento «Cultura y Nación», 27 de octubre de 1983, pág. 5.

CIRUTI, Joan E., «Leopoldo Lugones: the short stories», Washington, Rev. Iberoamericana de Bibliografía, XXV, núm. 2, abril-junio de 1975, págs. 134-149.

CÓCARO, Nicolás, «Lugones cuentista», Buenos Aires, *La Nación*, 27 de septiembre de 1953, pág. 2.

FLORES, Ángel, «Antecedentes de *Yzur*», en *El realismo mágico en el cuento hispanoamericano*, México, Premiá Editora, 1985, páginas 54-58.

GHIANO, Juan Carlos, «El narrador y los protagonistas de *Las fuerzas extrañas*», Buenos Aires, Rev. Nacional de Cultura, a. I, núm. 1, 1978, págs. 9-28. Recogido con el título de «Lugones y *Las fuerzas extrañas*» en *El realismo mágico en el cuento hispanoamericano (vid. Flores, Ángel), págs. 25-41.

JENSEN, Theodore Wayne, «The pithagorean narrative of Leopoldo Lugones», en *The Pythagorean narrative of Darío, Nervo and Lugones*, Univ. Michigan, 1985.

KADIR, Djelal, «Inquisición. Leopoldo Lugones cuentista fatal», Univ. of Alabama Press, Rev. Estudios Hispánicos, V-IX, núm. 2, mayo 1975, págs. 309-311.

KÖNIG, Irmtrud, «Leopoldo Lugones y la creación razonada de lo irracional» en *La formación de la narrativa fantástica hispanoamericana en la época moderna*, Francfort, Lang, 1984.

LIDA, Raimundo, «Darío, Lugones, Valle Inclán, en *Ramón del Valle Inclán: An appraisal of his life and works*», Nueva York, Las Américas, 1968, págs. 424-441.

MARINI PALMIERI, «Esoterismo en la obra de Leopoldo Lugones», en *Cuadernos hispanoamericanos*, núm. 248, Madrid, agosto, 1988.

PAGÉS LARRAYA, Antonio, «Actualidad de Lugones», *Cuadernos Hispanoamericanos*, núm. 301, 1975, págs. 22-32.

PALACIO, Ernesto, «Lugones vivo», en *Sexto Continente*, agosto-septiembre, 1949.

PUCCIARELLI, Ana María, «Dimensiones de *La lluvia de fuego*», *vid. op. cit.* de Ángel Flores, págs. 67-80.

SCARI, Robert M., «Ciencia y ficción en los cuentos de Leopoldo Lugones», Pittsburgh, Rev. Iberoamericana, vol. XXX, núm. 57, enero-junio 1964, págs. 163-187.

— «Aspectos temáticos y estructurales de los relatos científicos de Lugones», Maracaibo, Venezuela, Rev. de Literatura Hispanoamericana, Univ. de Zulia, núm. 7, mayo de 1975, págs. 141-152.

SEMILLA, María Angélica, «La organización narrativa de *La estatua de sal*», *vid.* Ángel Flores, *op. cit.*, págs. 86-98.

SPEC, Paula K., «*Las fuerzas extrañas* de Leopoldo Lugones y las raíces de la literatura fantástica en el Río de la Plata», Pittsburgh, *Revista Iberoamericana*, núm. 94, 1976, págs. 411-426.

SPERATTI PIÑERO, Emma Susana, «La expresión de *Las fuerzas extrañas* en Leopoldo Lugones», México, Rev. de la Univ. de México, a. IX, núm. 7, 1955, págs. 19-21. Recogido en *La literatura fantástica en Argentina*, en colaboración con A. M.ª Barrenechea, México, Imprenta Universitaria, 1957, págs. 1-16.

SOTO, Luis Emilio, «Ciencia y ocultismo en los cuentos de Lugones», *vid.* Ángel Flores, *op. cit.*, págs. 42-46.

— «Leopoldo Lugones: *Las fuerzas extrañas*. Crítica y estimación», Buenos Aires, Sur, 1938, págs. 139-141.

VELASCO MORENO, Juan, «Perfume, música, color: sinestesia, ocultismo y ciencia-ficción en dos relatos de Leopoldo Lugones», *Modernismo Hispánico*, Madrid, Instituto de Cooperación Iberoamericana, 1988, págs. 314-319.

ZUCKERMANN, Alix, «*Las fuerzas extrañas* de Leopoldo Lugones: análisis crítico», en *Estudios críticos sobre la prosa modernista hispanoamericana*, José Olivio Jiménez (Ed.), Nueva York, Eliseo Torres & Sons, 1975, págs. 237-253.

Las fuerzas extrañas

Advertencia[1]

Algunas ocurrencias de este libro, editado veinte años ha, aunque varios de sus capítulos corresponden a una época más atrasada todavía, son corrientes ahora en el campo de la ciencia. Pido, pues, a la bondad del lector, la consideración de dicha circunstancia, desventajosa para el interés de las mencionadas narraciones.

L. L.

---

[1] L. Lugones añadió en la segunda edición (1926) esta nota explicativa.

La fuerza Omega[1]

No éramos sino tres amigos. Los dos de la confidencia, en cuyo par me contaba, y el descubridor de la espantosa fuerza que, sin embargo del secreto, preocupaba ya a la gente.

El sencillo sabio[2] ante quien nos hallábamos, no procedía de ninguna academia y estaba asaz distante de la celebridad. Había pasado la vida concertando al azar de la pobreza pequeños inventos industriales, desde tintas baratas y molinillos de café, hasta máquinas controladoras para boletos de tranvía.

Nunca quiso patentar sus descubrimientos, muy ingeniosos algunos, vendiéndolos por poco menos que nada a comerciantes de segundo orden. Presintiéndose quizá algo de genial, que disimulaba con modestia casi fosca, tenía el más

---

[1] No cabe duda de que los avances técnicos y científicos hicieron verosímiles muchos temas fantásticos. El descubrimiento de una nueva fuerza o de una nueva fuente de energía ha persistido a lo largo del siglo como uno de los más importantes progresos de la ciencia. La revista *Caras y caretas* publica, por ejemplo, con total seriedad, un artículo a propósito de un tal Profesor Mann, capaz de sanar las enfermedades denominadas incurables mediante la radiopatía. Además, anuncia la publicación de un libro en consonancia con del de Lugones cuyo título sería: *Las fuerzas de la naturaleza* (núm. 392, abril de 1906).
[2] La descripción del personaje que obra de científico en el relato es casi un tópico en los relatos científicos del que apenas se libra *Yzur*: ajeno a la doctrina de la ciencia oficial, aficionado al ocultismo, apartado del mundo siquiera temporalmente.

profundo desdén por aquellos pequeños triunfos. Si se le hablaba de ellos, concomíase con displicencia o sonreía con amargura.

—Eso es para comer —decía sencillamente.

Me había hecho su amigo por la casualidad de cierta conversación en que se trató de ciencias ocultas; pues mereciendo el tema la aflictiva piedad del público, aquellos a quienes interesa suelen disimular su predilección, no hablando de ella sino con sus semejantes.

Fue precisamente lo que pasó; y mi despreocupación por el qué dirán debió de agradar a aquel desdeñoso, pues desde entonces intimamos. Nuestras pláticas sobre el asunto favorito fueron largas. Mi amigo se inspiraba al tratarlo, con aquel silencioso ardor que caracterizaba su entusiasmo y que sólo se traslucía en el brillo de sus ojos.

Todavía lo veo pasearse por su cuarto, recio, casi cuadrado, con su carota pálida y lampiña, sus ojos pardos de mirada tan singular, sus manos callosas de gañán y de químico a la vez.

—Anda por ahí a flor de tierra —solía decirme—, más de una fuerza tremenda cuyo descubrimiento se aproxima. De esas fuerzas interetéreas que acaban de modificar los más sólidos conceptos de la ciencia, y que justificando las afirmaciones de la sabiduría oculta, dependen cada vez más del intelecto humano.

La identidad de la mente[3] con las fuerzas directrices del Cosmos[4] —concluía en ocasiones, filosofando— es cada vez más clara; y día llegará en que aquella sabrá regirlas sin las máquinas intermediarias, que en realidad deben de ser un estorbo. Cuando uno piensa que las máquinas no son sino aditamentos con que el ser humano se completa, llevándolas potencialmente en sí, según lo prueba al concebirlas y ejecutarlas, los tales aparatos resultan en substancia simples modificaciones de la caña con que se prolonga el

---

[3] Esta teoría se expondrá en *Ensayo de una cosmogonía*: «El pensamiento, nadie puede negarlo, es una forma de la energía...» («Novena Lección»).

[4] En 1906: «cosmos».

brazo para alcanzar un fruto[5]. Ya la memoria suprime los dos conceptos fundamentales, los más fundamentales como realidad y como obstáculo —el espacio y el tiempo— al evocar instantáneamente un lugar que se vio hace diez años y que se encuentra a mil leguas; para no hablar de ciertos casos de bilocación telepática, que demuestran mejor la teoría. Si estuviera en ésta la verdad, el esfuerzo humano debería tender a la abolición de todo intermediario entre la mente y las fuerzas originales, a suprimir en lo posible la materia —otro axioma de filosofía oculta; mas, para esto, hay que poner el organismo en condiciones especiales, activar la mente, acostumbrarla a la comunicación directa con dichas fuerzas. Caso de magia. Caso que solamente los miopes no perciben en toda su luminosa sencillez. Habíamos hablado de la memoria. El cálculo demuestra también una relación directa; pues si calculando se llega a determinar la posición de un astro desconocido, en un punto del espacio, es porque hay identidad entre las leyes que rigen al pensamiento humano y al universo. Hay más todavía: es la determinación de un hecho material por medio de una ley intelectual. El astro tiene que estar ahí, porque así lo determina mi razón matemática, y esta sanción imperativa equivale casi a una creación.

Sospecho[6], Dios me perdone, que mi amigo no se limitaba a teorizar el ocultismo, y que su régimen alimenticio, tanto como su severa continencia, implicaban un entrenamiento; pero nunca se franqueó sobre este punto y yo fui discreto a mi vez.

Habíase relacionado con nosotros, poco antes de los sucesos que voy a narrar, un joven médico a quien sólo faltan sus exámenes generales, que quizá nunca llegue a dar pues

---

[5] Llama la atención lo próxima de esta idea de Borges: «De los diversos instrumentos del hombre, el más asombroso es, sin duda, el libro. Los demás son extensiones de su cuerpo. El microscopio, el telescopio, son extensiones de su vista; el teléfono es extensión de la voz; luego tenemos el arado y la espada, extensiones de su brazo. Pero el libro es otra cosa: el libro es una extensión de la memoria y de la imaginación.» (*Borges oral*, Barcelona, Bruguera, 1983, pág. 13).

[6] En 1906: «Entiendo».

se ha dedicado a la filosofía; y éste era el otro confidente que debía escuchar la revelación.

Fue a la vuelta de unas largas vacaciones que nos habían separado del descubridor. Encontrámoslo algo más nervioso, pero radiante con una singular inspiración, y su primera frase fue para invitarnos a una especie de tertulia filosófica —tales sus palabras— donde debía exponernos el descubrimiento.

En el laboratorio habitual, que presentaba al mismo tiempo un vago aspecto de cerrajería, y en cuya atmósfera flotaba un dejo de cloro, empezó la conferencia.

Con su voz clara de siempre, su aspecto negligente, sus manos extendidas sobre la mesa como durante los discursos psíquicos, nuestro amigo enunció esta cosa sorprendente:

—He descubierto la potencia mecánica del sonido.

»Saben ustedes —agregó, sin preocuparse mayormente del efecto causado por su revelación—, saben ustedes bastante de estas cosas para comprender que no se trata de nada sobrenatural. Es un gran hallazgo, ciertamente, pero no superior a la onda hertziana[7] o al rayo Roentgen[8]. A propósito —yo he puesto también un nombre a mi fuerza. Y como ella es la última en la síntesis vibratoria cuyos componentes son el calor, la luz y la electricidad— la he llamado la fuerza Omega[9].

—Pero el sonido no es cosa distinta?... —preguntó el médico.

---

[7] Onda electromagnética verificada por Heinrich Hertz en 1888.

[8] «Una década después del descubrimiento de Hertz, se extendió, de forma similar, el otro extremo del espectro. En 1895, el físico Wilhelm Konrad Roentgen descubrió, accidentalmente, una misteriosa radiación que denominó rayos X. Sus longitudes de onda resultaron ser más cortas que las ultravioleta. Posteriormente, Rutherford demostró que los *rayos gamma*, asociados a la radiactividad, tenían una longitud de onda más pequeña aún que la de los rayos X» (Isaac Asimov, *Nueva guía de la ciencia*, Barcelona, Plaza y Janés, 1985, pág. 71). Puede apreciarse el estrecho margen de fechas entre la publicación de *Las fuerzas extrañas* y la evolución de los descubrimientos científicos.

[9] Lugones forma neologismos mediante procedimientos habituales en el lenguaje científico. La ciencia nos habla de *rayos gamma* o de la partícula *omega minus*, como aquí Lugones de la «fuerza Omega».

—No, desde que la electricidad y la luz están consideradas ahora como materia[10]. Falta todavía el calor; pero la analogía nos lleva rápidamente a conjeturar la identidad de su naturaleza, y veo cercano el día en que se demuestre este postulado para mí evidente: que si los cuerpos se dilatan al calentarse, o en otros términos, si sus espacios intermoleculares aumentan, es porque entre ellos se ha introducido algo y que este algo es el calor. De lo contrario, habría que recurrir al vacío aborrecido[11] por la naturaleza y por la razón.

»El sonido es materia para mí; pero esto resultará mejor de la propia exposición de mi descubrimiento.

»La idea, vaga aunque intensa hasta el deslumbramiento, me vino —cosa singular— la primera vez que vi afinar una campana. Claro es que no se puede determinar de antemano la nota precisa de una campana, pues la fundición cambiaría el tono. Una vez fundida, es menester recortarla al torno, para lo cual hay dos reglas: si se quiere bajar el tono, hay que disminuir la línea media llamada «falseadura»; si subirlo, es menester recortar la «pata» o sea el reborde, y la afinación se practica al oído como la de un piano. Puede bajarse hasta un tono, pero no subirse sino medio; pues cortando mucho la pata, el instrumento pierde su sonoridad.

»Al pensar que si la pierde, no es porque deje de vibrar, me vino esta idea, base de todo el invento: la vibración sonora se vuelve fuerza mecánica y por esto deja de ser sonido; pero la cosa se precisó durante las vacaciones, mientras ustedes veraneaban, lo cual aumentó, con la soledad, mi concentración.

»Ocupábame de modificar discos de fonógrafo y aquello me traía involuntariamente al tema. Había pensado construir una especie de diapasón para destacar, y percibir directamente por lo tanto, las armónicas de la voz humana, lo

---

[10] Lugones expone concepciones científicas junto a otras que no lo son: la electricidad no es materia, aunque sea producida por ella (lo mismo cabe decir con respecto al sonido, citado más abajo). La ciencia considera que la luz es corpuscular y, en consecuencia, sí lo es.

[11] Alude a un tópico de la física antigua expresado con la fórmula latina *horror vacui.*

que no es posible sino por medio de un piano, y siempre con gran imperfección; cuando de repente, con claridad tal que en dos noches de trabajo concebí toda la teoría, el hecho se produjo.

»Cuando se hace vibrar un diapasón que está al mismo tono con otro, éste vibra también por influencia al cabo de poco tiempo, lo que prueba que la onda sonora, o en otros términos el aire agitado, tiene fuerza suficiente para poner en movimiento el metal. Dada la relación que existe entre el peso, densidad y tenacidad de éste con los del aire, esa fuerza tiene que ser enorme; y sin embargo, no es capaz de mover una hebra de paja que un soplo humano aventaría, siendo a su vez impotente para hacer vibrar en forma perceptible el metal. La onda sonora es, pues, más o menos poderosa que el soplo de nuestro ejemplo. Esto depende de las circunstancias; y en el caso de los diapasones, la circunstancia debe ser una relación molecular, puesto que si ellos no están al unísono, el fenómeno marra. Había, pues, que aplicar la fuerza sonora, a fenómenos intermoleculares.

»No creo que la concepción de la *fuerza sonora* necesite mucho ingenio. Cualquiera ha sentido las pulsaciones del aire en los sonidos muy bajos, los que produce el nasardo[12] de un órgano, por ejemplo. Parece que las dieciséis vibraciones por segundo que engendra un tubo de treinta y dos pies, marcan el límite inferior del sonido perceptible que no es ya sino un zumbido[13]. Con menos vibraciones, el movimiento se vuelve un soplo de aire; el soplo que movería la brizna, pero que no afectaría al diapasón. Esas vibraciones bajas, verdadero viento melodioso, son las que hacen trepidar las vidrieras de las catedrales; pero no forman ya notas, propiamente hablando, y sólo sirven para reforzar las octavas inmediatamente superiores.

»Cuanto más alto es el sonido, más se aleja de su seme-

---

[12] Registro bajo del órgano.

[13] Lugones manifiesta en esto cierta exactitud científica: «El sonido más profundo que escuchamos tiene una longitud de onda de 22 metros y una frecuencia de 15 ciclos por segundo» y el sonido más agudo una longitud de 2'2 centímetros y una frecuencia de 15.000 ciclos por segundo (*vid.* Isaac Asimov, *op. cit.*, pág. 176).

janza con el viento y más disminuye la longitud de su onda; pero si ha de considerársela como fuerza intermolecular, ella es enorme todavía en los sonidos más altos de los instrumentos; pues el del piano con el do séptimo, que corresponde a un máximum de 4.200 vibraciones por segundo, tiene una onda de tres pulgadas. La flauta, que llega a 4.700 vibraciones, da una onda gigantesca todavía.

»La longitud de la onda depende, pues, de la altura del sonido, que deja ya de ser musical poco más allá de las 4.700 vibraciones mencionadas. Despretz ha podido percibir un do, que vendría a ser el décimo, con 32.770 vibraciones producidas por el frote de un arco sobre un pequeñísimo diapasón. Yo percibo sonido aún, pero sin determinación musical posible, en las 45.000 vibraciones del diapasón que he inventado.

—¡45.000 vibraciones —dije—, eso es prodigioso!

—Pronto vas a verlo —prosiguió el inventor—. Ten paciencia un instante todavía.

Y después de ofrecernos té, que rehusamos:

—La vibración sonora, se vuelve casi recta con estas altísimas frecuencias, y tiende igualmente a perder su forma curvilínea, tornándose más bien un zig-zag a medida que el sonido se exaspera. Esto se ha experimentado prácticamente cerdeando un violín. Hasta aquí no salimos de lo conocido, bien que no sea vulgar.

»Pero ya he dicho que me proponía estudiar el sonido como fuerza. He aquí mi teoría, que la experiencia ha confirmado:

»Cuanto más bajo es el sonido, más superficiales son sus efectos sobre los cuerpos. Después de lo que sabemos, esto es bien sencillo. La fuerza penetrante del sonido, depende, pues, de su altura; y como a ésta corresponde, según dije, una menor ondulación, resulta que mi onda sonora de 45.000 vibraciones por segundo, es casi una flecha ligerísimamente ondulada. Por pequeña que sea esta ondulación, siempre es excesiva molecularmente hablando; y como mis diapasones no pueden reducirse más, era menester ingeniarse de otro modo.

»Había, además, otro inconveniente. Las curvas de la

onda sonora están relacionadas con su propagación, de tal modo que su ampliación progresa con gran velocidad hasta anularla como sonido, imposibilitando a la vez su desarrollo como fuerza; pero tanto este inconveniente, como el que resulta de la ondulación en sí, desaparecerían multiplicando la velocidad de traslación. De ésta depende que la onda no pierda la rectitud, que como toda curva tiene al comenzar, y al logro de semejante propósito concurrió una ley científica.

»Fourier[14], el célebre matemático francés, ha enunciado un principio aplicable a las ondas simples —las de mi problema— que puede traducirse vulgarmente así:

> Cualquier forma de onda, puede estar compuesta por cierto número de ondas simples de longitudes diferentes.

»Siendo ello así, si yo pudiera lanzar sucesivamente un número cualquiera de ondas en progresión proporcional, la velocidad de la primera sería la suma de las velocidades de todas juntas; la proporción entre las ondulaciones de aquélla y su traslación, quedaba rota con ventaja, y libertada por lo tanto la potencia mecánica del sonido.

»Mi aparato va a demostrarles que todo esto se puede; pero aún no les he dicho lo que me proponía hacer.

»Yo considero que el sonido es materia, desprendida en partículas infinitesimales del cuerpo sonoro, y dinamizada en tal forma, que da la sensación de sonido, como las partículas odoríferas dan la sensación del olor. Esa materia se desprende en la forma ondulatoria comprobada por la ciencia y que yo me proponía modificar, engendrando la onda aérea conocida por nosotros; del propio modo que la ondulación de una anguila bajo el agua, es repetida por ésta en su superficie.

»Cuando la doble onda choca con un cuerpo, la parte aérea se refleja contra su superficie; la etérea penetra, producien-

---

[14] Sus más importantes resultados matemáticos están relacionados con el estudio analítico de la difusión del calor (*Théorie analytique de la chaleur*, 1822).

do la vibración del cuerpo y sin ninguna otra consecuencia, pues el éter del cuerpo supuesto se dinamiza armónicamente con el de la onda, difundido en él; y ésta es la explicación, que se da por primera vez, de las vibraciones al unísono.

»Una vez rota la relación entre las ondulaciones y su propagación, el éter sonoro no se difunde en la masa del cuerpo, sino que la perfora, ya completamente, ya hasta cierta profundidad. Y aquí viene la explicación misma de los fenómenos que produzco.

»Todo cuerpo tiene un centro formado por la gravitación de moléculas que constituye su cohesión, y que representa el peso total de dichas moléculas. No necesito advertir que ese centro puede encontrarse en cualquier punto del cuerpo. Las moléculas representan aquí lo que las masas planetarias en el espacio.

»Claro es que el más mínimo desplazamiento del centro en cuestión, ocasionará instantáneamente la desintegración del cuerpo; pero no es menos cierto que para efectuarlo, venciendo la cohesión molecular, se necesitaría una fuerza enorme, algo de que la mecánica actual no tiene idea, y que yo he descubierto, sin embargo.

»Tyndall[15] ha dicho en un ejemplo gráfico, que la fuerza del puñado de nieve contenido en la mano de un niño, bastaría para hacer volar en pedazos una montaña. Calculen ustedes lo que se necesitará para vencer esa fuerza. Y yo desintegro bloques de granito de un metro cúbico...

Decía aquello sencillamente, como la cosa más natural, sin ocuparse de nuestra aquiescencia. Nosotros, aunque vagamente, íbamosnos turbando con la inminencia de una gran revelación; pero acostumbrados al tono autoritario de nuestro amigo, nada replicábamos. Nuestros ojos, eso sí, buscaban al descuido por el taller, los misteriosos aparatos. A no ser un volante de eje solidísimo, nada había que no nos fuese familiar.

---

[15] John Tyndall (1820-1893): físico irlandés cuyas investigaciones sobre la luz le llevaron a formular el conocido como «efecto Tyndall». Adquirió más notoriedad por popularizar la ciencia que por sus propias investigaciones.

—Llegamos —prosiguió el descubridor— al final de la exposición. Había dicho que necesitaba ondas sonoras susceptibles de ser lanzadas en progresión proporcional, y a vuelta de muchos tanteos, que no es menester describir, di con ellas.

»Eran el *do-fa-sol-do,* que según la tradición antigua constituían la lira de Orfeo[16], y que contienen los intervalos más importantes de la declamación, es decir el secreto musical de la voz humana. La relación de estas ondas es matemáticamente 1, 4/3, 3/2, 2; y arrancadas de la naturaleza, sin un agregado o deformación que las altere, son también una fuerza original. Ya ven ustedes que la lógica de los hechos iba paralela con la de la teoría.

»Procedí entonces a construir mi aparato; mas, para llegar al que ustedes ven aquí —dijo sacando de su bolsillo un disco harto semejante a un reloj de níquel—, ensayé diversas máquinas.

Confieso que el aparato nos defraudó[17]. La relación de magnitudes forma de tal modo la esencia del criterio humano, que al oír hablar de fuerzas enormes habíamos presentido máquinas grandiosas. Aquella cajita redonda, con un botón saliente en su borde y a la parte opuesta una boquilla[18], parecía cualquier cosa menos un generador de éter vibratorio.

—Primero —continuó el otro, sonriendo ante nuestra perplejidad— pensé en cosas complicadas, análogas a las sirenas de Koenig[19]. Luego fui simplificando de acuerdo con

---

[16] El mito de Orfeo como iniciador en los misterios del universo tuvo gran predicamento entre los modernistas. Enrique Marini Palmieri *(vid.* bibliografía) cree que un difusor del mito entre los poetas modernistas pudo ser Edouard Schuré *(Les grands initiés)*: «Los modernistas, con la infinidad de lectores que leyó la obra de Schuré en ese entonces, adhirieron naturalmente la concepción que ligaba el mito legendario de Orfeo, músico de los dioses, iniciado en los misterios del Universo, a la condición del poeta» (pág. 81).

[17] En 1906: «Confieso que el aparato aquel nos defraudó.»

[18] En 1906: «... con un botón saliente en su borde *y a la parte opuesta una boquilla...*», la edición de 1926 suprime el texto subrayado posiblemente por error, pues una referencia posterior en el texto a la parte suprimida quedaría sin explicación.

[19] Karl Rudolf Koenig: físico francés de origen alemán (1832-1901). Desarrolló el método de la trombona para calcular la velocidad del sonido, y el reloj de diapasón para determinar la frecuencia de una onda sonora *(Quelques expériences d'acoustique)*.

mis ideas sobre la deficiencia de las máquinas, hasta llegar a esto que no es sino una solución transitoria.

»La delicadeza del aparato no permite abrirlo a cada momento; pero ustedes deben conocerlo, añadió destornillando su tapa.

Contenía cuatro diapasoncillos, poco menos finos que cerdas, implantados a intervalos desiguales sobre un diafragma de madera que constituía el fondo de la caja. Un sutilísimo alambre se tendía y distendía rozándolos, bajo la acción del botón que sobresalía; y la boquilla de que antes hablé, era una bocina microfónica.

»Los vacíos[20] entre diapasón y diapasón, tanto como el espacio necesario para el juego de la cuerda que los roza, imponían al aparato este tamaño mínimo. Cuando ellos suenan, la cuádruple onda transformada en una, sale por la bocina microfónica como un verdadero proyectil etéreo. La descarga se repite cuantas veces aprieto el botón, pudiendo salir las ondas sin solución de continuidad apreciable, es decir mucho más próximas que las balas de una ametralladora, y formar un verdadero chorro de éter dinámico cuya potencia es incalculable.

»Si la onda va al centro molecular del cuerpo, éste se desintegra en partículas impalpables. Si no, lo perfora con un agujerillo enteramente imperceptible. En cuanto al roce tangencial, van a ver ustedes sus efectos sobre aquel volante...

—...Qué pesa?... —interrumpí.

—Trescientos kilogramos.

El botón comenzó a actuar con ruidecito intermitente y seco, ante nuestra curiosidad todavía incrédula; y como el silencio era grande, percibimos apenas una aguda estridencia, análoga al zumbido de un insecto.

No tardó mucho en ponerse en movimiento la mole, y aquél fue acelerándose de tal modo, que pronto vibró la cosa entera como al empuje de un huracán. La maciza rueda no era más que una sombra vaga, semejante al ala de un colibrí en suspensión, y el aire desplazado por ella provocaba un torbellino dentro del cuarto.

---

[20] En 1906: «intervalos».

El descubridor suspendió muy luego los efectos de su aparato, pues ningún eje habría aguantado mucho tiempo semejante trabajo.

Mirábamos suspensos, con una mezcla de admiración y pavor, trocada muy luego en desmedida curiosidad.

El médico quiso repetir el experimento; pero por más que abocó la cajita hacia el volante, nada consiguió. Yo intenté lo propio con igual desventura.

Creíamos ya en una broma de nuestro amigo, cuando éste dijo, poniéndose tan grave que casi daba en siniestro[21]:

—Es que aquí está el misterio de mi fuerza. Nadie, sino yo, puede usarla. Y yo mismo no sé cómo sucede.

»Defino, sí, lo que pasa por mí[22], como una facultad análoga a la puntería. Sin verlo, sin percibirlo en ninguna forma material, yo *sé* dónde está el centro del cuerpo que deseo desintegrar, y en la misma forma proyecto mi éter contra el volante.

»Prueben ustedes cuanto quieran. Quizá al fin...

Todo fue en vano. La onda etérea se dispersaba inútil. En cambio, bajo la dirección de su amo, llamémosle así, ejecutó prodigios.

Un adoquín que calzaba la puerta rebelde, se desintegró a nuestra vista, convirtiéndose con leve sacudida en un montón de polvo impalpable. Varios trozos de hierro sufrieron la misma suerte. Y resultaba en verdad de un efecto mágico aquella transformación de la materia, sin un esfuerzo perceptible, sin un ruido, como no fuera la leve estridencia que cualquier rumor ahogaba.

El médico, entusiasmado, quería escribir un artículo.

—No —dijo nuestro amigo—; detesto la notoriedad, aunque no he podido evitarla del todo, pues los vecinos comienzan a enterarse. Además, temo los daños que puede causar esto...

—En efecto —dije—; como arma sería espantoso.

—¿No lo has ensayado sobre algún animal? —preguntó el médico.

---

[21] En 1906: «Taciturno.»
[22] En 1906: «lo que por mí pasa».

—Ya sabes —respondió nuestro amigo con grave mansedumbre— que jamás causo dolor a ningún ser viviente.

Y con esto terminó la sesión.

Los días siguientes transcurrieron entre maravillas; y recuerdo como particularmente notable, la desintegración de un vaso de agua, que desapareció de súbito cubriendo de rocío toda la habitación.

—El vaso permanece —explicaba el sabio—, porque no forma un bloque con el agua, a causa de que no hay entre ésta y el cristal adherencia perfecta. Lo mismo sucedería si estuviera herméticamente cerrado. El líquido, convertido en partículas etéreas, sería proyectado a través de los poros del cristal[23]...

Así marchamos de asombro en asombro; mas el secreto no podía prolongarse, y es imposible valorar lo que se perdió en el triste suceso cuyo relato finalizará esta historia.

Lo cierto es —para qué entretenerse en cosas tristes— que una de esas mañanas encontramos a nuestro amigo, muerto, con la cabeza recostada en el respaldo de su silla.

Fácil es imaginar nuestra consternación. El aparato maravilloso estaba ante él y nada anormal se notaba en el laboratorio.

Mirábamos sorprendidos, sin conjeturar ni lejanamente la causa de aquel desastre, cuando noté de pronto que la pared a la cual casi tocaba la cabeza del muerto, se hallaba cubierta de una capa grasosa, una especie de manteca.

Casi al mismo tiempo mi compañero lo advirtió también, y raspando con su dedo sobre aquella mixtura, exclamó sorprendido:

—¡Esto es sustancia cerebral!

La autopsia confirmó su dicho, certificando una nueva maravilla del portentoso aparato. Efectivamente, la cabeza de nuestro pobre amigo estaba vacía, sin un átomo de sesos. El proyectil etéreo, quién sabe por qué rareza de dirección o por qué descuido, habíale desintegrado el cerebro, proyectándolo en explosión atómica a través de los poros de su cráneo. Ni un rastro exterior denunciaba la catástrofe, y

---

[23] En 1906: «metal».

aquel fenómeno, con todo su horror, era, a fe mía, el más estupendo de cuantos habíamos presenciado.

Sobre mi mesa de trabajo, aquí mismo, en tanto que finalizo esta historia, el aparato en cuestión brilla, diríase siniestramente, al alcance de mi mano.

Funciona perfectamente; pero el éter formidable, la substancia prodigiosa y homicida de la cual tengo ¡ay! tan desgraciada prueba, se pierde sin rumbo en el espacio, a pesar de todas mis vanas tentativas. En el instituto Lutz y Schultz[24] han ensayado también sin éxito.

---

[24] No hemos encontrado ninguna referencia que aclare qué laboratorio era éste.

La lluvia de fuego[1]
Evocación de un desencarnado[2]
de Gomorra[3]

Y tornaré el cielo y la tierra de cobre[4].

Levítico, XXVI-19[5].

Recuerdo que era un día de sol hermoso, lleno del hormigueo popular, en las calles atronadas de vehículos. Un día asaz cálido y de tersura perfecta.

---

[1] Borges dedica este comentario en su libro sobre el autor: «[*La lluvia de fuego*] revive, con minuciosa probidad, la destrucción de las ciudades de la llanura» (prólogo a *La estatua de sal*, Madrid, Siruela, pág. 48).

[2] Como sugiere Pedro Luis Barcia (*Cuentos fantásticos*, ed. cit., pág. 35), el hecho de que la diégesis del relato corresponda a un «desencarnado» identifica teosófica o metapsíquicamente este relato con *El origen del diluvio*. Hay una cierta profanación de lo religioso que se corresponde con una tendencia finisecular.

[3] Ya hemos señalado en la introducción algunos paralelismos entre este relato y alguno de Villiers. El tema apocalíptico fue común en el fin de siglo pasado. Hinterhaüsser señala en torno a este tema: «Hellmuth Petriconi ha demostrado que ya en los años 70 —concretamente en la obra de Richard Wagner y Emile Zola— aparecen visiones de un incendio mundial. No obstante, la manifestación directa y sin rebozos de fantasías apocalípticas tiene lugar en Francia sólo a partir de los años 80. Así, por ejemplo, Ernest Hello y León Bloy, en quienes el tema adquiere carácter verdaderamente obsesivo (...) También en la literatura alemana encontramos una nutrida serie de testimonios (...) Piénsese en las míticas escenas de destrucción que aparecen en *Morlicht*, de Theodor Däubler, o en la visionaria espada de la guerra en obras de Georg Heym, Gustav Sack, y otros representantes del primer expresionismo» (*op. cit.*, pág. 19).

[4] Sin esta cita en 1906.

[5] La destrucción de Sodoma y Gomorra se relata en el *Génesis* y une

Desde mi terraza dominaba una vasta confusión de techos, vergeles salteados, un trozo de bahía punzado de mástiles, la recta gris de una avenida...

A eso de las once cayeron las primeras chispas. Una aquí, otra allá —partículas de cobre semejantes a las morcellas de un pábilo; partículas de cobre incandescente que daban en el suelo con un ruidecito de arena[6]. El cielo seguía de igual limpidez; el rumor urbano no decrecía. Únicamente los pájaros de mi pajarera, cesaron de cantar.

Casualmente lo había advertido, mirando hacia el horizonte en un momento de abstracción. Primero creí en una ilusión óptica formada por mi miopía. Tuve que esperar largo rato para ver caer otra chispa, pues la luz solar anegábalas bastante; pero el cobre ardía de tal modo, que se destacaban lo mismo[7]. Una rapidísima vírgula de fuego, y el golpecito en la tierra. Así, a largos intervalos.

Debo confesar que al comprobarlo, experimenté un vago terror. Exploré el cielo en una ansiosa ojeada. Persistía la limpidez. ¿De dónde venía aquel extraño granizo? ¿Aquel cobre? ¿Era cobre?...

Acababa de caer una chispa en mi terraza, a pocos pasos. Extendí la mano; era, a no caber duda, un gránulo de cobre que tardó mucho en enfriarse. Por fortuna la brisa se levantaba, inclinando aquella lluvia singular hacia el lado opuesto de mi terraza. Las chispas eran harto ralas además. Podía creerse por momentos que aquello había ya cesado. No cesaba. Uno que otro, eso sí, pero caían siempre los temibles gránulos.

En fin, aquello no había de impedirme almorzar, pues era el mediodía. Bajé al comedor atravesando el jardín, no sin cierto miedo de las chispas. Verdad es que el toldo, corrido para evitar el sol, me resguardaba...

---

temáticamente los cuentos de *La lluvia de fuego* y *La estatua de sal*, como hemos sugerido en la introducción: «El sol asomaba en el horizonte cuando Lot entraba en Soar. Entonces Yahveh hizo llover sobre Sodoma y Gomorra azufre y fuego de parte de Yahveh. Y arrasó aquellas ciudades y vegetación del suelo. Su mujer miró hacia atrás y se volvió poste de sal» (*Gen.* XIX, 23-26).

[6] En 1906: «arenas».

[7] En 1906: «asimismo».

Me resguardaba? Alcé los ojos; pero un toldo tiene tantos poros, que nada pude descubrir.

En el comedor me esperaba un almuerzo admirable; pues mi afortunado celibato sabía dos cosas sobre todo: leer y comer. Excepto la biblioteca, el comedor era mi orgullo. Ahíto de mujeres y un poco gotoso, en punto a vicios amables nada podía esperar ya sino de la gula. Comía solo, mientras un esclavo me leía narraciones geográficas. Nunca había podido comprender las comidas en compañía; y si las mujeres me hastiaban, como he dicho, ya comprenderéis que aborrecía a los hombres[8].

¡Diez años me separaban de mi última orgía! Desde entonces, entregado a mis jardines, a mis peces, a mis pájaros, faltábame tiempo para salir. Alguna vez, en las tardes muy calurosas, un paseo a la orilla del lago. Me gustaba verlo, escamado de luna al anochecer, pero esto era todo y pasaba meses sin frecuentarlo.

La vasta ciudad libertina, era para mí un desierto donde se refugiaban mis placeres. Escasos amigos; breves visitas; largas horas de mesa; lecturas; mis peces; mis pájaros; una que otra noche tal cual orquesta de flautistas, y dos o tres ataques de gota por año...

Tenía el honor de ser consultado para los banquetes, y por ahí figuraban, no sin elogio, dos o tres salsas de mi invención. Esto me daba derecho —lo digo sin orgullo— a un busto municipal, con tanta razón como a la compatriota que acababa de inventar un nuevo beso.

Entre tanto, mi esclavo leía. Leía narraciones de mar y de nieve, que comentaban admirablemente, en la ya entrada siesta, el generoso frescor de las ánforas. La lluvia de fuego había cesado quizá, pues la servidumbre no daba muestras de notarla.

De pronto, el esclavo que atravesaba el jardín con un

---

[8] La descripción del protagonista es una combinación de un epicúreo griego —el helenismo es una constante en la obra de Lugones, para quien «Wagner resulta un hermano de Esquilo», por ejemplo— y de un *dandy* decadente al modo de los delineados por Oscar Wilde o Villiers. Un ejemplo de este último puede servir de muestra: *Sentimentalismo* (incluido en *Cuentos crueles*).

113

nuevo plato, no pudo reprimir un grito. Llegó, no obstante, a la mesa; pero acusando con su lividez un dolor horrible. Tenía en su desnuda espalda un agujerillo, en cuyo fondo sentíase chirriar aún la chispa voraz que lo había abierto. Ahogámosla en aceite, y fue enviado al lecho sin que pudiera contener sus ayes.

Bruscamente acabó mi apetito; y aunque seguí probando los platos para no desmoralizar a la servidumbre, aquélla se apresuró a comprenderme. El incidente me había desconcertado.

Promediaba la siesta cuando subí nuevamente a la terraza. El suelo estaba ya sembrado de gránulos de cobre; mas no parecía que la lluvia aumentara. Comenzaba a tranquilizarme, cuando una nueva inquietud me sobrecogió. El silencio era absoluto. El tráfico estaba paralizado a causa del fenómeno, sin duda. Ni un rumor en la ciudad. Sólo, de cuando en cuando, un vago murmullo de viento sobre los árboles. Era también alarmante la actitud de los pájaros. Habíanse apelotonado en un rincón, casi unos sobre otros. Me dieron compasión y decidí abrirles la puerta. No quisieron salir; antes se recogieron más acongojados aún. Entonces comenzó a intimidarme la idea de un cataclismo.

Sin ser grande mi erudición científica, sabía que nadie mencionó jamás esas lluvias de cobre incandescente. ¡Lluvias de cobre! En el aire no hay minas de cobre. Luego aquella limpidez del cielo, no dejaba conjeturar la procedencia. Y lo alarmante del fenómeno era esto. Las chispas venían de todas partes y de ninguna. Era la inmensidad desmenuzándose invisiblemente en fuego. Caía del firmamento el terrible cobre —pero el firmamento permanecía impasible en su azul. Ganábame poco a poco una extraña congoja; pero, cosa rara: hasta entonces no había pensado en huir. Esta idea se mezcló con desagradables interrogaciones. ¡Huir! ¿Y mi mesa, mis libros, mis pájaros, mis peces que acababa precisamente de estrenar un vivero, mis jardines ya ennoblecidos de antigüedad —mis cincuenta años de placidez, en la dicha del presente, en el descuido del mañana?...

¿Huir?... Y pensé con horror en mis posesiones (que no

114

conocía) del otro lado del desierto, con sus camelleros viviendo en tiendas de lana negra y tomando por todo alimento leche cuajada, trigo tostado, miel agria...

Quedaba una fuga por el lago, corta fuga después de todo, si en el lago como en el desierto, según era lógico, llovía cobre también; pues no viniendo aquello de ningún foco visible, debía ser general.

No obstante el vago terror que me alarmaba, decíame todo eso claramente, lo discutía conmigo mismo, un poco enervado a la verdad por el letargo digestivo de mi siesta consuetudinarial. Y después de todo, algo me decía que el fenómeno no iba a pasar de allí. Sin embargo, nada se perdía con hacer armar el carro.

En ese momento llenó el aire una vasta vibración de campanas. Y casi junto con ella, advertí una cosa: ya no llovía cobre. El repique era una acción de gracias, coreada casi acto continuo por el murmullo habitual de la ciudad. Ésta despertaba de su fugaz atonía, doblemente gárrula. En algunos barrios hasta quemaban petardos.

Acodado al parapeto de la terraza, miraba con un desconocido bienestar solidario, la animación vespertina que era todo amor y lujo. El cielo seguía purísimo. Muchachos afanosos, recogían en escudillas la granalla de cobre, que los caldereros habían empezado a comprar. Era todo cuanto[9] quedaba de la grande amenaza celeste.

Más numerosa que nunca, la gente de placer coloría las calles; y aun recuerdo que sonreí vagamente a un equívoco mancebo, cuya túnica recogida hasta las caderas en un salto de bocacalle, dejó ver sus piernas glabras, jaqueladas de cintas. Las cortesanas, con el seno desnudo según la nueva moda, y apuntalado en deslumbrante coselete, paseaban su indolencia sudando perfumes. Un viejo lenón, erguido en su carro, manejaba como si fuese una vela una hoja de estaño, que con apropiadas pinturas anunciaba amores monstruosos de fieras: ayuntamientos de lagartos con cisnes; un mono y una foca; una doncella cubierta por la delirante pedrería de un pavo real. Bello cartel, a fe mía; y garantiza

---

[9] En 1906: «Era todo lo que...»

la autenticidad de las piezas. Animales amaestrados por no sé qué hechicería bárbara, y desequilibrados con opio y con asafétida.

Seguido por tres jóvenes enmascarados pasó un negro amabilísimo, que dibujaba en los patios, con polvos de colores derramados al ritmo de una danza, escenas secretas. También depilaba al oropimente y sabía dorar las uñas.

Un personaje fofo, cuya condición de eunuco se adivinaba en su morbidez, pregonaba al son de crótalos de bronce, cobertores de un tejido singular que producía el insomnio y el deseo. Cobertores cuya abolición habían pedido los ciudadanos honrados. Pues mi ciudad sabía gozar, sabía vivir.

Al anochecer recibí dos visitas que cenaron conmigo. Un condiscípulo jovial, matemático cuya vida desarreglada era el escándalo de la ciencia, y un agricultor enriquecido. La gente sentía necesidad de visitarse después de aquellas chispas de cobre. De visitarse y de beber, pues ambos se retiraron completamente borrachos. Yo hice una rápida salida. La ciudad, caprichosamente iluminada, había aprovechado la coyuntura para decretarse una noche de fiesta. En algunas cornisas, alumbraban perfumando, lámparas de incienso. Desde sus balcones, las jóvenes burguesas, excesivamente ataviadas, se divertían en proyectar de un soplo a las narices de los transeúntes distraídos, tripas pintarrajeadas y crepitantes de cascabeles. En cada esquina se bailaba. De balcón a balcón cambiábanse flores y gatitos de dulce. El césped de los parques, palpitaba de parejas...

Regresé temprano y rendido. Nunca me acogí al lecho con más grata pesadez de sueño.

Desperté bañado en sudor, los ojos turbios, la garganta reseca. Había afuera un rumor de lluvia. Buscando algo, me apoyé en la pared, y por mi cuerpo corrió como un latigazo el escalofrío del miedo. La pared estaba caliente y conmovida por una sorda vibración. Casi no necesité abrir la ventana para darme cuenta de lo que ocurría.

La lluvia de cobre había vuelto, pero esta vez nutrida y compacta. Un caliginoso vaho sofocaba la ciudad; un olor entre fosfatado y urinoso apestaba el aire. Por fortuna, mi casa estaba rodeada de galerías y aquella lluvia no alcanzaba las puertas[10].

Abrí la que daba al jardín. Los árboles estaban negros, ya sin follaje; el piso, cubierto de hojas carbonizadas. El aire, rayado de vírgulas de fuego, era de una paralización mortal; y por entre aquéllas, se divisaba el firmamento, siempre impasible, siempre celeste.

Llamé, llamé en vano. Penetré hasta los aposentos famularios. La servidumbre se había ido. Envueltas las piernas en un cobertor de biso, acorazándome espaldas y cabeza con una bañera de metal que me aplastaba horriblemente, pude llegar hasta las caballerizas. Los caballos habían desaparecido también. Y con una tranquilidad que hacía honor a mis nervios, me di cuenta de que estaba perdido.

Afortunadamente, el comedor se encontraba lleno de provisiones; su sótano, atestado de vinos. Bajé a él. Conservaba todavía su frescura; hasta su fondo no llagaba la vibración de la pesada lluvia, el eco de su grave crepitación. Bebí una botella, y luego extraje de la alacena secreta el pomo de vino envenenado. Todos los que teníamos bodega poseíamos uno, aunque no lo usáramos si tuviéramos convidados cargosos. Era un licor claro e insípido, de efectos instantáneos.

Reanimado por el vino, examiné mi situación. Era asaz sencilla. No pudiendo huir, la muerte me esperaba; pero con el veneno aquél, la muerte me pertenecía. Y decidí ver eso todo lo posible, pues era, a no dudarlo, un espectáculo singular. Una lluvia de cobre incandescente! La ciudad en llamas! Valía la pena.

Subí a la terraza, pero no pude pasar de la puerta que daba acceso a ella. Veía desde allá[11] lo bastante, sin embargo. Veía y escuchaba. La soledad era absoluta. La crepitación no se interrumpía sino por uno que otro ululato de perro, o explosión anormal. El ambiente estaba rojo; y a su través, troncos, chimeneas, casas, blanqueaban con una lividez tristísima. Los pocos árboles que conservaban follaje re-

---

[10] En 1906: «A las puertas».
[11] En 1906: «allí».

torcíanse, negros, de un negro de estaño. La luz había decrecido un poco, no obstante de persistir la limpidez celeste. El horizonte estaba, eso sí, mucho más cerca, y como ahogado en ceniza[12]. Sobre el lago flotaba un denso vapor, que algo corregía[13] la extraordinaria sequedad del aire.

Percibíase claramente la combustible lluvia, en trazos de cobre que vibraban como el cordaje innumerable de un arpa, y que de cuando en cuando mezclábanse con ella ligeras flámulas. Humaredas negras anunciaban incendios aquí y allá.

Mis pájaros comenzaban a morir de sed y hube de bajar hasta el aljibe para llevarles agua. El sótano comunicaba con aquel depósito, vasta cisterna que podía resistir mucho al fuego celeste; mas por los conductos que del techo y de los patios desembocaban allá, habíase deslizado algún cobre y el agua tenía un gusto particular, entre natrón y orina, con tendencia a salarse. Bastóme levantar las trampillas de mosaico que cerraban aquellas vías, para cortar a mi agua toda comunicación con el exterior.

Esa tarde y toda la noche fue horrendo el espectáculo de la ciudad. Quemada en sus domicilios, la gente huía despavorida, para arderse en las calles, en la campiña desolada; y la población agonizó bárbaramente, con ayes y clamores de una amplitud, de un horror, de una variedad estupendos[14]. Nada hay tan sublime como la voz humana. El derrumbe de los edificios, la combustión de tantas mercancías y efectos diversos, y más que todo la quemazón[15] de tantos cuerpos, acabaron por agregar al cataclismo el tormento de su hedor infernal. Al declinar el sol, el aire estaba casi negro de humo y de polvaredas. Las flámulas que danzaban por la mañana entre el cobre pluvial, eran ahora llamaradas siniestras. Empezó a soplar un viento ardentísimo, denso, como alquitrán caliente. Parecía que se estuviese en un inmenso horno sombrío. Cielo, tierra, aire, todo acababa. No había

---

[12] En 1906: «cenizas».
[13] En 1906: «prevenía».
[14] En 1906: «estupendas».
[15] En 1906: «incineración».

más que tinieblas y fuego. Ah, el horror de aquellas tinieblas que todo el fuego, el enorme fuego de la ciudad ardida no alcanzaba a dominar; y aquella fetidez[16] de pingajos, de azufre, de grasa cadavérica en el aire seco que hacía escupir sangre; y aquellos clamores que no sé cómo no acababan nunca, aquellos clamores que cubrían el rumor del incendio, más vasto que un huracán, aquellos clamores en que aullaban, gemían, bramaban todas las bestias con un inefable pavor de eternidad!...

Mi casa empezaba a arder[17].

Bajé a la cisterna, sin haber perdido hasta entonces mi presencia de ánimo, pero enteramente erizado con todo aquel horror; y al verme de pronto en esa obscuridad amiga, al amparo de la frescura, ante el silencio del agua subterránea, me acometió de pronto un miedo que no sentía —estoy seguro— desde cuarenta años atrás, el miedo infantil de una presencia enemiga y difusa; y me eché a llorar, a llorar como un loco, a llorar de miedo, allá en un rincón, sin rubor alguno.

No fue sino muy tarde, cuando al escuchar el derrumbe de un techo, se me ocurrió apuntalar la puerta de un techo del sótano. Hícelo así con su propia escalera y algunos barrotes de la estantería, devolviéndome aquella defensa alguna tranquilidad; no porque hubiera de salvarme, sino por la benéfica influencia de la acción. Cayendo a cada instante en modorras que entrecortaban funestas pesadillas, pasé las horas. Continuamente oía derrumbes allá cerca. Había encendido dos lámparas que traje conmigo, para darme valor, pues la cisterna era asaz lóbrega. Hasta llegué a comer, bien que sin apetito, los restos de un pastel. En cambio bebí mucha agua.

De repente mis lámparas empezaron a amortiguarse, y

16 En 1906: «aquel hedor».

17 Incluimos esta frase que no consta en la edición de 1926, creemos que fue omitida por error. La colección dirigida por Borges «La biblioteca de Babel» la recoge, Guillermo Ara sólo anota su supresión a pie de página en la antología que sobre Lugones publicó la «Biblioteca Ayacucho». En nuestra decisión pesa la consideración de que la frase es una necesidad narrativa para el efecto que trata de conseguir el relato.

junto con eso el terror, el terror paralizante esta vez, me asaltó. Había gastado, sin prevenirlo[18], toda mi luz, pues no tenía sino aquellas lámparas. No advertí, al descender esa tarde, traerlas todas conmigo.

Las luces decrecieron y se apagaron. Entonces advertí que la cisterna empezaba a llenarse con el hedor del incendio. No quedaba otro remedio que salir; y luego, todo, todo era preferible a morir asfixiado como una alimaña en su cueva.

A duras penas conseguí alzar la tapa del sótano[19] que los escombros del comedor cubrían...

... Por segunda vez había cesado la lluvia infernal. Pero la ciudad ya no existía. Techos, puertas, gran cantidad de muros, todas las torres yacían en ruinas. El silencio era colosal, un verdadero silencio de catástrofe. Cinco o seis grandes humaredas empinaban aún sus penachos; y bajo el cielo que no se había enturbiado ni[20] un momento, un cielo cuya crudeza azul certificaba indiferencias eternas, la pobre ciudad, mi pobre ciudad, muerta, muerta para siempre, hedía como un verdadero cadáver.

La singularidad de la situación, lo enorme del fenómeno, y sin duda también el regocijo de haberme salvado, único entre todos, cohibían mi dolor reemplazándolo por una curiosidad sombría. El arco de mi zaguán había quedado en pie, y asiéndome de las adarajas puede llegar hasta su ápice[21].

No quedaba un solo resto combustible y aquello se parecía mucho a un escorial volcánico. A trechos, en los parajes que la ceniza no cubría, brillaba con un bermejor de fuego, el metal llovido. Hacia el lado del desierto, resplandecía hasta perderse de vista un arenal de cobre. En las montañas, a la otra margen del lago las aguas evaporadas de éste condensábanse en una tormenta. Eran ellas las que habían

---

[18] En 1906: «advertirlo». Obsérvese que se varía para evitar la repetición de la palabra poco después y que a pesar de esto se vuelve a repetir: «No advertí...»; «Entonces advertí...»
[19] En 1906: siempre se registra «zótano».
[20] Añadido en 1926.
[21] En 1906: «cima».

mantenido respirable el aire durante el cataclismo. El sol brillaba inmenso, y aquella soledad empezaba a agobiarme con una honda desolación, cuando hacia el lado del puerto percibí un bulto que vagaba entre las ruinas. Era un hombre, y habíame percibido ciertamente, pues se dirigía a mí.

No hicimos ademán alguno de extrañeza cuando llegó, y trepando por el arco vino a sentarse conmigo. Tratábase de un piloto, salvado como yo en una bodega, pero apuñalando a su propietario. Acababa de agotársele el agua y por ello salía.

Asegurado a este respecto, empecé a interrogarlo[22]. Todos los barcos ardieron, los muelles, los depósitos; y el lago habíase vuelto amargo. Aunque advertí que hablábamos en voz baja, no me atreví —ignoro por qué— a levantar la mía.

Ofrecíle mi bodega, donde quedaban aún dos docenas de jamones, algunos quesos, todo el vino...

De repente notamos una polvareda hacia el lado del desierto. La polvareda de una carreta. Alguna partida que enviaban, quizá en socorro, los compatriotas de Adama o de Seboim[23].

Pronto hubimos de sustituir esta esperanza por un espectáculo tan desolador como peligroso.

Era un tropel de leones, las fieras sobrevivientes del desierto, que acudían a la ciudad como a un oasis, furiosos de sed, enloquecidos de cataclismo.

La sed y no el hambre los enfurecía[24], pues pasaron junto a nosotros sin advertirnos. Y en qué estado venían! Nada como ellos revelaba tan lúgubremente la catástrofe.

Pelados como gatos sarnosos, reducida a escasos chicharrones la crin, secos los ijares, en una desproporción de cómicos a medio vestir con la fiera cabezota, el rabo agudo y crispado como el de una rata que huye, las garras pustulosas, chorreando sangre —todo aquello decía a las claras sus tres días de horror bajo el azote celeste, al azar

---

[22] En 1906: «interrogarle».
[23] Dos localidades de Palestina en el Antiguo Testamento.
[24] En 1906: «era lo que los enfurecía».

de las inseguras cavernas que no habían conseguido ampararlos.

Rondaban los surtidores secos con un desvarío humano en sus ojos, y bruscamente reemprendían su carrera en busca de otro depósito, agotado también; hasta que sentándose por último en torno del postrero, con el calcinado hocico en alto, la mirada vagorosa de desolación y de eternidad, quejándose al cielo, estoy seguro, pusiéronse a rugir.

Ah... nada, ni el cataclismo con sus horrores, ni el clamor de la ciudad moribunda era tan horroroso como ese llanto de fiera[25] sobre las ruinas. Aquellos rugidos tenían una evidencia de palabra. Lloraban quién sabe qué dolores de inconsciencia y de desierto a alguna divinidad obscura. El alma sucinta de la bestia agregaba a sus terrores de muerte, el pavor de lo incomprensible. Si todo estaba lo mismo, el sol cuotidiano, el cielo eterno, el desierto familiar, ¿por qué se ardían y por qué no había agua?... Y careciendo de toda idea de relación con los fenómenos, su horror era ciego, es decir más espantoso. El transporte de su dolor elevábalos a cierta vaga noción de provenencia, ante aquel cielo de donde había estado cayendo la lluvia infernal; y sus rugidos preguntaban ciertamente algo a la cosa tremenda que causaba su padecer. Ah... esos rugidos, lo único de grandioso que conservaban aún aquellas fieras disminuidas: cuál comentaban el horrendo secreto de la catástrofe; cómo interpretaban en su dolor irremediable la eterna soledad, el eterno silencio, la eterna sed...

Aquello no debía durar mucho. El metal candente empezó a llover de nuevo, más compacto, más pesado que nunca.

En nuestro súbito descenso, alcanzamos a ver que las fieras se desbandaban buscando abrigo bajo los escombros.

Llegamos a la bodega, no sin que nos alcanzaran algunas chispas; y comprendiendo que aquel nuevo chaparrón iba a consumar la ruina, me dispuse a concluir.

Mientras mi compañero abusaba en la bodega —por primera y última vez, a buen seguro— decidí aprovechar el

---

[25] En 1906: «bestia».

agua de la cisterna en mi baño fúnebre; y después de buscar inútilmente un trozo de jabón, descendí a ella por la escalinata que servía para efectuar su limpieza.

Llevaba conmigo el pomo de veneno, que me causaba un gran bienestar, apenas turbado por la curiosidad de la muerte.

El agua fresca y la obscuridad, me devolvieron a las voluptuosidades de mi existencia de rico que acababa de concluir. Hundido hasta el cuello, el regocijo de la limpieza y una dulce impresión de domesticidad, acabaron de serenarme.

Oía afuera el huracán de fuego. Comenzaban otra vez a caer escombros. De la bodega no llegaba un solo rumor. Percibí en eso un reflejo de llamas que entraban por la puerta del sótano, el característico tufo urinoso... Llevé el pomo a mis labios y...

Un fenómeno inexplicable

Hace de esto once años. Viajaba por la región agrícola en[1] que se dividen las provincias de Córdoba y de Santa Fe, provisto de las recomendaciones indispensables para escapar a las horribles posadas de aquellas colonias en formación. Mi estómago, derrotado por los invariables salpicones con hinojo y las fatales nueces de postre, exigía fundamentales refacciones. Mi última peregrinación debía efectuarse bajo los peores auspicios. Nadie sabía indicarme un albergue en la población hacia donde iba a dirigirme. Sin embargo, las circunstancias apremiaban, cuando el juez de paz que me profesaba cierta simpatía, vino en mi auxilio.

—Conozco allá —me dijo—, un señor inglés viudo y solo. Posee una casa, lo mejor de la colonia, y varios terrenos de no escaso valor. Algunos servicios que mi cargo me puso en situación de prestarle, serán buen pretexto para la recomendación que usted desea, y que si es eficaz le proporcionará excelente hospedaje. Digo si es eficaz, pues mi hombre, no obstante sus buenas cualidades, suele tener su luna en ciertas ocasiones, siendo, además, extraodinariamente reservado. Nadie ha podido penetrar en su casa más allá del dormitorio donde instala[2] a sus huéspedes, muy escasos por otra parte. Todo esto quiere decir que va usted en condiciones nada ventajosas, pero es cuanto puedo sumi-

---

[1] Añadimos «en».
[2] En 1906: «recibe».

125

nistrarle. El éxito es puramente casual. Con todo, si usted quiere una carta de recomendación...

Acepté y emprendí acto continuo mi viaje, llegando al punto de destino horas después.

Nada tenía de atrayente el lugar. La estación con su techo de tejas coloradas; su andén crujiente de carbonilla; su semáforo a la derecha, su pozo a la izquierda. En la doble vía del frente, media docena de vagones que aguardaban la cosecha. Más allá el galpón, bloqueado por bolsas de trigo. A raíz del terraplén, la pampa con su color amarillento como un pañuelo de yerbas; casitas sin revoque diseminadas a lo lejos, cada una con su parva al costado; sobre el horizonte el festón de humo del tren en marcha, y un silencio de pacífica enormidad entonando el color rural del paisaje.

Aquello era vulgarmente simétrico como todas las fundaciones recientes. Notábase rayas de mensura en esa fisonomía de pradera otoñal. Algunos colonos llegaban a la estafeta en busca de cartas. Pregunté a uno por la casa consabida, obteniendo inmediatamente las señas. Noté en el modo de referirse a mi huésped, que se lo[3] tenía por hombre considerable.

No vivía lejos de la estación. Unas diez cuadras más allá, hacia el oeste, al extremo de un camino polvoroso que con la tarde tomaba coloraciones lilas, distinguí la casa con su parapeto y su cornisa, de cierta gallardía exótica entre las viviendas circundantes[4], su jardín al frente; el patio interior rodeado por una pared tras la cual sobresalían ramas de duraznero. El conjunto era agradable y fresco; pero todo parecía deshabitado. En el silencio de la tarde, allá sobre la campiña desierta, aquella casita, no obstante su aspecto[5] de *chalet* industrioso, tenía una especie de triste dulzura, algo de sepulcro nuevo en el emplazamiento de un antiguo cementerio.

Cuando llegué a la verja, noté que en el jardín había rosas, rosas de otoño cuyo perfume aliviaba como una cari-

---

[3] En 1906: «le».
[4] En 1906: «circunstantes».
[5] En 1906: «sus rasgos de...».

dad la fatigosa exhalación de las trillas. Entre las plantas que casi podía tocar con la mano, crecía libremente la hierba; y una pala cubierta de óxido yacía contra la pared, con su cabo enteramente liado por una guía de enredadera[6].

Empujé la puerta de reja, atravesé el jardín, y no sin cierta impresión vaga de temor fui a golpear la puerta interna. Pasaron minutos. El viento se puso a silbar en una rendija, agravando la soledad. A un segundo llamado, sentí pasos; y poco después la puerta se abría con un ruido de madera reseca. El dueño de casa apareció saludándome.

Presenté mi carta. Mientras leía, pude observarlo[7] a mis anchas. Cabeza elevada y calva; rostro afeitado de *clergyman*; labios generosos, nariz austera. Debía de ser un tanto místico. Sus protuberancias supercialiares, equilibraban con una recta expresión de tendencias impulsivas, el desdén imperioso de su mentón. Definido por sus inclinaciones profesionales, aquel hombre podía ser lo mismo un militar que un misionero. Hubiera deseado mirar sus manos para completar mi impresión, mas sólo podía verlas por el dorso.

Enterado de la carta, me invitó a pasar, y todo el resto de mi permanencia, hasta la hora de comer, quedó ocupado[8] por mis arreglos personales. En la mesa fue donde empecé a notar algo extraño.

Mientras comíamos, advertí que no obstante su perfecta cortesía, algo preocupaba a mi interlocutor. Su mirada invariablemente dirigida hacia un ángulo de la habitación, manifestaba cierta angustia; pero como su sombra[9] daba precisamente en ese punto, mis miradas furtivas nada pudieron descubrir. Por lo demás, bien podía no ser aquello sino una distracción habitual.

La conversación seguía en tono bastante animado, sin embargo. Tratábase del cólera que por entonces azotaba los

---

[6] En 1906: «la guía de una enredadera».
[7] En 1906: «observarle».
[8] En 1906: «fue dedicado».
[9] El tema fantástico del desdoblamiento de la propia sombra fue tratado en el siglo XIX por Hans Christian Andersen (véase *Cuentos fantásticos del XIX*, recogidos por Italo Calvino, Madrid, Siruela, 1970).

pueblos cercanos. Mi huésped era homeópata[10], y no disimulaba su satisfacción por haber encontrado en mí uno del gremio. A este propósito, cierta[11] frase del diálogo hizo variar su tendencia. La acción de las dosis reducidas acababa de sugerirme un argumento que me apresuré a exponer.

—La influencia que sobre el péndulo de Rutter[12] —dije concluyendo una frase—, ejerce la proximidad de cualquier substancia, no depende de la cantidad. Un glóbulo homeopático determina oscilaciones iguales a las que produciría una dosis quinientas o mil veces mayor.

Advertí al momento, que acababa de interesar con mi observación. El dueño de casa me miraba ahora.

—Sin embargo —respondió—, Reichenbach[13] ha contestado negativamente esa prueba. Supongo que ha leído usted a Reichenbach.

—Lo he leído, sí; he atendido sus críticas, he ensayado, y mi aparato, confirmando a Rutter, me ha demostrado que el error procedía del sabio alemán, no del inglés. La causa de semejante error es sencillísima, tanto que me sorprende cómo no dio con ella el ilustre descubridor de la parafina y de la creosota.

Aquí, sonrisa de mi huésped: prueba terminante de que nos entendíamos.

—¿Usó usted el primitivo péndulo de Rutter, o el perfeccionado por el doctor Leger[14]?

—El segundo —respondí.

—Es mejor. ¿Y cuál sería, según sus investigaciones, la causa del error de Reichenbach?

---

[10] La homeopatía es un procedimiento terapéutico no aceptado totalmente por la medicina ortodoxa que consiste en administrar al paciente aquello mismo que en dosis mayores provocaría la enfermedad.

[11] En 1906: «una».

[12] No hemos encontrado esta referencia.

[13] Químico y filósofo naturalista alemán, descubridor de la parafina. Sus investigaciones le llevaron a formular una teoría en torno a que las personas «sensibles» rehuían la proximidad de otras por el influjo de las irradiaciones que desprendían. Sus teorías nunca se confirmaron por la física experimental.

[14] No hemos encontrado referencias de este científico. El propio Lugones lo cita más adelante como un sabio alemán.

—Ésta: los sensitivos con que operaba, influían sobre el aparato, sugestionándose por la cantidad del cuerpo estudiado. Si la oscilación provocada por un escrúpulo de magnesia, supongamos, alcanzaba una amplitud de cuatro líneas, las ideas corrientes sobre la relación entre causa y efecto, *exigían* que la oscilación aumentara en proporción con la cantidad: diez gramos, por ejemplo. Los sensitivos del barón, eran individuos nada versados por lo común en especulaciones científicas; y quienes practican experiencias así, saben cuán poderosamente influyen sobre tales personas las ideas tenidas por verdaderas, sobre todo si son lógicas[15]. Aquí está, pues, la causa del error. El péndulo no obedece a la cantidad, sino a la naturaleza del cuerpo estudiado solamente; pero cuando el sensitivo *cree* que la cantidad mayor[16] influye, aumenta el efecto, pues toda creencia es[17] una volición. Un péndulo, ante el cual el sujeto opera sin conocer las variaciones de cantidad, confirma a Rutter. Desaparecida la alucinación...

—Oh, ya tenemos aquí la alucinación —dijo mi interlocutor con manifiesto desagrado.

—No soy de los que explican todo por la alucinación, a lo menos confundiéndola con la subjetividad, como frecuentemente ocurre. La alucinación es para mí una fuerza, más que un estado de ánimo, y así considerada, se explica por medio de ella buena porción de fenómenos. Creo que es la doctrina justa.

—Desgraciadamente es falsa. Mire usted, yo conocí a Home[18], el medium, en Londres, allá por 1872. Seguí luego con vivo interés las experiencias de Crookes[19], bajo un cri-

[15] En 1906: «cuando son lógicas».

[16] Sin «mayor» en 1906.

[17] Error en 1926: «en».

[18] Daniel Douglas Home (1833-1886), efectivamente fue un medium de gran notoriedad en el siglo anterior, y logró inspirar a Robert Browning y a Charles Dikens en sendas composiciones en que le acusaban de engañar al público con sus supuestos poderes paranormales.

[19] William Crookes (1832-1919): físico inglés que se dedicó al estudio de la electroscopia, el peso molecular de los cuerpos en el vacío y las radiaciones de los rayos catódicos. Sus investigaciones propiciaron el descubrimiento de los rayos X por Roentgen.

terio radicalmente materialista; pero la evidencia se me impuso con motivo de los fenómenos del 74. La alucinación no basta para explicarlo todo. Créame usted, las apariciones son autónomas...

—Permítame una pequeña digresión —interrumpí encontrando en aquellos recuerdos una oportunidad para comprobar mis deducciones sobre el personaje—: quiero hacerle una pregunta, que no exige desde luego contestación, si es indiscreta. ¿Ha sido usted militar?...[20].

—Poco tiempo; llegué a subteniente del ejército de la India.

—Por cierto, la India sería para usted un campo de curiosos estudios.

—No; la guerra cerraba el camino del Tibet a donde hubiese querido llegar. Fui hasta Cawnpore[21], nada más. Por motivos de salud, regresé muy luego a Inglaterra; de Inglaterra pasé a Chile en 1879; y por último a este país en 1888.

—¿Enfermó usted en la India?

—Sí —respondió con tristeza el antiguo militar, clavando nuevamente sus ojos en el rincón del aposento.

—¿El cólera?... —insistí.

Apoyó él la cabeza en la mano izquierda, miró por sobre mí, vagamente. Su pulgar comenzó a moverse entre los ralos cabellos de la nuca. Comprendí que iba a hacerme una confidencia de la cual eran prólogo aquellos ademanes, y esperé. Afuera chirriaba un grillo en la oscuridad.

—Fue algo peor todavía —comenzó mi huésped—. Fue el misterio. Pronto hará cuarenta años y nadie lo ha sabido hasta ahora. ¿Para qué decirlo? No lo hubieran entendido, creyéndome loco por lo menos. No soy un triste, soy un desesperado. Mi mujer falleció hace ocho años, ignorando el mal que me devoraba, y afortunadamente no he tenido hi-

---

[20] Lugones pone el signo de interrogación sólo al final. Lo hace en algunas otras intervenciones en el diálogo.
[21] También se transcribe Kanpur. Es una ciudad de la India situada a orillas del Ganges. Adviértase cómo todos los detalles llevan a identificar a este personaje con un seguidor de las teorías esotéricas de M. Blavatsky, incluso en sus peripecias vitales.

jos. Encuentro en usted por primera vez un hombre capaz de comprenderme.

Me incliné agradecido.

—¡Es tan hermosa la ciencia, la ciencia libre, sin capilla sin academia! Y no obstante, está usted todavía en los umbrales. Los fluidos ódicos de Reichenbach no son más que el prólogo. El caso que va usted a conocer, le revelará hasta dónde puede llegarse.

El narrador se conmovía. Mezclaba frases inglesas a su castellano un tanto gramatical. Los incisos adquirían una tendencia imperiosa, una plenitud rítmica extraña en aquel acento extranjero.

—En febrero de 1858 —continuó— fue cuando perdí toda mi alegría. Habrá usted oído hablar de los *yoghis*, esos singulares mendigos cuya vida se comparte entre el espionaje y la taumaturgia. Los viajeros han popularizado sus hazañas, que sería inútil repetir. Pero, ¿sabe en qué consiste la base de sus poderes?

—Creo que en la facultad de producir cuando quieren el autosonambulismo, volviéndose de tal modo insensibles, videntes[22]...

—Es exacto. Pues bien, yo vi operar a los *yoghis* en condiciones que imposiblilitan toda superchería. Llegué hasta fotografiar las escenas, y la placa reprodujo todo, tal cual yo lo había visto. La alucinación resultaba, así, imposible, pues los ingredientes químicos no se alucinan... Entonces quise desarrollar idénticos poderes. He sido siempre audaz, y luego no estaba entonces en situación de apreciar las consecuencias. Puse, pues, manos a la obra.

—¿Por cuál método?

Sin responderme, continuó:

—Los resultados fueron sorprendentes. En poco tiempo llegué a dormir. Al cabo de dos años producía la traslación consciente. Pero aquellas prácticas me habían llevado al colmo de la inquietud. Me sentía espantosamente desamparado, y con la seguridad de una cosa adversa mezclada a mi vida como un veneno. Al mismo tiempo, devorábame la

---

[22] En 1906 se añadía «etc.».

curiosidad. Estaba en la pendiente y ya no podía detenerme. Por una continua tensión de voluntad, conseguía salvar las apariencias ante el mundo. Mas, poco a poco, el poder despertado en mí se volvía más rebelde... Una distracción prolongada, ocasionaba el[23] desdoblamiento. Sentía mi personalidad fuera de mí, mi cuerpo venía a ser algo así como una afirmación del *no yo*, diré expresando concretamente aquel estado. Como las impresiones se avivaban, produciéndome angustiosa lucidez, resolví una noche ver mi doble. Ver *qué era lo que salía de mí, siendo yo mismo*, durante el sueño extático.

—¿Y pudo conseguirlo?

—Fue una tarde, casi de noche ya. El desprendimiento se produjo con la facilidad acostumbrada. Cuando recobré la conciencia, ante mí, en un rincón del aposento, había una forma. Y esa forma era un mono[24], un horrible animal que me miraba fijamente. Desde entonces no se aparta de mí. Lo veo constantemente. Soy su presa. A donde quiera *él* va[25], *voy conmigo*, con *él*. Está siempre ahí. Me mira constantemente, pero no se *le* acerca jamás, no *se* mueve jamás, no *me* muevo jamás...

Subrayo los pronombres trocados en la última frase, tal como la oí. Una sincera aflicción me embargaba. Aquel hombre padecía, en efecto, una sugestión atroz.

—Cálmese usted —le dije, aparentando confianza—. La reintegración no es imposible.

---

[23] En 1906: «un».

[24] Naturalmente en el hecho de que el animal sea un mono hay una influencia dawiniana. Ahora bien, dejando de lado la posible tradición del mono como fuente de ficciones fantásticas (*v. gr., La pata de mono* de W. W. Jacobs, que Borges, Bioy y Ocampo recogen en su *Antología de la literatura fantástica*), es interesante observar el paralelismo en la manera de obrar del protagonista de este relato de Lugones y el de *El vampiro* de Horacio Quiroga. Hay palabras, en este último, que podrían formar parte de las que componen este libro, e incluso en la trama general —ese proceso de desdoblamiento por propia voluntad en otro ser que finalmente se rebela y actúa con autonomía— podríamos encontrar semejanzas: «Sólo existe un excitante de las fuerzas extrañas, capaz de lanzar en explosión un alma: este excitante es la imaginación» *(Cuentos,* Caracas, Ayacucho, 1981, pág. 281).

[25] En 1906: «que él va».

—¡Oh, sí![26] —respondió con amargura—. Esto es ya viejo. Figúrese usted, he perdido el concepto de la unidad. Sé que dos y dos son cuatro, por recuerdo; pero ya no lo siento[27]. El más sencillo problema de aritmética carece de sentido para mí, pues me falta la convicción de la cantidad. Y todavía sufro cosas más raras. Cuando me tomo una mano con la otra, por ejemplo, siento que aquella es distinta, como si perteneciera a otra[28] persona que no soy yo. A veces veo las cosas dobles, porque cada ojo procede sin relación con el otro[29]...

Era, a no dudarlo, un caso curioso de locura, que no excluía el más perfecto raciocinio.

—Pero en fin, ese mono?... —pregunté para agotar el asunto.

—Es negro como mi propia sombra, y melancólico al modo de un hombre. La descripción es exacta, porque lo estoy viendo ahora mismo. Su estatura es mediana, su cara como todas las caras de mono. Pero miento, no obstante, que se parece a mí. Hablo con entero dominio de mí mismo. ¡Ese animal se parece a mí!

Aquel hombre, en efecto, estaba sereno; y sin embargo, la idea de una cara simiesca formaba tan violento contraste con su rostro de aventajado ángulo facial, su cráneo elevado y su nariz recta, que la incredulidad se imponía por esta circunstancia, más aún que por lo absurdo de la alucinación.

Él notó perfectamente mi estado; púsose de pie como adoptando una resolución definitiva:

—Voy a caminar por este cuarto, para que usted lo vea. Observe mi sombra, se lo ruego.

Levantó la luz de la lámpara, hizo rodar la mesa hasta un extremo del comedor y comenzó a pasearse. Entonces, la más grande de las sorpresas me embargó. ¡La sombra de aquel sujeto no se movía! Proyectada sobre el rincón, de la

---

[26] Lugones sólo usa el signo de admiración final.

[27] En 1906: «no creo en ello».

[28] En 1906: «una».

[29] Éste es un ejemplo de lo que Borges explica como «rasgo circunstancial» al final de su ensayo *Postulación de la realidad*, y que ejemplifica con un sumario de *El hombre invisible* de Wells.

cintura arriba, y con la parte inferior sobre el piso de madera clara, parecía una membrana alargándose y acortándose según la mayor o menor proximidad de su dueño. No podía yo notar desplazamiento alguno bajo las incidencias de luz en que a cada momento se encontraba el hombre.

Alarmado al suponerme víctima de tamaña locura, resolví desimpresionarme y ver si hacía algo parecido con mi huésped, por medio de un experimento decisivo. Pedíle que me dejara obtener su silueta pasando un lápiz sobre el perfil de la sombra.

Concedido el permiso, fijé un papel con cuatro migas de pan mojado hasta conseguir la más perfecta adherencia posible a la pared, y de manera que la sombra del rostro quedase en el centro mismo de la hoja. Quería, como se ve, probar por la identidad del perfil entre la cara y su sombra (esto saltaba a la vista, pero el alucinado sostenía lo contrario) el origen de dicha sombra, con intención de explicar luego su inmovilidad asegurándome una base exacta[30].

Mentiría si dijera que mis dedos no temblaron un poco al posarse en la mancha sombría, que por lo demás diseñaba[31] perfectamente el perfil de mi interlocutor; pero afirmo con entera certeza que el pulso no me falló en el trazado. Hice la línea sin levantar la mano, con un lápiz Hardmuth azul, y no despegué la hoja, concluido que hube, hasta no hallarme convencido por una escrupulosa observación, de que mi trazo coincidía perfectamente con el perfil de la sombra, y éste con el de la cara del alucinado.

Mi huésped seguía la experiencia con inmenso interés. Cuando me aproximé a la mesa, vi temblar sus manos de emoción contenida. El corazón me palpitaba, como presintiendo un infausto desenlace.

—No mire usted —dije.

—¡Miraré![32] —me respondió con un acento tan imperioso, que a pesar mío puse el papel ante la luz.

---

[30] En 1906: «teniendo asegurada una base exacta».

[31] En 1906: «imitaba».

[32] Sólo el último signo de admiración en Lugones. También puntúa así las últimas frases admirativas.

134

Ambos palidecimos de una manera horrible. Allí ante nuestros ojos, la raya de lápiz trazaba una frente deprimida, una nariz chata, un hocico bestial. ¡El mono! ¡La cosa maldita!

Y conste que yo no sé dibujar[33].

---

[33] La importancia de este relato estriba en iniciar el tema del *doble* en la literatura fantástica hispanoamericana. Adviértase, sin embargo, que este final anticlimático no casa muy acertadamente con el resto del cuento.

El milagro de San Wilfrido[1]

El 15 de junio de 1099[2], cuarto día de la tercera semana, un crepúsculo en nimbos de sangre había visto por vigésima quinta vez al campamento cruzado, desplegarse como una larga línea de silencios y de tiendas pardas alrededor[3] de Jerusalén, desde la puerta de Damasco[4] hasta donde el

---

[1] Lugones mantuvo frente al cristianismo una actitud beligerante que sólo cambió al final de su vida. Su conversión guarda semejanza con la realizada por otros escritores en el presente siglo (*v. gr.* Chesterton se convirtió al catolicismo y explicó su postura en *Ortodoxia*). No obstante, podemos reconocer en este cuento el profundo conocimiento que de la *Biblia* tenía el autor.

[2] La conquista de Jerusalén narrada por Torcuato Tasso (1575) adquirió rápida popularidad en la España de fines del siglo XVI, y más aún a lo largo del XVII. Algunos poetas españoles trataron de emularla; así Lope en su *Jerusalén conquistada*. La publicación de la obra del poeta italiano fue tenida por la configuración de un género de épica cristiana (Virgilio cristiano, ha solido denominarse al autor) con presencia de elementos maravillosos —como aquí Lugones— *(vid.* Joaquín Arce, *Tasso y la poesía española*, Barcelona, Planeta, 1973). Esa tradición la recupera Lugones en el presente relato con abrumadora dosis de erudición. Erudición ya demostrada en *El payador* al hablar de «La vida épica» del gaucho (recuérdese su tendencia a encontrar paralelos entre el mundo contemporáneo y el clásico): «Los dos primeros versos con que empieza su *Jerusalem* el armonioso Torcuato, ya declaran el propósito de una empresa libertadora. Canto, dice el poeta, al piadoso ejército y al capitán que *libertó* el sepulcro de Cristo. Tal fue, en efecto, la razón popular de las Cruzadas.» *(El payador,* ed. cit., págs. 24 y ss.)

[3] Corregimos: «al rededor».

[4] Jerusalén está famosamente amurallada. Lugones cita aquí la puerta más septentrional de acceso a la ciudad antigua. Unas líneas más abajo cita la puerta Esterquilinaria o puerta del Muladar, ubicada en el suroeste.

Cedrón[5] penetra en el valle de Sové que los latinos llaman valle de Josafat.

Sobre la llanura que se extendía entre el campamento y la ciudad, algunos bultos denunciaban cadáveres: restos de la jornada del 13 que los franceses libraron sobre la antemuralla.

El monte Moria[6], alzábase frente de la puerta Esterquilinaria, al mediodía. Por el norte levantaban sus cumbres desoladas el Olivete y el monte del Escándalo donde Salomón idolatró. Entre estas cumbres, el valle maldito, el valle donde imperara la herejía de Belphegor[7] y de Moloch[8]; donde gimieron David[9] y Jeremías[10]; donde Jesucristo empezó su pasión; donde Joel dijo su memorable profecía[11]: *congregabo omnes gentes...*; donde duermen Zacarías[12] y Absalón[13]; el valle adonde los judíos van a morir de todas las partes del mundo, se abría lleno de sombra y de viñas negras...

Las murallas de la ciudad, altas de cien palmos, escondían a la vista las montañas de Judea que el rey Sabio hizo poblar de cedros. El recinto quedaba oculto, y sólo se divisaba por sobre la línea de bastiones, la cumbre rojiza del Acra, la monstruosa cúpula de cobre de la mezquita *Gameat-el Sakhra*[14] levantada por Omar a indicación del pa-

---

[5] Torrente de Palestina que desemboca en el Mar Muerto que bordea la ciudad de Jerusalén.

[6] Abraham recibió el mandato de sacrificar en él a su hijo Isaac *(Génesis* XXII).

[7] Se refiere a Baal, dios fenicio.

[8] Moloch, dios fenicio al que se sacrificaban los primogénitos en el Toffet. Se le ha identificado por ello con Cronos/Saturno. (Véase Robert Graves, *Los mitos griegos*, Madrid, Alianza, 1985, tomo I, pág. 284.)

[9] Tomó Jerusalén hacia el 1000 a. C. *(Libro primero de Samuel).*

[10] Uno de los profetas, cuyo libro imita el tono de lamentación de los salmos (de los que David es considerado como autor de 73), a lo que probablemente alude Lugones.

[11] Se recoge en el *Libro de los profetas: Joel* IV, 9-14.

[12] Uno de los profetas.

[13] Hijo de David. Su historia se refiere en *El segundo libro de Samuel.*

[14] *Kubbat as-Sakhran,* en hebreo *Kipat HaSela.* Conocida como la cúpula de la Roca, en un monumento musulmán, no una mezquita (Martin Lev, *Gerusalemme,* Milán, Sonzogno, 1991) como se la denominó al asociarla a Oman Ibn al-Khattab, que negoció la rendición de Jerusalén en el año 638.

triarca Sofronio, sobre las ruinas del templo de Salomón[15] —y algunas palmeras.

Una agonía sedienta consumía a los soldados de la cruz. Las fuentes de Siloé y de Rogel estaban exhaustas. El viento salado, apenas dejaba aproximarse las nubes hasta Jericó. Y aquello estaba tan seco, tan calcinado, que las mismas tumbas antiguas parecían clamar de sed[16].

Sobre las tiendas de las huestes sitiadoras, ondeaban multicolores estandartes, en cuyo trapo, al impulso de la devoción y del heroísmo, iban germinando como futuros emblemas de gloria, las trece coronas y las treinta y seis cruces principales de la heráldica, desde la sencilla cruz patente hasta las embrolladísimas dobles contra potenzadas, que llegarían a su máxima complicación en el curioso[17] jeroglífico[18] de la familia Squarciafichi[19].

Estaban allá[20] Godofredo, Eustaquio y Balduino; los señores de Tolosa[21], de Foix[22], de Flandes, de Orange, de Rosellón, de San Pol, de l'Estoile, de Flandes y de Normandía.

Pero, quien la hizo edificar fue Abd al-Malik, en el año 692, en recuerdo de Omar.

[15] Esta mezquita es conocida como *La Cúpula de la roca* y fue erigida en el 691, durante la dominación de la ciudad por los musulmanes, que también pasaron a considerarla ciudad santa.

[16] En la *Gerusaleme* de Tasso se describe: «La città dentro ha lochi in cui si serba l'acqua che piove, e laghi e fonti vivi; ma fuor la terra intorno è nuda d'erba, e di fontane sterile e di rivi.» (*Gerusalemme liberata*, Turín, Einaudi, 1993, III, 56)

[17] En 1906: «bizarro».

[18] En las dos ediciones: «geroglífico».

[19] Lugones acumula las referencias culturales. En este caso aprovecha para citar los orígenes de la heráldica a mediados del siglo XII; es decir, poco después de los hechos que aquí se refieren.

[20] Sitúa la acción durante la primera cruzada, en la que participaron algunos príncipes y un contingente humano considerable guiado por Pedro el Ermitaño (a quien se cita más adelante). Godofredo de Bouillon, duque de Baja Lorena, fue nombrado, tras la conquista de la ciudad santa, protector del Santo Sepulcro. A su muerte, su hermano Balduino fundó el reino latino de Jerusalén.

[21] Raimundo de Saint Gilles (1042-1105).

[22] A continuación se incluye en las dos ediciones «de Flandes», que se repite más abajo, por lo que lo suprimimos aquí.

Ya eran todos ilustres. Guicher había hendido en dos un león; Godofredo había partido por la mitad un gigante sarraceno en el puente de Antíoco[23]...

Una tienda rasa se alzaba entre las otras. En aquella tienda, un monje flaco y viejo que tenía un báculo de olivo, vivía mojando en lágrimas toda la longitud de su barba. Era Pedro el Ermitaño[24].

Aquel monje sabía que la ciudad ilustre fundada en el 2023 año[25] del mundo, era una mártir.

Desde los hijos de Jebus[26], hasta Sesac[27]; desde Joas[28] hasta Manasés[29], hasta Nabucodonosor[30], hasta Tolomeo Lago[31], hasta los dos Antíocos: el Grande[32] y el Epifanio[33], hasta Pompeyo[34], hasta Craso[35], hasta Antígono[36], hasta

---

[23] La enumeración de los participantes en la acción procede en su mayor parte de la *Jerusalem* de Tasso, en la que Godofredo de Bullón es elegido jefe de los ejércitos cristianos que se dirigirán a liberar la ciudad, como en el cuento de Lugones.

[24] *Vid.* nota 19: En la citada edición de la *Gerusaleme liberata,* Laufranco Caretti señala a propósito de este personaje: «nato ad Amiens, fu il piú efficace promotore della Crociata. Predicò per ttuta l'Europa la necessità morale dell'impresa e raccolse intorno a sé moltitudini di fedeli» (*op. cit.,* pág. 21).

[25] El nombre de la ciudad significa fundación de Salem (divinidad amorrita), y se halla documentado desde el año 2000 a. C., como aquí concreta el autor argentino.

[26] Los jebuseos son los más antiguos habitantes de Jerusalén. Aquí hace Lugones una síntesis histórica de los diversos pobladores de la ciudad hasta situuarnos cronológicamente en el siglo de las cruzadas.

[27] Sesac es Sesonq, nombre de tres faraones egipcios de la dinastía Libia (din. XXIII y XXIV), sobre el 900 a C.

[28] Duodécimo rey de Israel (siglo VIII a. C.). Tomó Jerusalén y destruyó sus murallas al rebelarse contra su poder Amasías, rey de Judá.

[29] Rey de Judea en el siglo VII a. C.

[30] Nabucodonosor II destruyó Judea en el 587 a. C.

[31] Vencedor de Demetrio en Gaza (312 a. C.), se estableció en Siria.

[32] Rey seléucida (223-187 a. C.).

[33] (175-164 a. C.). Hijo del anterior. Ocupó Jerusalén y mató a los siete Macabeos y a su madre.

[34] (106-48 a. C.). Sometió el reino de Jerusalén en el 63 a. C.

[35] (115-53 a. C.). Gobernó Siria desde el año 55 y emprendió diversas campañas militares hasta el 53.

[36] Rey de los judíos del 40 al 37 a. C. Antes de ser nombrado rey, fue conducido por Pompeyo a Roma como rehén.

Herodes[37], hasta Tito[38], hasta Adriano[39], hasta Cosroes[40], hasta Omar[41] —cuánta sangre había manchado sus piedras, cuánta desolación había caído sobre la reina glorificada por la salutación de Tobías: *Jerusalem, civitas Dei, luce splendida fulgebis!*[42] Pedro había podido observar, como san Jerónimo, que en aquella ciudad no se veía un solo pájaro.

*

Esa tarde, un correo expedido de Kaloni, comunicó a Godofredo que en el puerto de Jafa acababan de anclar varias naves pisanas y genovesas, en las cuales venían los marineros esperados para construir las máquinas de guerra diseñadas por Raimundo de Foix.

Acababa de hundirse el sol, cuando tomaron el camino de Arimatea cuatro caballeros enviados para guardar las naves recién llegadas a Jafa. Eran Raimundo Pileto, Acardo de Mommellou, Guillermo de Sabran y Wilfrido de Hohenstein a quien llamaban el caballero del blanco yelmo.

Era él rubio y fuerte como un arcángel. Sobre su tarja germana, sin divisa como todos los escudos de aquel tiempo, se destacaba formando blasón pleno un lirio de estaño en campo sinople[43]. Aquel lirio, en forma de alabarda, era el único abierto de toda la flota heráldica; pues el de Francia permanecía aún en botón.

Pero lo extraordinario en la armadura del caballero, era su casco de metal blanquísimo, cuyo esplendor no velaba entre los demás, la cimera de que carecían los yelmos de los cruzados. El nasal de aquel casco, dividiéndole exagerada-

---

[37] Rey de los judíos del 37 al 4 a. C. De su reinado quedan los restos del actual muro de las lamentaciones.

[38] Se apoderó de Jerusalén en el 70 d. C.

[39] Llevó a cabo una brutal represión en Jerusalén del 132 al 135 d. C.

[40] Cosroes II, rey persa sasánida que conquistó Palestina el 614 y la reprimió con gran crueldad, hasta que fue derrocado por el emperador Heraclio.

[41] Califa musulmán que conquistó la ciudad de Jerusalén en el 638 d. C.

[42] *Tobías* XIII.

[43] En 1906: «verde».

mente el entrecejo y bajando por entre sus ojos como un pico, daba a su faz una expresión de gerifalte.

Contábase a propósito de aquella prenda, una rara historia. Decíase que casado su dueño a los veinte años, antes de uno mató a la esposa en un arrebato de celos. Descubierta luego la inocencia de la víctima, el señor Hohenstein fue en demanda de perdón a Pedro el Ermitaño, quien le puso en el pecho la cruz de los peregrinos.

Antes de partir, quiso orar el joven en la tumba de su esposa. Sobre aquel sepulcro, había crecido un lirio que él decidió llevarse como recuerdo; mas, al cortarla, la flor se transformó en un casco de plata, dando origen al sobrenombre del caballero. Poseídos aún del milagro que hizo llover lirios sobre la cabeza de Clodoveo, no tenían los camaradas del héroe por qué dudar de su aventura, mucho más cuando él la abonaba con su valentía y el voto de castidad[44].

La noche estaba ya densa sobre los montes. Los caballeros cruzaron al trote de sus cabalgaduras, como cuatro sombras en rumor de hierro, la garganta estéril que une a Jerusalén con Siken y Neápolis; el torrente donde David tomó las cinco piedras para combatir al gigante[45]; el valle del Terebinto, el de Jeremías, dolorosa entrada de los montes de Judea poblados de jabalíes; los arrabales de Arimatea, los de Lydia, sembrados de aquellas palmas idumeas bajo las cuales curó Pedro al paralítico[46]; y al llegar al Pozo de la Virgen, la llanura de Sarón, cubierta de alelíes y tulipanes, se desplegó ante ellos desde Gaza hasta el Carmelo, y desde los montes de Judea hasta los de Samaria[47], denunciándose en la obscuridad con el aroma de sus flores. Tal iban evocando los pasajes de la sacra historia por los mismos lugares de su tránsito, aquellos ilustres guerreros.

---

[44] En 1906: «con un voto de castidad».
[45] Se refiere al *Libro primero de Samuel* XIX, 40: «Tomó su cayado en la mano, escogió en el torrente cinco cantos lisos y los puso en su zurrón de pastor.»
[46] Milagro que se narra en los *Hechos de los Apóstoles* IX, 32-43.
[47] Describe un recorrido de sur a norte de la Palestina bíblica.

Wilfrido habíase rezagado un tanto. Los otros tres mantenían su piadosa conversación ; y el señor de Sabrán refirió a sus compañeros la historia de la ciudad adonde se dirigían.

—Jafa[48] está —decía— en la heredad de Dan[49] y es más antigua que el diluvio. En ella murió Noé; a ella venían las flotas de Hiram[50] cargadas de cedro; en ella se embarcó Jonás[51] para cruzar el mar, aquel *Gran Mar* «que vio a Dios y retrocedió», dice el Salmista; ella sufrió el peso de cinco invasiones y fue incendiada por Judas Macabeo[52]. Allí resucitó Pedro a Tabitá[53]; allí Cestio[54] y Vespasiano[55] repletaron de oro sus legiones; y en su ciudadela manda ahora el nombre del Soldán[56], el feroz Abu-Djezzar-Mohamed-ibn-el-Thayyb-el-Achary, a quien llaman familiarmente Abu-Djezzar, y cuyos sicarios recorren estos parajes buscando el rastro de los guerreros de Cristo.

El señor de Mommellou añadió a su vez que Jafa había sido teatro de las fábulas del paganismo. Su nombre era el de una hija de Eolo[57]; y San Jerónimo cuenta que le enseñaron allí la roca y el anillo en que Andrómeda fue entregada

---

[48] Al igual que antes con Jerusalén, Lugones hace una síntesis cronológica de acontecimientos ocurridos en esta ciudad nombrada en el Antiguo Testamento como Joppe, que se ubica junto a la actual Tel-Aviv.

[49] La referencia a esta tribu y su territorio la encontramos en el libro de *Josué* XIX, 40-48.

[50] Rey de Tiro (969-935 a. C.) que colaboró con Salomón en la construcción de su templo facilitándole madera y artesanos.

[51] «Jonás se levantó para huir a Tarsis (...) y bajó a Joppe (Jafa), donde encontró un barco que salía para Tarsis: pagó su pasaje y se embarcó» *(Jonás* I,3).

[52] Rey de Judea en el siglo II a. C. Los hechos hacen referencia al *Libro segundo de los Macabeos* XII, 5-9.

[53] «Había en Joppe una discípula llamada Tabitá...» *(Hechos de los Apóstoles* IX,36-43).

[54] Gobernador romano en la provincia de Siria en el siglo I. Durante su mandato se produjo la revuelta que hubo de combatir Vespasiano.

[55] Emperador romano (siglo I). Cuando todavía no era emperador reprimió una revuelta en Judea. Ocupó Jafa en torno al 68 d. C.

[56] Sultán.

[57] El Señor de los vientos, al que Homero hace descender de Hípotes. Tuvo seis hijas, una de las cuales se dice en el texto que fue Jafa.

al monstruo de Neptuno. Plinio[58] añade que Escauro llevó a Roma los huesos de dicho animal; y Pausanias[59] refiere que existe todavía la fuente donde Perseo[60] se lavó las manos cubiertas por la sangre del combate.

Y todo esto lo contaron los caballeros Acardo de Mommellou y Guillermo de Sabrán, porque sabían muchas letras de historia aprendidas en los pergaminos de los monasterios.

De repente, al llegar junto a las ruinas de una cisterna seca, advirtieron que Wilfrido no iba ya con ellos. Era indudable que se había extraviado en tan peligroso sitio; pero no podían buscarlo[61], pues de las naves que iban a custodiar dependía la toma de la cuidad santa. Y por si era tiempo aún, galoparon soplando sus cuernos hacia las murallas próximas.

*

Abbu-Djezzar gobernaba la ciudadela. La fortaleza se levantaba, dominando, el mar entre un bosquecillo de nopales y granados[62]. Mil musulmanes defendíanse allí, esperando auxilios de Cesárea o de Solima. Los fosos estaban llenos de agua y levantados los rastrillos, que apenas dejaban paso a las partidas de merodeadores.

Wilfrido de Hohenstein, despojado de sus armas, fue traído ante el señor de la ciudadela. Era éste un musulmán de ojos aguileños y perfil enérgico como un hachazo.

—Perro —le dijo apenas túvolo a su alcance—; ya sabemos la situación de vuestros soldados que mueren de sed bajo los muros de Solima. Dime, pues lo sabes, si los cristianos abrigan todavía esperanzas.

---

[58] Se refiere a Plinio el Viejo (siglo I), quien alude a este hecho en su *Historia Natural*, IX, cap. 4. También es recordado por Flavio Josefo en sus *Guerras Judías*, III, y por Higinio en la *Astronomía poética*, II.

[59] Geógrafo griego que vivió en el siglo II d. C. y escribió una *Descripción de Grecia*.

[60] Hijo de Dánae y Zeus. Una de sus hazañas cuenta cómo mató al monstruo que trataba de devorar a Andrómeda tal y como refiere Lugones.

[61] En 1906: «buscarle».

[62] En 1906: «y de granados».

Una sonrisa heroica iluminó la juventud del caballero.

—Sarraceno —replicó—: los condes de Flandes y de Normandía acampan al norte, allá mismo donde fue apedreado San Esteban[63]; Godofredo y Tancredo están al occidente; el conde de Saint-Gilles al sur, sobre el monte Sion. Ya sabes dónde se hallan nuestras tropas, y también que los soldados de Cristo entrarán en Jerusalén por el norte, el occidente y el mediodía[64].

Abu-Djezzar rugió de rabia.

—Cortad maderos —gritó a sus soldados—; haced una cruz y clavad en ella a este perro. Que muera como su dios!

Tres horas después, los soldados venían en grupos a contemplar el mártir. Wilfrido de Hohenstein, clavado en una cruz muy baja, parecía estar muerto en pie. Desnudo enteramente, cruzado su cuerpo de rayas rojas, la cabeza doblada, los cabellos rubios cubriéndole los ojos, las manos y los pies como envueltos en púrpura, semejaba una efigie de altar. La muerte no conseguía ajar su juventud, realzándola más bien como una escarcha fina sobre un mármol artístico. El patíbulo daba al mar, sobre la ciudad ruinosa, desamparado bajo el cielo. Y los soldados admiraban en voz baja, con palabras bárbaramente desgarradas en vómitos guturales, aquella juventud enemiga, tan viril bajo los cabellos rubios ceñidos ya por un reflejo de apogeos[65].

El cuerpo de Wilfrido de Hohenstein no era sino un despojo. Estaba muy blanco, casi transparente, como un vaso de alabastro que ha dejado correr todo su vino; y bajo sus párpados entreabiertos, se vislumbraba una minúscula estrella azul.

Un buitre sirio, a inmensa altura, mecíase entre los cenitales esplendores. Los soldados lo vieron y entonces recordaron. Aunque la agonía del caballero fue larga, era induda-

[63] Fue lapidado en Jerusalén entre los años 32 y 37. *Vid. Hechos de los Apóstoles* VII, 53-60.

[64] En 1906: «y por el mediodía».

[65] En 1906: «una gloria de apogeos».

ble que ya estaba muerto. El agá se aproximó y levantó uno de sus párpados. La estrellita azul se había apagado en el fondo de la órbita. De la comisura labial, desprendióse[66] un hilo de sangre...

Nadie se atrevió a abofetearlo, a pesar de que era la costumbre, porque su sueño apaciguaba con su inmensa blancura. Tendieron simplemente la cruz y empezaron a desclavarlo[67]. Pero la mano derecha resistía tanto, que el agá la cortó con su gumía, dejándola clavada en el poste. Y como aquella cruz[68] podía servir para ajusticiar otros perros, resolvieron conservarla en la armería.

La mano permaneció así durante un mes. Nadie se acordaba ya de aquello, cuando el 12 de julio de 1099, un emisario sarraceno vino en su caballo moribundo a decir a Abu-Djezzar que los cristianos, arrojando escalas sobre los muros de Solima, al rayar la aurora, y encerrados en fuertes ingenios de madera, hacían llover sobre los fieles del Profeta un aguacero de aceite y pez hirviendo.

Abu-Djezzar mandó afilar los alfanjes y descendió a la armería para inspeccionar los arneses de peones y caballeros.

Lucían los hierros en la penumbra de la sala. Había allá[69] lorigas de Egipto, yataganes de Damasco; lanzas españolas, largas de diez palmos; adargas de cuero de hipopótamo, tomadas a los nubios; estribos tajantes al uso berberisco y puñales bizantinos que parecían de agua.

El musulmán recorría con ojo satisfecho aquel arsenal, provisto por el califa de tantas y tan hermosas armas. Sus babuchas sonaban en las lozas de la galería, y soberbiamente envuelto en su albornoz, examinábalo todo.

Con el gran calor estival, habíase quitado el turbante[70], y su cabeza afeitada ostentaba en el occipucio el penacho de cabellos por donde el ángel Gabriel lo[71] conduciría al

---

[66] En 1906: «desprendíase».
[67] En 1906: «desclavarle».
[68] En 1906: «Y como la cruz aquella».
[69] En 1906: «allí».
[70] En 1906: «Habíase quitado el turbante, y su cabeza afeitada ostentaba en el occipucio...»
[71] En 1906: «le».

146

Paraíso el día del juicio. Nadaban en sus ojos dos chispas, y bajo su labio crispado, la dentadura fijaba un brillo siniestro.

Desde su sitio percibía la cruz disimulada en la sombra donde amarilleaba la mano del mártir. Y andando, andando, encontróse[72] debajo de ella, con la mirada fija en una de las perchas de la armería.

En ese momento eran las tres de la tarde. El caballero de l'Estoile acababa de saltar sobre las murallas de Jerusalén.

Y como el agá apareciera en la puerta, Abu-Djezzar lo increpó:

—¡Alá los extermine! ¡Malditos perros!...[73].

No pudo concluir. La mano súbitamente viva[74], habíase[75] abierto como una garra, retorciéndose en su clavo y enredando entre sus dedos los cabellos del infiel.

El agá, loco de horror, huyó a lo alto de la ciudadela. Los soldados acudieron, mas nadie se atrevió a tocar aquella formidable reliquia que mantenía invenciblemente agarrada la presa enemiga.

Abu-Djezzar yacía muerto al pie de la cruz, con la lengua apretada entre los dientes y tendidos los brazos que descuartizaba una convulsión.

Esa misma tarde, el agá hizo arrojar por sobre las murallas el siniestro crucifijo, sin que la mano volviera a abrirse desde entonces. Y los cristianos de Jafa, sabedores del hecho por un prisionero de la ciudadela tomado pocos días después, condujeron en procesión aquel trofeo, erigiendo un altar al caballero del blanco yelmo que padeció muerte de cruz entre los infieles el 12 de julio del año 1099 de Cristo.

*

[72] En 1906; «se encontró».
[73] En las dos ediciones sólo se pone admiración al final de ambas oraciones.
[74] En 1906: «espantosamente viva».
[75] En 1906: «se había».

Ahora, en el convento de los franciscanos de Jafa, puede verse bajo una urna de cristal, clavada en su trozo de madera y asiendo un puñado de cabellos, todavía fresca como para consolar la décima séptima agonía de Jerusalén, la mano blanca de San Wilfrido de Hohenstein.

El escuerzo[1]

Un día de tantos[2], jugando en la quinta de la casa donde habitaba la familia, di con un[3] pequeño sapo que, en vez de huir como sus congéneres más corpulentos, se hinchó extraordinariamente bajo mis pedradas. Horrorizábanme los sapos[4] y era mi diversión aplastar cuantos podía. Así es que el pequeño y obstinado reptil[5] no tardó en sucumbir a los

---

[1] J. L. Borges ha dicho de este cuento: «Por el tema popular y por el estilo sencillo, nada frecuente en el autor, despierta interés *El escuerzo*. En este cuento, más que en otros, Lugones entra plenamente en lo sobrenatural.» (*Leopoldo Lugones*, ed. cit.).
En la introducción hemos señalado alguna semejanza con Quiroga en algún cuento de Lugones. Este es particularmente significativo por cuanto ofrece una tradición popular a las que aquél era tan fiel. En cierto sentido recuerda relatos como *La gallina degollada* o *Los cazadores de ratas*. El primero porque propone un argumento que protagonizan niños; el segundo porque el argumento está al servicio de la tradición. Sobre la leyenda —una de las vías que *Las fuerzas extrañas* propone— ha dicho Lugones en *Filosofícula*: «La leyenda es fe, esperanza y caridad. Los hombres duros de corazón, que desprecian la leyenda, diciendo: "es mentira", son indignos de la belleza y la gracia. Querrían que las perlas, los diamantes, las esmeraldas, los rubíes, los topacios de la leyenda, existieran realmente. No ven que, así, tendrían ya dueño, y serían motivo de opresión, de orgullo, de envidia. Mientras en la leyenda son de todos y a todos mejoran.» (Buenos Aires, Centurión, 1948, pág. 25.)
[2] Sorprende en este relato la falta de datos concretos que lo ubiquen en el espacio o el tiempo, si lo comparamos con otros del volumen en que Lugones, proclive a la digresión dilatoria, acumula erudición.
[3] En 1906: «me di con un...»
[4] En 1906: «Tenía horror a los sapos...»
[5] En 1906: «Entonado batracio».

golpes de mis piedras. Como todos los muchachos criados en la vida semi-campestre de nuestras ciudades de provincia, yo era un sabio en lagartos y sapos. Además, la casa estaba situada cerca de un arroyo que cruza la ciudad, lo cual contribuía a aumentar la frecuencia de mis relaciones con tales bichos[6]. Entro en estos detalles, para que se comprenda bien cómo me sorprendí al notar que el atrabiliario sapito me era enteramente desconocido. Circunstancia de consulta, pues. Y tomando mi víctima con toda la precaución del caso, fui a preguntar por ella a la vieja criada, confidente de mis primeras[7] empresas de cazador. Tenía yo ocho años[8] y ella sesenta. El asunto había, pues, de interesarnos a ambos. La buena mujer estaba, como de costumbre, sentada a la puerta de la cocina, y yo esperaba ver acogido mi relato con la acostumbrada benevolencia, cuando apenas hube empezado, la vi levantarse apresuradamente y arrebatarme de las manos el despanzurrado animalejo[9].

—Gracias a Dios que no lo hayas dejado! —exclamó con muestras de la mayor alegría—. En este mismo instante vamos a quemarlo.

—Quemarlo —dije yo—; pero qué va a hacer, si ya está muerto...

—¿No sabes que es un escuerzo —replicó en tono misterioso mi interlocutora— y que este animalito resucita si no lo queman? Quién te mandó matarlo! Eso habías de sacar al fin con tus pedradas! Ahora voy a contarte lo que pasó al hijo de mi amiga la finada Antonia, que en paz descanse.

Mientras hablaba, había recogido y encendido algunas astillas sobre las cuales puso el cadáver del escuerzo.

Un escuerzo! decía yo, aterrado bajo mi piel de mucha-

---

[6] En 1906:«reptiles».

[7] En 1906: «confidente en las primeras...»

[8] A la pregunta de por qué interviene en la acción un niño —única vez en los doce cuentos— podría contestarnos H. James en *The Turn of The Screw* al entender que así se da una «vuelta de tuerca» al efecto de horror que la narración causa. Algunos cuentos de Silvina Ocampo o de Julio Cortázar han continuado esta vinculación de lo fantástico con el mundo infantil.

[9] En 1906: «animalito».

cho travieso; un escuerzo! Y sacudía los dedos como si el frío del sapo se me hubiera pegado a ellos. Un sapo resucitado! Era para enfriarle la médula a un hombre de barba entera.

—Pero usted piensa contarnos una nueva batracomaquia?[10] —interrumpió aquí Julia con el amable desenfado de su coquetería de treinta años.

—De ningún modo, señorita. Es una historia *que ha pasado*.

Julia sonrió.

—No puede figurarse cuánto deseo conocerla...

—Será usted complacida, tanto más cuanto que tengo la pretensión de vengarme con ella de su sonrisa.

Así, pues, proseguí, mientras se asaba mi fatídica pieza de caza, la vieja criada hilvanó su narración que es como sigue:

Antonia, su amiga, viuda de un soldado, vivía con el hijo único que había tenido de él, en una casita muy pobre, distante de toda población. El muchacho trabajaba para ambos, cortando madera en el vecino bosque, y así pasaban año tras año, haciendo a pie la jornada de la vida. Un día volvió, como de costumbre, por la tarde, para tomar su mate, alegre, sano, vigoroso, con su hacha al hombro. Y mientras lo hacían, refirió a su madre que en la raíz de cierto árbol muy viejo había encontrado un escuerzo, al cual no le valieron hinchazones para quedar hecho una tortilla bajo el ojo de su hacha.

La pobre vieja se llenó de aflicción al escucharlo, pidiéndole que por favor la acompañara al sitio, para quemar el cadáver del animal.

—Has de saber —le dijo—, que el escuerzo no perdona jamás al que lo ofende. Si no lo queman, resucita, sigue el rastro de su matador y no descansa hasta que puede hacer con él otro tanto.

El buen muchacho rió grandemente del cuento, intentando convencer a la pobre vieja de que aquello era una pa-

---

[10] Se alude a la obra de carácter burlesco —el significado del título señala la guerra entre las ranas y los ratones—, parodia de la *Ilíada*, que se atribuye a Pigres de Halicarnaso (siglo v a. C.).

parrucha buena para asustar chicos molestos, pero indigna de preocupar a una persona de cierta reflexión. Ella insistió, sin embargo, en que la acompañara a quemar los restos del animal.

Inútil fue toda broma, toda indicación sobre lo distante del sitio, sobre el daño que podía causarle, siendo ya tan vieja, el sereno de aquella tarde de noviembre. A toda costa quiso ir y él tuvo que decidirse a acompañarla.

No era tan distante; unas seis cuadras a lo más. Fácilmente dieron con el árbol recién cortado, pero por más que hurgaron entre las astillas y las ramas desprendidas, el cadáver del escuerzo no apareció.

—No te dije? —exclamó ella echándose a llorar—; ya se ha ido; ahora ya no tiene remedio esto. Mi padre San Antonio te ampare!

—Pero qué tontera, afligirse así. Se lo habrán llevado las hormigas o lo comería algún zorro hambriento. Habráse visto extravagancia, llorar por un sapo! Lo mejor es volver, que ya viene anocheciendo y la humedad de los pastos es dañosa.

Regresaron, pues, a la casita, ella siempre llorosa, él procurando distraerla con detalles sobre el maizal que prometía buena cosecha si seguía lloviendo; hasta volver de nuevo a las bromas y risas en presencia de su obstinada tristeza. Era casi de noche cuando llegaron. Después de un registro minucioso por todos los rincones, que excitó de nuevo la risa del muchacho, comieron en el patio, silenciosamente, a la luz de la luna, y ya se disponía él a tenderse sobre su montura[11] para dormir, cuando Antonia le suplicó que por aquella noche siquiera, consintiese en encerrarse dentro de una caja de madera que poseía y dormir allí.

La protesta contra semejante petición fue viva. Estaba chocha, la pobre, no había duda. ¡A quién se le ocurría pensar en hacerlo[12] dormir con aquel calor, dentro de una caja que seguramente estaría llena de sabandijas!

Pero tales fueron las súplicas de la anciana, que como el

---

[11] En 1906: «apero».
[12] En 1906: «hacerle».

muchacho la quería tanto, decidió acceder a semejante capricho. La caja era grande, y aunque un poco encogido, no estaría del todo mal. Con gran solicitud fue arreglada en el fondo de la cama, metióse él adentro, y la triste viuda tomó asiento al lado del mueble, decidida a pasar la noche en vela para cerrarlo apenas hubiera la menor señal de peligro.

Calculaba[13] ella que sería la media noche, pues la luna muy baja empezaba a bañar con su luz el aposento, cuando de repente un bultito negro, casi imperceptible, saltó sobre el dintel de la puerta que no se había cerrado por efecto del gran calor. Antonia se estremeció de angustia.

Allí estaba, pues[14], el vengativo animal, sentado sobre las patas traseras, como meditando un plan. ¡Qué mal había hecho el joven en reírse! Aquella figurita lúgubre, inmóvil en la puerta llena de luna, se agrandaba extraordinariamente, tomaba proporciones de monstruo. ¿Pero, si no era más que uno de los tantos sapos familiares que entraban cada noche a la casa en busca de insectos? Un momento respiró, sostenida por esta idea. Mas el escuerzo dio de pronto un saltito, después otro, en dirección a la caja. Su intención era manifiesta. No se apresuraba, como si estuviera seguro de su presa. Antonia miró con indecible expresión de terror a su hijo; dormía, vencido por el sueño, respirando acompasadamente.

Entonces, con mano inquieta, dejó caer sin hacer ruido la tapa del pesado mueble. El animal no se detenía. Seguía saltando. Estaba ya al pie de la caja. Rodeóla pausadamente, se detuvo en uno de los ángulos, y de súbito, con un salto increíble en su pequeña talla, se plantó sobre la tapa.

Antonia no se atrevió a hacer el menor movimiento. Toda su vida se había concentrado en sus ojos. La luna bañaba ahora enteramente la pieza. Y he aquí lo que sucedió: El sapo comenzó a hincharse por grados, aumentó, aumentó de una manera prodigiosa, hasta triplicar su volumen. Permaneció así durante un minuto, en que la pobre mujer sintió pasar por su corazón todos los ahogos de la muerte.

---

[13] En 1906: «Calcula».
[14] En 1906: «por fin».

Después fue reduciéndose, reduciéndose hasta recobrar su primitiva forma, saltó a tierra, se dirigió a la puerta y atravesando el patio acabó por perderse entre las hierbas.

Entonces se atrevió Antonia a levantarse, toda temblorosa. Con un violento ademán abrió de par en par la caja. Lo que sintió fue de tal modo horrible, que a los pocos meses murió víctima del espanto que le produjo.

Un frío mortal salía del mueble abierto, y el muchacho estaba helado y rígido bajo la triste luz en que la luna amortajaba aquel despojo sepulcral, hecho piedra ya bajo un inexplicable baño de escarcha[15].

---

[15] Obsérvese cómo deja Lugones de lado la historia que le sirvió de introducción al relato, como hace también H. James en *The Turn of The Screw*, relato que se cuenta para impresionar a un auditorio al que luego se abandona. La culminación de ambas historias es la culminación del núcleo narrativo para evitar la pérdida del clímax final. Responde así el cuanto a una de las leyes que le asignan los teóricos, la de ser contado en función del final.

La metamúsica[1]

Como hiciera varias semanas que no lo veía, al encontrarlo le pregunté[2]:

—¿Estás enfermo?

—No; mejor que nunca y alegre como unas pascuas. ¡Si supieras lo que me ha tenido absorto durante estos dos meses de encierro!

Pues hacía efectivamente dos meses que se lo extrañaba en su círculo literario, en los cafés familiares y hasta en el paraíso de la Ópera, su predilección.

El pobre Juan tenía una debilidad: la música. En sus buenos tiempos, cuando el padre opulento y respetado compraba palco, Juan podía entregarse a su pasión favorita con toda comodidad. Después acaeció el[3] derrumbe: —títulos bajos, hipotecas, remates... El viejo murió de disgusto y Juan se encontró solo en esa singular autonomía de la orfandad, que toca por un extremo al tugurio y por el otro a la fonda de dos platos, sin vino.

Por no ser huésped de cárcel, se hizo empleado que cuesta más y produce menos; pero hay seres timoratos en medio de su fuerza, que temen a la vida lo bastante para respe-

---

[1] Las relaciones musicales del universo, así como la afirmación de Lugones «El mundo es música», recogida en este relato, siguen considerándose como fuente de investigación en la actualidad y puede verse alguna de sus implicaciones en *Música, poder, armonía* de R. J. Steward (Madrid, Mandala, 1991).

[2] En 1906: «interrogué».

[3] En 1906: «un».

tarla, acabando por acostarse con sus legítimas después de haber pensado veinte aventuras[4].

La existencia de Juan volvióse[5] entonces acabadamente monótona. Su oficina, sus libros y su banqueta del paraíso, fueron para él la obligación y el regalo. Estudió mucho, convirtiéndose en un teorizador formidable. Analogías[6] de condición y de opiniones nos acercaron, nos amistaron y concluyeron por unirnos en sincera afección. Lo único que nos separaba era la música, pues jamás entendí una palabra de sus disertaciones, o mejor dicho nunca pude conmoverme con ellas, pareciéndome falso en la práctica lo que por raciocinio encontraba evidente; y como en arte la comprensión está íntimamente ligada a la emoción sentida, al no

---

[4] En 1906: «queridas».

[5] En 1906: «se volvió».

[6] La palabra analogía tiene especial importancia en los modernistas. En la introducción se ha aludido a la fórmula empleada por O. Paz para definir el modernismo: «analogía e ironía» (*Los hijos del limo*, cap. III). Lugones emplea corrientemente la palabra analogía para señalar lo que Baudelaire denominaría *correspondences*. Así en *El Psychon*: «La llama amarilla no sería en este caso más que el producto de la combustión cerebral, y la *analogía* de su espectro con el de la substancia descubierta por mí, me hace creer que sean algo idéntico.» En *Viola Acherontia*: «Las *analogías* morfológicas, suponen otras de fondo.» En *Izur*: «... las analogías entre el sordomudo y el mono se agolparon en mi espíritu. [...] Había vuelto a la gesticulación como único medio de comunicarse conmigo; y este detalle, unido a sus analogías con los sordomudos...»
Desde luego pueden señalarse otras «analogías» que sean de carácter temático y a través de las que Lugones incorpora normalmente lo fantástico en el relato. En *Los caballos de Abdera* se parte de una analogía entre caballos y hombres. Son numerosas las que pueden trazarse en *La estatua de sal*: el sacrificio de los cenobitas evita las catástrofes porque «los sacrificios y oraciones de los justos son las claves del techo del universo» —es decir, tienen su correspondencia analógica—; Sosistrato es al mismo tiempo un actor de la tragedia de Sodoma. Las analogías entre humanos y seres vegetales se simbolizan en el ¡ay! gritado por el hombre, porque «es un grito de la naturaleza». También en *El origen del diluvio* leemos: «...y no obstante su constitución de moluscos, vivían, obraban, sentían de un modo análogo al de la humanidad presente».
Finalmente, en el presente relato se afirma, como hemos dicho, que «El universo es música», que la jerarquía sonora se corresponde con la física; y todo el cuento trata de justificar la analogía de la escala musical con el universo.

sentir yo nada con la música, claro está que no la entendía.

Esto desesperaba a mi amigo cuya elocuencia crecía en proporción a mi incapacidad para gozar con lo que siendo para él emoción superior, sólo me resultaba confusa algarabía.

Conservaba de su pasado bienestar un piano, magnífico instrumento cuyos acordes solían comentar sus ideas cuando mi rebelde emoción fracasaba en la prueba.

—Concedo que la palabra no alcance a expresarlo —decía—, pero escucha; abre bien las puertas de tu espíritu; es imposible que dejes de entender.

Y sus dedos recorrían el teclado en una especie de mística exaltación.

Así discutíamos los sábados por la noche, alternando las disertaciones líricas con temas científicos en los que Juan era muy fuerte, y recitando versos. Las tres de la mañana siguiente eran[7] la hora habitual de despedirnos. Júzguese si nuestra conversación sería prolongada después de ocho semanas de separación.

—Y la música, Juan?

—Querido, he hecho descubrimientos importantes.

Su fisonomía tomó tal carácter de seriedad, que le creí acto continuo. Pero una idea me ocurrió de pronto.

—Compones?

Los ojos le fulguraron.

—Mejor que eso, mucho mejor que eso. Tú eres un amigo del alma y puedes saberlo. El sábado por la noche, como siempre, ya sabes; en casa; pero no lo digas a nadie, eh? A nadie! —añadió casi terrible.

Calló un instante; luego me pellizcó confidencialmente la punta de la oreja, mientras una sonrisa maliciosa entreabría sus labios febriles[8].

—Allá comprenderás por fin, allá verás. Hasta el sábado, eh?[9]...

---

7 En 1906: «era».
8 En 1906: «febriles labios».
9 En 1906: «¿no?»

Y como lo mirara interrogativo, añadió lanzándose a un tranvía[10], pero de modo que sólo yo pudiese oírlo:

—...¡Los colores de la música[11]!...

Era un miércoles. Me era menester esperar tres días para conocer el sentido de aquella frase[12]. Los colores de la música! me decía. Será un fenómeno de audición coloreada? Imposible! Juan es un muchacho muy equilibrado para caer en eso. Parece excitado, pero nada revela una alucinación en sus facultades. Después de todo, por qué no ha de ser verdad su descubrimiento?... Sabe mucho, es ingenioso, perseverante, inteligente... La música no le impide cultivar a fondo las matemáticas, y éstas son la sal del espíritu. En fin, aguardemos[13].

Pero, no obstante mi resignación, una intensa curiosidad me embargaba; y el pretexto ingenuamente hipócrita de este género de situaciones, no tardó en presentarse.

Juan está enfermo, a no dudarlo, me dije[14]. Abandonarlo[15] en tal situación, sería poco discreto. Lo mejor es verlo[16], hablarlo[17], hacer cuanto pueda para impedir algo peor. Iré esta noche. Y esa misma noche fui, aunque reconociendo en mi intento más curiosidad de lo que hubiese querido.

Daban las nueve cuando llegué a la casa. La puerta estaba cerrada. Una sirvienta desconocida vino a abrirme. Pensé que sería mejor darme por amigo de confianza, y después de expresar las buenas noches con mi entonación más confidencial:

—Está Juan? —pregunté.

—No, señor; ha salido.

—Volverá pronto?

—No ha dicho nada.

—Porque si volviera pronto —añadí insistiendo—, le pe-

---

[10] En 1906: «sobre el estribo de un tranvía».
[11] He aquí otro ejemplo de analogía.
[12] En 1906: «prosa».
[13] En 1906: «esperemos».
[14] Añadido en 1926: «me dije».
[15] En 1906: «Abandonarle».
[16] En 1906: «verle».
[17] En 1906: «hablarle».

diría permiso para esperarlo en su cuarto. Soy su amigo íntimo y tengo algo urgente que comunicarle.

—A veces no vuelve en toda la noche.

Esta evasiva me reveló que se trataba de una consigna, y decidí retirarme sin insistir. Volví el jueves, el viernes, con igual resultado. Juan no quería recibirme; y esto, francamente, me exasperaba. El sábado me tendría fuerte, vencería mi curiosidad, no iría. El sábado a las nueve de la noche había dominado aquella puerilidad. Juan en persona me abrió.

—Perdona; sé que me has buscado; no estaba; tenía que salir todas las noches.

—Sí; te has convertido en personaje misterioso.

—Veo que mi descubrimiento te interesa de veras.

—No mucho, mira; pero francamente, al oírte hablar de los colores de la música, temí lo que hay que temer, y ahí tienes la causa de mi insistencia.

—Gracias, quiero creerte, y me apresuro a asegurarte que no estoy loco. Tu duda lastima mi amor propio de inventor, pero somos demasiado amigos para no prometerte una venganza.

Mientras, habíamos atravesado un patio lleno de plantas. Pasamos un zaguán, doblamos a la derecha, y Juan abriendo una puerta dijo:

—Entra; voy a pedir el café.

Era el cuarto habitual, con su escritorio, su ropero, su armario de libros, su catre de hierro. Noté que faltaba el piano. Juan volvía en ese momento.

—¿Y el piano?

—Está en la pieza inmediata. Ahora soy rico; tengo dos «salones».

—¡Qué opulencia!

Y esto nos endilgó en el asunto.

Juan, que paladeaba con deleite su café, empezó tranquilamente:

—Hablemos en serio. Vas a ver una cosa interesante. *Vas a ver*, óyelo bien. No se trata de teorías. Las notas poseen cada cual su color, no arbitrario, sino real. Alucinaciones y chifladuras nada tienen que ver con esto. Los aparatos no

159

mienten, y mi aparato hace perceptibles los colores de la música. Tres años antes de conocerte, emprendí las experiencias coronadas hoy por el éxito. Nadie lo sabía en casa, donde, por otra parte, la independencia era grande, como recordarás. Casa de viudo con hijos mayores... Dicho esto en forma de disculpa por mi reserva, que espero no atribuyas a desconfianza, quiero hacerte una descripción de mis procedimientos, antes de empezar mi pequeña fiesta científica.

Encendimos los cigarrillos y Juan continuó.

—Sabemos por la teoría de la unidad[18] de la fuerza, que el movimiento es, según los casos, luz, calor, sonido[19], etc.; dependiendo estas diferencias —que esencialmente no existen, pues son únicamente modos de percepción de nuestro sistema nervioso[20]— del mayor o menor número de vibraciones de la onda etérea.

»Así, pues, en todo sonido hay luz, calor, electricidad latentes[21], como en toda luz hay a su vez electricidad, calor, y

---

[18] Las diversas teorías esotéricas que propugnaron los escritores del fin de siglo tenían en común la búsqueda de la unidad que se oponía a la fragmentación propugnada por la ciencia frente a la que «cabía imaginar la unidad y la identificación en las imágenes de la fusión total» (R. Gullón, *Pitagorismo y modernismo*, Santander, Gonzalo de Bedia, 1967, pág. 10).

[19] Esta afirmación no podría suscribirla la ciencia actual. Aunque durante el siglo XIX diversas teorías apoyaban la tesis de que el movimiento era efectivamente luz, calor, sonido, según los casos. Thomas Young propuso por ejemplo en 1807 que el calor podría ser una vibración ondulatoria similar a la luz. El movimiento ondulatorio de la luz hace a Lugones encontrar la analogía de ésta con el sonido.

[20] Obsérvese la semejanza de lo propuesto por Lugones con lo que algún físico como Wilhelm Ostwald proponía a fines de siglo: «Lo que oímos se origina gracias al trabajo ejercido sobre el tímpano y el oído medio por las vibraciones del aire. Lo que vemos es sólo energía radiante que realiza una operación química sobre la retina, lo que se percibe como luz... Desde este punto de vista, la totalidad de la naturaleza a parece como una serie de energías espacial y temporalmente cambiantes de la que tenemos conocimiento en la medida en que inciden sobre el cuerpo, especialmente sobre los órganos de los sentidos, organizados para la recepción de las energías apropiadas.» (Véase *Historia de las ciencias* de Stephen F. Mason, 4. *La ciencia del siglo XIX*, Madrid, Alianza, 1986, pág. 143.)

[21] La explicación es fantástica en este punto.

sonido. El ultra violeta[22] del espectro, señala el límite de la luz y es ya calor, que cuando llegue a cierto grado se convertirá en luz... Y la electricidad igualmente. Por qué no ocurriría lo mismo con el sonido? me dije; y desde aquel momento quedó planteado mi problema.

»La escala musical está representada por una serie de números cuya proporción, tomando al do como unidad, es bien conocida; pues la armonía se halla constituida por proporciones de número, o en otros términos se compone de la relación de las vibraciones aéreas por un acorde de movimientos desemejantes.

»En todas las músicas sucede lo mismo, cualquiera que sea su desarrollo. Los griegos que no conocían sino tres de las consonancias de la escala, llegaban a idénticas proporciones: 1 a 2, 3 a 2, 4 a 3. Es, como observas, matemático. Entre las ondulaciones de la luz tiene que haber una relación igual, y es ya vieja la comparación. El 1 del do, está representado por las vibraciones de 369 millonésimas de milímetro que engendran el violado, y el 2 de la octava por el duplo; es decir, por las de 738 que producen el rojo[23]. Las demás notas, corresponden cada una a un color.

»Ahora bien, mi raciocinio se efectuaba de este modo:

»Cuando oímos un sonido, no vemos la luz, no palpa-

---

[22] A propósito de los rayos ultravioleta señala Asimov en la *Nueva guía de la ciencia*: «Hacia 1800, William Herschel (...) realizó un experimento tan sencillo como interesante. En un haz de luz solar que pasaba a través de un prisma, mantuvo un termómetro junto al extremo rojo del espectro. La columna de mercurio ascendió. Evidentemente existía una forma de radiación invisible a longitudes de onda que se hallaban por debajo del espectro visible. La radiación descubierta por Herschel recibió el nombre de infrarroja (...). En 1801, el físico alemán Johan Wilhelm Ritter exploró el otro extremo del espectro. Descubrió que el nitrato de plata, que se convierte en plata metálica y se oscurece cuando es expuesto a la luz azul o violeta, se descomponía aún más rápidamente al colocarla por debajo del punto en que el espectro era violeta. Así Ritter descubrió la "luz" denominada ahora *ultravioleta*» (pág. 70).

[23] Para medir las ondas luminosas se emplea una unidad denominada Angström equivalente a la cienmillonésima parte de 1 cm. La longitud de la onda que emite la luz roja es de unos 7.500 A, la de la luz violeta de 3.900 A. Los colores visibles se distribuyen entre ambas cifras (véase *Nueva guía de la ciencia*, pág. 346).

mos el calor, no sentimos la electricidad que produce, porque las ondas caloríficas, luminosas y eléctricas, son imperceptibles por su propia amplitud. Por la misma razón no oímos cantar la luz, aunque la luz canta real y verdaderamente, cuando sus vibraciones que constituyen los colores, forman proporciones armónicas. Cada percepción tiene un límite de intensidad, pasado el cual se convierte en impercepción para nosotros. Estos límites no coinciden en la mayoría de los casos, lo cual obedece al progresivo trabajo de diferenciación efectuado por los sentidos en los organismos superiores; de tal modo que si al producirse una vibración, no percibimos más que uno de los movimientos engendrados, es porque los otros, o han pasado el límite máximo, o no han alcanzado el límite mínimo de la percepción[24]. A veces se consigue, sin embargo, la simultaneidad. Así, vemos el color de una luz, palpamos su calor y medimos su electricidad...

Todo esto era lógico; pero en cuanto al sonido, tenía una objeción muy sencilla que hacer y la hice:

—Es claro; y si con el sonido no sucede así, es porque se trata de una vibración aérea, mientras que las otras son vibraciones etéreas.

—Perfectamente; pero la onda aérea provoca vibraciones etéreas[25], puesto que al propagarse conmueve el éter intermedio entre molécula y molécula de aire. *Qué es* esta segunda vibración? Yo he llegado a demostrar que es luz. Quién sabe si mañana un termómetro ultrasensible no averiguará las temperaturas del sonido?

»Un sabio injustamente olvidado, Louis Lucas, dice lo que voy a leer, en su *Chimie Nouvelle:*

"Si se estudia con cuidado las propiedades del monocor-

---

[24] «El sonido más profundo que escuchamos tiene una longitud de onda de 22 metros y una frecuencia de 15 ciclos por segundo. El sonido más agudo que un adulto normal puede oír alcanza una longitud de onda de 2, 2 centímetros y una frecuencia de 15.000 ciclos por segundo.» (I. Asimov, *op. cit.,* pág. 176.)

[25] La teoría de Lugones es fantástica, pero toma su base de teorías muy próximas en el tiempo. Hendrik Antoon Lorenz estudió a fines del siglo pasado las alteraciones oscilaciones de la luz en un campo magnético.

dio[26], se nota que en toda jerarquía sonora no existen, en realidad, más que tres puntos de primera importancia: la tónica, la quinta y la tercia[27], siendo la octava reproducción de ellas a diversa altura, y permaneciendo en las tres resonancias la tónica como punto de apoyo; la quinta es su antagonista y la tercia un punto indiferente, pronto a seguir a aquel de los dos contrarios que adquiera superioridad.

"Esto es también lo que hallamos en tres cuerpos simples, cuya importancia relativa no hay necesidad de recordar: el hidrógeno, el ázoe[28] y el oxígeno. El primero, por su negativismo absoluto en presencia de los otros metaloides, por sus propiedades esencialmente básicas, toma el sitio de la tónica o reposo relativo; el oxígeno, por sus propiedades antagónicas, ocupa el lugar de la quinta; y por fin, la indiferencia bien conocida del ázoe, le asigna el puesto[29] de la tercia".

—Ya ves que no estoy solo en mis conjeturas, y que ni siquiera voy tan lejos; mas, lleguemos cuanto antes a la narración de la experiencia.

---

[26] «Aunque la figura de Pitágoras está envuelta en leyendas, se le atribuyen una serie de descubrimientos matemático-musicales que constituyen el inicio de la ciencia armónica.» Según nos cuenta Boecio (*De Institutione Musica* I, 10-11), Pitágoras, por un designio divino, pasó delante de una herrería y al oír los diferentes sonidos producidos por los martillos de los herrero, apreció que tales sonidos eran consonantes. Vuelto a casa hizo una serie de experimentos con diferentes pesos atados a cuerdas, con flautas, vaso de agua, etc., para comprobar matemáticamente las relaciones numéricas de las consonancias escuchadas y en todos los casos llegó a las mismas conclusiones.

Aunque tales experimentos no pueden arrojar las conclusiones a las que, según la leyenda, llegó, éstas pueden ejemplificarse en el monocordio. Éste es un instrumento musical compuesto de una cuerda sonora y un *kanon* o regla numerada con la que determinar las relaciones numéricas entre los diversos fragmentos de la cuerda sonora (Javier Goldáraz Gaínza, *Afinación y temperamento en la música occidental*, Madrid, Alianza, 1992, pág. 16). Así se obtiene la proporción que el propio Lugones reproduce en este relato: la cuerda dividida en dos mitades da lugar a la octava (1/2) —haciendo sonar toda la cuerda y su mitad—, en tres partes iguales y haciendo sonar dos a la quinta (3/2), en cuatro partes y haciendo sonar tres obtenemos la cuarta (4/3).

[27] Nombra los grados de la escala que forman el acorde de dominante.

[28] Nitrógeno.

[29] En 1906: «rol».

»Ante todo, tenía tres caminos: o colar el sonido a través de algún cuerpo que lo absorbiera, no dejando pasar sino las ondas luminosas: —algo semejante al carbón animal para los colorantes químicos; o construir cuerdas tan poderosas, que sus vibraciones pudieran contarse, no por miles sino por millones de millones en cada segundo, para transformar[30] mi música en luz; o reducir la expansión de la onda luminosa, invisible en el sonido, contenerla en su marcha, reflejarla, reforzarla hasta hacerla alcanzar un límite de percepción, y verla sobre una pantalla convenientemente dispuesta.

»De los tres métodos probables, excuso decirte que he adoptado el último; pues los dos primeros requerirían un descubrimiento previo cada uno, mientras que el tercero es una aplicación de aparatos conocidos.

—*Age dum!*[31] —prosiguió evocando su latín, mientras abría la puerta del segundo aposento—. Aquí tienes mi aparato, añadió, al paso que me enseñaba sobre un caballete una caja como de dos metros de largo, enteramente parecida a un féretro.

Por uno de sus extremos sobresalía el pabellón paraboloide de una especie de clarín. En la tapa, cerca de la otra extremidad, resaltaba un trozo de cristal que me pareció la faceta de un prisma. Una pantalla blanca coronaba el misterioso cajón, sobre un soporte de metal colocado hacia la mitad de la tapa[32].

Juan se apoyó sobre el aparato y yo me senté en la banqueta del piano.

—Oye con atención.

—Ya te imaginas.

—El pabellón que aquí ves, recoge las ondas sonoras. Este pabellón toca al extremo de un tubo de vidrio negro, de dobles paredes, en el cual se ha llevado el vacío a una millonésima atmósfera. La doble pared del tubo está destina-

---

[30] En 1906: «producir».
[31] «¡Vamos ya!»
[32] Tanto en la descripción de este instrumento como en el de *La fuerza Omega* se aprecia la intención ridiculizante del narrador.

da a contener una capa de agua. El sonido muere en él y en el denso almohadillado que lo rodea. Queda sólo la onda luminosa cuya expansión debo reducir para que no alcance la amplitud suprasensible. El vidrio negro lo consigue; y ayudado por la refracción del agua, se llega a una reducción casi completa. Además el agua tiene por objeto absorber el calor que resulta.

—Y por qué el vidrio negro?

—Porque la luz negra tiene una vibración superior a la de todas las otras; y como por consiguiente el espacio entre movimiento y movimiento se restringe, las demás no pueden pasar por los intersticios y se reflejan. Es exactamente análogo a una trinchera de trompos que bailan conservando distancias proporcionales a su tamaño. Un trompo mayor, aunque animado de menor velocidad, intenta pasar; pero se produce un choque que lo obliga a volver sobre sí mismo.

—Y los otros, no retroceden también?

—Ése es el percance que el agua está encargada de prevenir.

—Muy bien; continúa.

—Reducida la onda luminosa, se encuentra al extremo del tubo con un disco de mercurio engarzado a aquél; disco[33] que la detiene en su marcha.

—Ah, el inevitable mercurio.

—Sí, el mercurio. Cuando el profesor Lippmann[34] lo empleó para corregir las interferencias de la onda luminosa en su descubrimiento de la fotografía de los colores, aproveché el dato; y el éxito no tardó en coronar mis previsiones. Así, pues, mi disco de mercurio contiene la onda en marcha por el tubo, y la refleja hacia arriba por medio de otro, acodado. En este segundo tubo, hay dispuestos tres prismas *infrangibles*, que refuerzan la onda luminosa hasta el grado requerido para percibirla como sensación óptica. El número

---

[33] En 1906: «cuyo disco».
[34] Gabriel Lippmann (1845-1921). Físico francés a quien debemos el descubrimiento de la fotografía en color por un sistema de interferencias —al que alude el relato. Fue premio Nobel de física en 1908.

de prismas está determinado por tanteo, a ojo, y el último de ellos, cerrando el extremo del tubo, es el que ves sobresalir aquí. Tenemos, pues, suprimida la vibración sonora, reducida la amplitud de la onda luminosa, contenida su marcha y reforzada su acción. No nos queda más que verla.

—Y se ve?

—Se ve, querido; se ve sobre esta pantalla; pero falta algo aún. Este algo es mi piano cuyo teclado he debido transformar en series de siete blancas y siete negras, para conservar la relación verdadera de las transposiciones de una nota tónica a otra; relación que se establece multiplicando la nota por el intervalo del semitono menor.

»Mi piano queda convertido, así, en un instrumento exacto, bien que de dominio mucho más difícil. Los pianos comunes, construidos sobre el principio de la gama temperada[35] que luego recordaré, suprimen la diferencia entre los tonos y los semitonos mayores y menores, de suerte que todos los sones de la octava se reducen a doce[36], cuando son catorce en realidad. El mío es un instrumento exacto y completo.

»Ahora bien, esta reforma, equivale a abolir la gama temperada de uso corriente, aunque sea[37], como dije, inexacta, y a la cual se debe en justicia el enorme progreso alcanzado por la música instrumental desde Sebastián Bach[38], quien le consagró cuarenta y ocho composiciones. Es claro, no?

---

[35] Temperar es «arreglar», disponer las consonancias de tal forma que se logre un equilibrio entre todas ellas, para lo que se alteran imperceptiblemente ciertas consonancias en beneficio de otras.

El sistema temperado «igualitario» se extendió en el barroco tardío a la afinación de los instrumentos de teclado (consecuencia del desarrollo del sistema tonal mayor/menor con su jerarquía de tonalidades). Este sistema consiste en dividir la octava en 12 semitonos exactamente iguales, de modo que un instrumento suene igualmente afinado en cualquiera de las doce tonalidades. Para los instrumentos de cuerda frotada se puso en práctica a partir del siglo XVI y XVII; en el caso de los de tecla no fue aplicado hasta el siglo XVIII. No será sino en el siglo XIX cuando se imponga de forma definitiva.

[36] Porque entre todas las notas de la escala hay un semitono intermedio que da lugar a los sostenidos o bemoles. Excepto entre mi y fa, y si y do.

[37] En 1906: «bien que sea».

[38] Fue compositor del *Clave bien temperado* (1722), en el que se emplean las 24 tonalidades.

—Qué sé yo de todo eso! Lo que estoy viendo es que me has elegido como se elige a una pared para rebotar la pelota.

—Creo inútil[39] recordarte que uno no se apoya sino sobre lo que resiste.

Callamos sonriendo, hasta que Juan me dijo:

—Sigues creyendo, entonces, que la música no expresa nada?

Ante esta insólita pregunta que desviaba a mil leguas el argumento de la conversación, le pregunté a mi vez:

—Has leído a Hanslick[40]?

—Sí, por qué?

—Porque Hanslick, cuya competencia crítica no me negarás, sostiene que la música no expresa nada, que sólo evoca sentimientos.

—Eso dice Hanslick? Pues bien, yo sostengo sin ser ningún crítico alemán, que la música es la expresión matemática del alma.

—Palabras...

—No, hechos perfectamente demostrables. Si multiplicas el semidiámetro del mundo por 36, obtienes las cinco escalas musicales de Platón[41], correspondientes a los los cinco sentidos.

—Y por qué 36?

—Hay dos razones: una matemática, la otra psíquica. Según la primera, se necesita treinta y seis números para llenar los intervalos de las octavas, las cuartas y las quintas hasta 27, con números armónicos.

—Y por qué 27?

—Porque 27 es la suma de los números cubos 1 y 8; de los lineales 2 y 3; y de los planos 4 y 9 —es decir de las bases matemáticas del universo. La razón psíquica consiste en que ese número 36, total de los números armónicos, representa, además, el de las emociones humanas.

---

[39] En 1906: «ocioso».

[40] Crítico musical (1825-1904). Fue profesor en la Universidad de Viena. Formuló su teoría sobre la expresión musical en *Vom musikalisch-Schönen* (1854).

[41] Las observaciones del filósofo griego sobre las armonías musicales se recogen en el diálogo *Timeo*.

—Cómo!

—El veneciano Gozzi[42], Goethe[43] y Schiller[44], afirmaban que no deben existir sino treinta y seis emociones dramáticas. Un erudito, J. Polti[45], demostró el año 94, si no me equivoco, que la cantidad era exacta y que el número de emociones humanas no pasaba de treinta y seis.

—Es curioso!

—En efecto; y más curioso si se tiene en cuenta mis propias observaciones. La suma o valor absoluto de las cifras de 36, es 9, número irreductible; pues todos sus múltiplos lo repiten si se efectúa con ellos la misma operación. El 1 y el 9 son los únicos números absolutos o permanentes; y de este modo, tanto 27 como 36, iguales a 9 por el valor absoluto de sus cifras, son números de la misma categoría. Esto da origen, además, a una proporción. 27, o sea el total de las bases geométricas, es a 36, total de emociones humanas, como x, el alma, es al absoluto 9. Practicada la operación, se averigua que el término desconocido es 6. Seis, fíjate bien: el doble ternario que en la simbología sagrada de los antiguos, significaba el equilibrio del universo. Qué me dices?

Su mirada se había puesto luminosa y extraña.

---

[42] Dos escritores aparecen en Venecia en el siglo XVIII con dicho nombre: Gasparo, periodista de tono moral y humorístico autor de una *Difesa di Dante* (1758); y Carlo, que dedicó furibundos ataques al teatro sensiblero de Pietro Chiari y a las obras de Goldoni. Es autor de comedias de magia que trataban de sortear los escollos que él veía en el teatro realista del autor de *La posadera*. Esta dedicación al teatro nos hace suponer que es de él de quien habla Lugones.

[43] Sabemos que en 1791 Goethe fue nombrado director del Teatro de la Corte en Weimar. Durante el tiempo en que desempeñó el cargo fue su propósito renovar el teatro alemán —siempre en manos de aficionados—, crear un público más refinado. Nos dio su idea de la interpretación en las *Riegeln für Schauspieler* (1803) (véase la nota que sigue).

[44] Lugones cita aquí a los dos escritores alemanes porque juntos compartieron numerosas inquietudes estéticas. En la crítica que realizaron al teatro de su tiempo ambos representan una reacción contra el sentimentalismo. Menéndez Pelayo (*Historia de las ideas estéticas en España*, Madrid, CSIC, 1974) señala la siguiente idea de Schiller: «Nace el *sentimentalismo* cuando el sentido moral y el estético empiezan a corromperse» (tomo II, pág. 74). No dejó su idea del teatro en *El teatro considerado como institución moral* (1784).

[45] No hemos encontrado esta referencia.

—El universo es música —prosiguió animándose—. Pitágoras[46] tenía razón, y desde Timeo[47] hasta Kepler[48], todos los pensadores han presentado esta armonía. Eratóstenes[49] llegó a determinar la escala celeste, los tonos y semitonos entre astro y astro. Yo creo tener algo mejor; pues habiendo dado con las notas fundamentales de la música de las esferas, reproduzco en colores geométricamente combinados, el esquema del Cosmos!...

Qué estaba diciendo aquel alucinado? Qué torbellino de extravagancias se revolvía en su cerebro...? Casi no tuve tiempo de advertirlo, cuando el piano empezó a sonar.

Juan volvió a ser el inspirado de otro tiempo, en cuanto sus dedos acariciaron las teclas.

—Mi música —iba diciendo— se halla formada por los acordes de tercia menor introducidos en el siglo XVII y que Mozart mismo consideraba imperfectos[50], a pesar de que es

---

[46] Ya le hemos atribuido a Pitágoras una participación importante en las teorías esotéricas que forjaron los escritores finiseculares (véase la introducción). En esencia, diremos ahora que representa una concepción matemática del mundo la formulada por este famoso personaje al que se le sitúa en el siglo VI a. C. A partir de las leyes matemáticas que rigen la armonía musical se accede a la concepción de matemática del universo: «La armonía, pues, asumiría en el hombre un carácter de "expresión", de "representación" —si se quiere, incluso, de "imitación" de la ley básica del Universo—, y por tanto la música —y su consecuencia, la danza— tendrían mayor o menor valor moral (...) porque serían el ámbito de encuentro e identificación con el mismísimo Dios ordenador del mundo» (J. M.ª Valverde, *Breve historia y antología de la estética*, Barcelona, Ariel, 1990, pág. 12).

[47] Filósofo griego (siglo V a.C.) conocido por un diálogo de Platón: *Timeo o sobre la naturaleza*. Una enciclopedia temática de la ciencia.

[48] Johannes Kepler (1571-1630). Astrónomo y matemático alemán que, a partir de Platón y Pitágoras, imaginó un cosmos de armonía universal (*Weltarmonie*, 1619).

[49] Astrónomo griego (siglo III a. C.). Su fama procede de haber calculado el tamaño de la Tierra.

[50] Es una cuestión muy discutida por los teóricos de la música la de los acordes consonantes y los disonantes (o imperfectos). En principio se establecen como consonantes los acordes de octava, quinta, cuarta, tercera y sexta. No obstante, no siempre han sido catalogados así: «Es interesante hacer notar que el primer teórico medieval que consideró la tercera como un intervalo consonante fue el monje inglés de Evesham, Walter Odington (hacia 1300)» (Otto Karolyi en *Introducción a la música*, Madrid, Alianza, 1988 (6.ª ed.), pág. 33).

todo lo contrario; pero su recurso fundamental está constituido por aquellos acordes inversos que hicieron calificar de melodía de los ángeles la música de Palestrina[51]...

En verdad, hasta mi naturaleza refractaria se conmovía con aquellos sones. Nada tenían de común con las armonías habituales, y aun podía decirse que no eran música en realidad; pero lo cierto es que sumergían el espíritu en un éxtasis sereno, como quien dice formado de antigüedad y de distancia.

Juan continuaba:

—Observa en la pantalla la distribución de colores que acompaña a la emisión musical. Lo que estás escuchando es una armonía en la cual entran las notas específicas de cada planeta del sistema; y este sencillo conjunto termina con la sublime octava del sol, que nunca me he atrevido a tocar, pues temo producir influencias excesivamente poderosas. No sientes algo extraño?

Sentía, en efecto, como si la atmósfera de la habitación estuviese conmovida por presencias invisibles. Ráfagas sordas cruzaban su ámbito. Y entre la beatitud que me regalaba la grave dulzura de aquella armonía, una especie de aura eléctrica iba helándome de pavor. Pero no distinguía sobre la pantalla otra cosa que una vaga fosforescencia y como esbozos de figuras...

De pronto comprendí. En la común exaltación, habíamos olvidado apagar la lámpara.

Iba a hacerlo, cuando Juan gritó enteramente arrebatado, entre un son estupendo del instrumento:

—Mira ahora!

Yo también lancé un grito, pues acababa de suceder algo terrible.

---

[51] Giovanni Pierluigi da Palestrina (1525-1594) destacado compositor de obras religiosas. Nacido en Preneste, ciudad del Latium, hoy Palestrina. Enterrado en San Pedro (Roma). Discípulo del francés Gordimel. Las primeras composiciones a que aplicó el nuevo arte fueron las *Improperia* (1520?) en las cuales sólo se sirvió de las melodías del canto llano. La música de la Edad Media toca su apogeo con Palestrina, llega a su más alto grado de perfección y permite presentir el advenimiento de la música moderna. Debo esta nota a Ismael Sánchez Esteban.

Una llama deslumbradora brotó del foco de la pantalla. Juan, con el pelo erizado, se puso de pie, espantoso. Sus ojos acababan de evaporarse como dos gotas de agua bajo aquel haz de dardos flamígeros, y él, insensible al dolor, radiante de locura, exclamaba tendiéndome los brazos:

—¡La octava del sol, muchacho, la octava del sol!

El origen del diluvio
Narración de un espíritu

... La tierra acababa de experimentar su primera incrustación sólida y hallábase todavía en una oscura incandescencia. Mares de ácido carbónico batían sus continentes de litio y de aluminio, pues éstos fueron los primeros sólidos que formaron la costra terrestre. El azufre y el boro figuraban también en débiles vetas.

Así el globo entero brillaba como una monstruosa bola de plata. La atmósfera era de fósforo con vestigios de flúor y de cloro. Llamas de sodio, de silicio, de magnesio, constituían la luminosa progenie de los metales. Aquella atmósfera relumbraba tanto como una estrella, presentando un espesor de muchos millares de kilómetros.

Sobre esos continentes y en semejantes mares, había ya vida organizada, bien que bajo formas inconcebibles ahora; pues no existiendo aún el fosfato de cal, dichos seres carecían de huesos. El oxígeno y el nitrógeno, que con algunos rastros de bario[1] entraban en la composición de tales vidas, completaban los únicos catorce cuerpos constituyentes del planeta. Así, todo era en él extremadamente sencillo.

La actividad de los seres que poseían inteligencia[2], no era

---

[1] En 1906: «berilo».

[2] Esta narración desarrolla uno de los estadios evolutivos apuntados en la *Cosmogonía*: «... el espíritu del hombre existía ya, pero no dividido todavía en seres humanos, sino como una entidad sintética» (véase «Décima lección»).

menos intensa que ahora, sin embargo; si bien de mucha menor amplitud; y no obstante su constitución de moluscos, vivían, obraban, sentían, de un modo análogo al de la humanidad presente. Habían llegado, por ejemplo, a construir enormes viviendas con rocas de litio; y el sudor de sus cuerpos oxidaba el aluminio en copos semejantes al amianto incandescente.

Su estructura blanda, era una consecuencia del medio poco sólido en que tomaron origen, así como de la ligereza específica de los continentes que habitaban. Poseían también la aptitud anfibia; pero como debían resistir aquellas temperaturas, y mantenerse en formas definidas bajo la presión de la profunda atmósfera, su estructura manteníase recia en su misma fluidez.

Esbozos de hombres, más bien que hombres propiamente dicho[3], o especies de monos gigantescos y huecos, tenían la facilidad de reabsorberse en esferas de gelatina o la de expandirse como fantasmas hasta volverse casi una niebla. Esto último constituía su tacto, pues necesitaban incorporar los objetos a su ser, envolviéndolos enteramente para sentirlos. En cambio, poseían la doble vista de los sonámbulos actuales. Carecían de olfato, gusto y oído. Eran perversos y formidables, los peores monstruos de aquella primitiva creación. Sabían emanar de sus fluidos organismos, seres cuya vida era libre pero dañina, semejantes a las carroñas con los gusanos[4]. Fueron los gigantes de que hablan las leyendas.

Construían sus ciudades como los caracoles sus conchas, de modo que cada vivienda era una especie de caparazón exudado[5] por su habitante. Así, las casas resultaban grupos de bóvedas, y las ciudades parecían cúmulos de nubes brillantes. Eran tan altas como éstas, pero no se destacaban en el cielo azul, pues el azul no existía entonces, porque faltaba el aire. La atmósfera sólo se coloreaba de anaranjado y de rojo.

---

[3] En 1906: «dichos».
[4] En 1906: «que dan vida a los gusanos».
[5] En 1906: «exudada».

174

Apenas dos o tres especies de aves cuyas alas no tenían plumas, sino escamas como las de las mariposas, y cuyo tornasol preludiaba el oro inexistente, remontaban su vuelo por la atmósfera fosfórica.

Era ella[6] tan elevada, y el vuelo tan vasto, que las llevaba cerca de la luna. El arrebato magnético del astro, solía embriagarlas; y como éste poseía entonces una atmósfera en contacto con la terrestre, afrontábanla en ímpetu temerario yendo a caer exánimes sobre sus campos de hielo.

Una vegetación de hongos y de líquenes gigantes arraigaba en las aún mal seguras tierras; y no lejanos todavía del animal, en la primitiva confusión de los orígenes, algunos sabían trasladarse por medio de tentáculos; tenían otros, a guisa de espinas, picos de ave, que estaban abriéndose y cerrándose; otros fosforescían a cualquier roce; otros frutaban verdaderas arañas que se iban caminando y producían huevos de los cuales brotaba otra vez el vegetal progenitor. Eran singularmente peligrosos los cactus eléctricos que sabían proyectar sus espinas.

Los elementos terrestres se encontraban en perpetua inestabilidad. Surgían y fracasaban por momentos disparatadas alotropías. La presión enorme apenas dejaba solidificarse escasos cuerpos. Las rocas actuales dormían el sueño de la inexistencia. Las piedras preciosas no eran sino colores en las fajas del espectro.

Así las cosas, sobrevino la catástrofe que los hombres llamaron después diluvio; pero ella no fue una inundación acuosa, si bien la causó una invasión del elemento líquido. El agua tuvo intervención de otro modo.

Ahora bien: es sabido que los cuerpos, bajo ciertas circunstancias, pueden variar sus caracteres específicos hasta perderlos casi todos con excepción del peso; y esto es lo que recibe el nombre de alotropía. El ejemplo clásico del fósforo rojo y del fósforo blanco, debe ser recordado aquí: el blanco es ávido de oxígeno, tóxico y funde a los 44°; el rojo es casi indiferente al oxígeno, inofensivo e infusible,

---

[6] En 1906: «ésta».

sin contar otros caracteres que acentúan la diferencia. Sin embargo, son el mismo cuerpo[7], para no hablar de las diversas especies de hierro, de plata, que constituyen también estados alotrópicos.

Nadie ignora, por otra parte, que el calor multiplica las afinidades de la materia, haciendo posibles, por ejemplo, las combinaciones del ázoe y del carbono con otros cuerpos, cosa que no sucede a la temperatura ordinaria; y conviene recordar, además, que basta la presencia en un cuerpo de partículas pertenecientes a algunos otros, para cambiar sus propiedades o comunicarlas nuevas —siendo particularmente interesante a este respecto lo que sucede al aluminio puesto en contacto por choque, con el mercurio pues basta eso para que se oxide en seco, descomponga el agua y sea atacado por los ácidos nítrico y sulfúrico, al revés exactamente de lo que le pasa cuando no existe el[8] contacto.

A estas causas de variabilidad de los cuerpos, es menester añadir la presión, capaz por sí sola de disgregar los sólidos hasta licuarlos, cualquiera que sea su maleabilidad, y sin exceptuar al mismo acero; pues nada más que con la presión se ha llegado a convertirlo en una masa blanduzca, trabajándolo con entera comodidad.

Mencionaré[9], por último, una extraña propiedad que los químicos llaman acción catalítica, o en términos vulgares, acción de presencia, y por medio de la cual ciertos cuerpos provocan combinaciones de otros, sin tomar parte en las mismas. Entre éstos, uno de los más activos, y el que interviene en mayor número de casos, es el vapor de agua. Los datos que anteceden, nos ponen ya en situación de explicar el fenómeno al cual están dedicadas estas líneas.

Sucedió por entonces que la atmósfera terrestre, condensándose en torno al globo, empezó a ejercer una atracción progresiva sobre la atmósfera de la luna. Al cabo de cierto tiempo, esta atmósfera no pudo resistir aquella atrac-

---

[7] En 1906: añade después de «cuerpo. [Podría citarse además el diamante y el carbón.]»

[8] En 1906: «tal».

[9] En 1906: «Mencionaremos».

ción[10], y empezó a incorporar con la nuestra sus elementos más ligeros. La falta de presión causada por este fenómeno, vaporizó los mares de la luna que estaban helados hacía muchos siglos; y una niebla fría, a muchos grados bajo nuestro cero termométrico, rodeó al astro muerto como un sudario.

Cierto día el vapor acuoso se precipitó en la atmósfera terrestre, y ésta vio aumentado su peso en varios miles de millones de toneladas. A tal fenómeno, unióse la acción catalítica del vapor, y entonces fue cuando empezaron a disgregarse los sólidos terrestres.

Un ablandamiento progresivo, dio a todos la consistencia del yeso; pero cuando el fenómeno siguió, deleznándose aquéllos en una especie de lodo, empezó la catástrofe. Las montañas fueron aplastándose por su propio peso, hasta degenerar en médanos que el viento arrasaba. Las mansiones de los gigantes volviéronse polvo a su vez, y pronto hubo de observarse con horror que el elemento líquido cambiaba de estado en la forma más extraordinaria; secábase sin desaparecer, volviéndose también polvo por la disgregación de sus moléculas, y se confundía con el otro en un solo cuerpo, seco y fluido a la vez —sin olor, color ni temperatura[11].

Lo raro fue[12] que el fenómeno no se efectuaba al mismo tiempo en la materia organizada. Ésta resistía mejor, sin duda por su condición semilíquida; pero semejante diferencia comportaba[13] la muerte violenta en aquella disgregación. Poco después no hubo en el globo otra existencia que la flotante sobre esa especie de arenas cósmicas; mas ya la mayor parte de los seres animados había muerto de inanición; pues aunque no comían como nosotros, absorbían del aire sus principios vitales, y el aire estaba cambiado por los elementos de la luna.

Apenas uno que otro gran molusco se revolvía sobre la

---

[10] En 1906: «A aquella atracción».
[11] En 1906: «sin color, sin temperatura».
[12] En 1906: «Lo malo era...»
[13] En 1906: «implicaba».

universal fluidez sin olas, bajo el horror de la atmósfera gigantesca, preñada de tósigos mortales, donde se operaba la futura organización. Tampoco pudieron ellos resistir a esas combinaciones[14], ni adaptarse al estado de disgregación; y, por otra parte, éste los afectaba a su vez. Ellos fueron también disolviéndose hasta desaparecer; y entonces, sobre el ámbito del planeta, fue la soledad y la negra noche.

Millares de años después, los elementos empezaron a recomponerse.

Formidables tempestades químicas conmovieron el estado crítico de la masa, y los catorce cuerpos primitivos revivieron, engendrando nuevas combinaciones.

El litio se triplicó en potasio, rubidio y cesio; el fósforo en arsénico, antimonio y bismuto; el carbono engendró titanio y zirconio; el azufre, selenio y teluro...

Los océanos fueron ya de agua, el agua de la luna periódicamente exaltada hacia su origen por la armónica dilatación de las mareas. La atmósfera se había vuelto de aire semejante al nuestro, aunque saturado de ácido carbónico.

Ningún ser vivo quedaba de la anterior creación. Hasta sus huellas habían sido destruidas. Pero los vapores de la luna trajeron consigo gérmenes vivificantes, que el nuevo estado de la tierra fue llamando lentamente a la existencia.

El mar se cubrió de vidas rudimentarias. La costra sólida pululó de hierbas, y el dominio de éstas duró una edad.

Pero yo no sabría repetir el enorme proceso. Réstame decir que los primeros seres humanos fueron organismos del agua: monstruos hermosos, mitad pez, mitad mujer, llamados después sirenas en las mitologías. Ellos dominaban el secreto de la armonía original, y trajeron al planeta las mediodías de la luna que encerraban el secreto de la muerte.

Fueron blancos de carne como el astro materno; y el sodio primitivo que saturaba su nuevo elemento de existencia, al engendrar de sí los metales nobles, hizo vegetar en sus cabelleras el oro hasta entonces desconocido...

... He aquí lo que mi memoria, millonaria de años, evo-

---

[14] En 1906: «combustiones».

ca con un sentido humano, y he aquí lo que he venido a deciros descendiendo de mi región —el cono de sombra de la tierra. Os añadiré que estoy condenado a permanecer en él durante toda la edad del planeta.

*

La medium calló, recostando fatigosamente su cabeza sobre el respaldo del sofá. Y Mr. Skinner, una de las ocho personas que asistían a la sesión, no pudo menos de exclamar en las tinieblas:

—El cono de sombra! El diluvio!... Disparatada supercheria!

Nada pudimos replicarle, pues un estertor de la medium nos distrajo.

De su costado izquierdo desprendíase rápidamente una masa tenebrosa, asaz perceptible en la penumbra. Creció como un globo, proyectó de su seno largos tentáculos, y acabó por desprenderse a modo de una araña gigantesca. Siguió dilatándose hasta llenar el aposento, envolviéndonos como un mucílago y jadeando con un rumor de queja. No tenía forma definida en la obscuridad espesada por su presencia; pero si el horror se objetiva de algún modo, aquello era el horror.

Nadie intentaba moverse, ante el espantoso hormigueo de tentáculos de sombra que se sentía alrededor, y no sé cómo hubiera acabado eso, si la medium no implora con voz desfallecida:

—Luz, luz Dios mío!

Tuve fuerzas para saltar hasta la llave de la luz eléctrica; y junto con su rayo, la masa de sombra estalló sin ruido, en una especie de suspiro enorme.

Mirámonos en silencio.

Algo como un lodo heladísimo nos cubría enteramente; y aquello habría bastado para prodigio, si al acudir a su lavabo[15], Skinner no realiza un hallazgo más asombroso.

---

[15] En 1906: «lavatorio».

En el fondo de la palangana, yacía no más grande que un ratón, pero acabada de formas y de hermosura, irradiando mortalmente su blancor, una pequeña sirena[16] muerta[17].

---

[16] Quizá la más completa referencia sobre el tema literario de las sirenas se encuentre en una nota de J. L. Borges incluida en *El arte narrativo y la magia*, en la que va haciendo mención de los cambios de forma y tamaño que se han ido produciendo en las sirenas a lo largo del tiempo. Es de notar que quizá la única mención que falte sea esta de Lugones, original precisamente por sus dimensiones. Además anotaremos la relación que las sirenas tienen con el saber —hecho que también es recordado en *El arte narrativo y la magia*: «...las sirenas prometían el conocimiento de las cosas del mundo» *(Prosa completa*, Barcelona, Bruguera, 1980, pág. 72). Ya sabemos que en la lógica narrativa de Lugones pocos pecados pueden pagarse a tan alto precio como el de sobrepasar la línea de lo cognoscible por el hombre.

[17] Nótese el irónico final de este relato, en el que hay un crítica implícita a las diversas teorías evolutivas que se difundieron a fines del pasado siglo. Lugones practica sistemáticamente la ironía con aquellos que creen saberlo todo o estar a las puertas de alcanzarlo. Una forma macrabra de esa ironía consiste en la defenestración de los inventores con que normalmente terminan sus relatos científicos. En *La fuerza Omega* es irónica la inmodestia del «científico», quien comenta a propósito de ciertos inventos que ha llevado a cabo: «Eso es para comer.» La misma descripción del laboratorio —en ese mismo cuento— es sarcástica; o la descripción de la máquina que emite la fuerza (parecida a un reloj de níquel) provocando la desilusión del narrador. Cuando describe la masa encefálica pegada a la pared señala que parecía «una especie de manteca». Puede observarse también el guiño que culmina *Un fenómeno inexplicable:* «Y conste que yo no sé dibujar.» Puede apreciarse asimismo una actitud irónica en *El psychon,* en el que por cierto, vuelve a reiterarse que en su etapa intermedia los humanos fueron sirenas.

Los caballos de Abdera[1]

Abdera[2], la ciudad tracia del Egeo, que actualmente es Balastra y que no debe ser confundida con su tocaya bética[3], era célebre por sus caballos.

Descollar en Tracia por sus caballos, no era poco; y ella descollaba hasta ser única. Los habitantes todos tenían a gala la educación de tan noble animal; y esta pasión cultivada a porfía durante largos años, hasta formar parte de las tradiciones fundamentales, había producido efectos maravillosos. Los caballos de Abdera gozaban de fama excepcional, y todas las poblaciones tracias, desde los cicones hasta los bisaltos, eran tributarios en esto de los bistones, pobladores

---

[1] Se ha observado la posible influencia de la cuarta parte del libro de Swift en este cuento, aquella en que se describe la estancia de Gulliver en el país de los «houyhnhnms» y que sirve al autor para el propósito de parodiar la civilización humana, como aquí hace Lugones.

[2] Su nombre procede de Abdero y está vinculado con uno de los trabajos de Heracles, el cuarto. Diversas versiones recogidas por R. Graves en *Los mitos griegos* nos hablan de que Heracles recibió el mandato de Euristeo de apoderarse de cuatro yeguas salvajes de Diomedes, a la sazón al mando de los bistones —que en el cuento se citan. Estas yeguas se alimentaban de la carne de los huéspedes de Diomedes —y así encontramos el origen de la fiereza de los animales que Lugones describe. Tras coseguir arrebatar a Diomedes las yeguas, las dejó a cargo de Abdero en tanto él combatía con los bistones. Las yeguas devoraron entonces a Abdero. Heracles las alimentó también con el cuerpo de Diomedes. Después fundó Abdera junto a la tumba de Abdero. Los hechos nos son referidos por Apolodoro, Higinio *(Fábulas* 250 y 30), Plinio *(Historia natural* IV,18) y Diodoro Sículo (IV, 15.)

[3] Adra (Almería).

181

de la mencionada ciudad. Debe añadirse que semejante industria, uniendo el provecho a la satisfacción, ocupaba desde el rey hasta el último ciudadano.

Estas circunstancias habían contribuido también a intimar las relaciones entre el bruto y sus dueños, mucho más de lo que era y es habitual para el resto de las naciones, llegando a considerarse las caballerizas como un ensanche del hogar, y extremándose las naturales exageraciones de toda pasión, hasta admitir caballos en la mesa.

Eran verdaderamente notables corceles, pero bestias al fin. Otros dormían en cobertores de biso; algunos pesebres tenían frescos sencillos, pues no pocos veterinarios sostenían el gusto artístico de la raza caballar, y el cementerio equino ostentaba entre pompas burguesas, ciertamente recargadas, dos o tres obras maestras. El templo más hermoso de la ciudad estaba consagrado a Arión[4], el caballo que Neptuno hizo salir de la tierra con un golpe de su tridente; y creo que la moda de rematar las proas en cabezas de caballo, tenga igual provenencia; siendo seguro en todo caso, que los bajos relieves hípicos fueron el ornamento más común de toda aquella arquitectura. El monarca era quien se mostraba más decidido por los corceles, llegando hasta tolerar a los suyos verdaderos crímenes que los volvieron singularmente bravíos; de tal modo que los nombres de Podargos y de Lampón[5] figuraban en fábulas sombrías; pues es del caso decir que los caballos tenían nombres como personas.

Tan amaestrados estaban aquellos animales, que las bridas eran innecesarias; conservándolas únicamente como adornos, muy apreciados desde luego por los mismos caba-

---

[4] Al que Heracles consiguió dominar (también Onco y Adrasto): «Heracles pidió a Onco que le prestara el caballo Arión de negras crines, lo domó, reclutó un nuevo ejército en Argos, Tebas y Arcadia y saqueó la ciudad de Elide (...) Heracles entregó luego el caballo Arión a Adrasto, alegando que, después de todo, prefería luchar a pie» (Graves, *op. cit.*, tomo II, pág. 223).

[5] La mencionada fábula que hace referencia a la conquista de cuatro yeguas de Diomedes por Heracles habla en otras versiones de que no eran sino caballos y sus nombres: Podargo, Lampón, Janto y Deino.

llos. La palabra era el medio usual de comunicación con ellos; y observándose que la libertad favorecía el desarrollo de sus buenas condiciones, dejábanlos todo el tiempo no requerido por la albarda o el arnés, en libertad de cruzar a sus anchas las magníficas praderas formadas en el suburbio, a la orilla del Kossínites, para su recreo y alimentación.

A son de trompa los convocaban cuando era menester, y así para el trabajo como para el pienso eran exactísimos. Rayaba en lo increíble su habilidad para toda clase de juegos de circo y hasta de salón, su bravura en los combates, su discreción en las ceremonias solemnes. Así, el hipódromo de Abdera tanto como sus compañías de volatines; su caballería acorazada de bronce y sus sepelios, habían alcanzado tal renombre, que de todas partes acudía gente a admirarlos: mérito compartido por igual entre domadores y corceles.

Aquella educación persistente, aquel forzado despliegue de condiciones, y para decirlo todo en una palabra, aquella *humanización* de la raza equina, iban engendrando un fenómeno que los bistones festejaban como otra gloria nacional: la inteligencia de los caballos comenzaba a desarrollarse pareja con su conciencia, produciendo casos[6] anormales que daban pábulo al comentario general.

Una yegua había exigido espejos en su pesebre, arrancándolos con los dientes de la propia alcoba patronal y destruyendo a coces los de tres paineles cuando no le hicieron el gusto. Concedido el capricho, daba muestras de coquetería perfectamente visible.

Balios[7], el más bello potro de la comarca, un blanco elegante y sentimental que tenía dos campañas militares y manifestaba regocijo ante el recitado de hexámetros[8] heroicos, acababa de morir de amor por una dama. Era la mujer de un general, dueño del enamorado bruto, y por cierto no ocultaba el suceso. Hasta se creía que halagaba su vanidad, siendo esto muy natural por otra parte en la ecuestre metrópoli.

---

[6] En 1906 «cosas».
[7] Literalmente: «pintado de muchos colores». Es el nombre de un mítico caballo que Poseidón regaló a Peleo.
[8] Corregimos «exámetros».

Señalábase igualmente casos de infanticidio, que aumentando en forma alarmante, fue necesario corregir con la presencia de viejas mulas adoptivas; un gusto creciente por el pescado y por el cáñamo cuyas plantaciones saqueaban los animales; y varias rebeliones aisladas que hubo de corregirse, siendo insuficiente el látigo, por medio del hierro candente. Esto último fue en aumento, pues el instinto de rebelión progresaba a pesar de todo.

Los bistones, más encantados cada vez con sus caballos, no paraban mientes en eso. Otros hechos más significativos produjéronse de allí a poco. Dos o tres atalajes habían hecho causa común contra un carretero que azotaba su yegua rebelde. Los caballos resistíanse cada vez más al enganche y al yugo, de tal modo que empezó a preferirse el asno. Había animales que no aceptaban determinado apero; mas como pertenecían a los ricos, se defería a su rebelión comentándola mimosamente a título de capricho.

Un día los caballos no vinieron al son de la trompa, y fue menester constreñirlos por la fuerza; pero los subsiguientes, no se reprodujo la rebelión.

Al fin ocurrió[9] cierta vez que la marea cubrió la playa de pescado muerto como solía suceder. Los caballos se hartaron de eso, y se los vio regresar al campo suburbano con lentitud sombría.

Media noche era cuando estalló el singular conflicto.

De pronto un trueno sordo y persistente conmovió el ámbito de la ciudad. Era que todos los caballos se habían puesto en movimiento a la vez para asaltarla; pero esto se supo luego, inadvertido al principio en la sombra de la noche y la sorpresa de lo inesperado.

Como las praderas de pastoreo que daban entre las murallas, nada pudo contener la agresión; y añadido a esto el conocimiento minucioso que los animales tenían de los domicilios, ambas cosas acrecentaron la catástrofe.

Noche memorable entre todas, sus horrores sólo apare-

---

[9] En 1906: «tuvo lugar».

cieron cuando el día vino a ponerlos en evidencia, multiplicándolos aún.

Las puertas reventadas a coces yacían por el suelo, dando paso a feroces manadas que se sucedían casi sin interrupción. Había corrido sangre, pues no pocos vecinos cayeron aplastados bajo el casco y los dientes de la banda en cuyas filas causaron estragos también las armas humanas.

Conmovida de tropeles, la ciudad obscurecíase con la polvareda que engendraban; y un extraño tumulto formado por gritos de cólera o de dolor, relinchos variados como palabras a los cuales mezclábase uno que otro doloroso rebuzno, y estampidos de coces sobre las puertas atacadas, unía su espanto al pavor visible de la catástrofe. Una especie de terremoto incesante hacía vibrar el suelo con el trote de la masa rebelde, exaltado a ratos como en ráfaga huracanada por frenéticos tropeles sin dirección y sin objeto; pues habiendo saqueado todos los plantíos de cáñamo, y hasta algunas bodegas que codiciaban aquellos corceles pervertidos por los refinamientos de la mesa, grupos de animales ebrios aceleraban la obra de destrucción. Y por el lado del mar era imposible huir. Los caballos, conociendo la misión de las naves, cerraban el acceso del puerto.

Sólo la fortaleza permanecía incólume y empezábase a organizar en ella la resistencia. Por lo pronto cubríase[10] de dardos a todo caballo que cruzaba por allá; y cuando caía cerca, era arrastrado al interior como vitualla.

Entre los vecinos refugiados circulaban los más extraños rumores. El primer ataque no fue sino un saqueo. Derribadas las puertas, las manadas introducíanse en las habitaciones, atentas sólo a las colgaduras suntuosas con que intentaban revestirse, a las joyas y objetos brillantes. La oposición a sus designios fue lo que suscitó su furia.

Otros hablaban de monstruosos amores, de mujeres asaltadas y aplastadas en sus propios lechos con ímpetu bestial; y hasta se señalaba una noble doncella que sollozando narraba entre dos crisis su percance: el despertar en la alcoba

---

[10] En 1906: «se cubría».

a la media luz de la lámpara, rozados sus labios por la innoble geta de un potro negro que respingaba de placer el belfo enseñando su dentadura asquerosa; su grito de pavor ante aquella bestia convertida en fiera, con el resplandor humano y malévolo de sus ojos incendiados de lubricidad; el mar de sangre con que la inundara al caer atravesado por la espada de un servidor...

Mencionábase varios asesinatos en que las yeguas se habían divertido con saña femenil[11], despachurrando a mordiscos las víctimas. Los asnos habían sido exterminados, y las mulas subleváronse también, pero con torpeza inconsciente, destruyendo por destruir, y particularmente encarnizadas contra los perros.

El tronar de las carreras locas seguía estremeciendo la ciudad, y el fragor de los derrumbes iba aumentando. Era urgente organizar una salida, por más que el número y la fuerza de los asaltantes la hiciera singularmente peligrosa, si no se quería abandonar la ciudad a la más insensata destrucción.

Los hombres empezaron a armarse; mas, pasado el primer momento de licencia, los caballos habíanse decidido a atacar también.

Un brusco silencio precedió al asalto. Desde la fortaleza distinguían el terrible ejército que se congregaba, no sin trabajo, en el hipódromo. Aquello tardó varias horas, pues cuando todo parecía dispuesto, súbitos córcovos y agudísimos relinchos cuya causa era imposible discernir, desordenaban profundamente las filas.

El sol declinaba ya, cuando se produjo la primera carga. No fue, si se permite la frase, más que una demostración, pues los animales limitáronse[12] a pasar corriendo frente a la fortaleza. En cambio, quedaron acribillados por las saetas de los defensores.

Desde el más remoto extremo de la ciudad, lanzáronse otra vez, y su choque contra las defensas fue formidable. La

---

[11] Según refiere R. Graves, Heracles «anuló [en Abdera] la costumbre de que unas mujeres feroces con máscaras de caballo persiguieran y devoraran al rey sagrado al final de su reinado» *(op. cit.,* tomo II, pág. 154).

[12] En 1906: «se limitaron».

fortaleza retumbó entera bajo aquella tempestad de cascos, y sus recias murallas dóricas quedaron, a decir verdad, profundamente trabajadas.

Sobrevino un rechazo, al cual sucedió muy luego un nuevo ataque.

Los que demolían eran caballos y mulos herrados que caían a docenas; pero sus filas cerrábanse con encarnizamiento furioso, sin que la masa pareciera disminuir. Lo peor era que algunos habían conseguido vestir sus bardas de combate en cuya malla de acero se embotaban los dardos. Otros llevaban jirones de tela vistosa, otros collares; y pueriles en su mismo furor, ensayaban inesperados retozos.

Desde[13] las murallas los conocían. ¡Dinos[14], Aethon, Ameteo, Xanthos[15]! Y ellos saludaban, relinchaban gozosamente, enarcaban la cola, cargando en seguida con fogosos respingos. Uno, un jefe ciertamente, irguióse sobre sus corvejones, caminó así un trecho manoteando gallardamente al aire como si danzara un marcial balisteo, contorneando el cuello con serpentina elegancia, hasta que un dardo se le clavó en medio del pecho...

Entretanto, el ataque iba triunfando. Las murallas empezaban a ceder.

Súbitamente una alarma paralizó a las bestias. Unas sobre otras, apoyándose en ancas y lomos, alargaron sus cuellos hacia la alameda que bordeaba la margen del Kossínites; y los defensores volviéndose hacia la misma dirección, contemplaron un tremendo espectáculo.

Dominando la arboleda negra, espantosa sobre el cielo de la tarde, una colosal cabeza de león[16] miraba hacia la ciu-

---

[13] En 1906: «De».

[14] Nombre de una de las Grayas —animales fabulosos del mar— que literalmente significa «terrible». Son descritas con cierto parecido a los cisnes, cabello gris, un solo ojo y un diente entre las tres (Enio y Pefredo eran las otras dos).

[15] Aquiles arrastró el cuerpo de Héctor con ayuda de tres caballos: Balio, Pegaso, y el aquí citado, Janto («rubio»).

[16] Evoca el autor aquí una de las aventuras de Heracles (Hércules). Hubo éste de batirse con un león —trabajo impuesto por Euristeo— al que con sus propios brazos consiguió estrangular. Volvió a Cleonas con la fiera sobre los

dad. Era una de esas fieras antediluvianas cuyos ejemplares, cada vez más raros, devastaban de tiempo en tiempo los montes Ródopes. Mas nunca se había visto nada tan monstruoso, pues aquella cabeza dominaba los más altos árboles, mezclando a las hojas teñidas de crepúsculo las greñas de su melena.

Brillaban claramente sus enormes colmillos, percibíase sus ojos fruncidos ante la luz, llegaba en el hálito de la brisa su olor bravío. Inmóvil entre la palpitación del follaje, herrumbrada por el sol casi hasta dorarse su gigantesca crin, alzábase ante el horizonte como uno de esos bloques en que el pelasgo, contemporáneo de las montañas, esculpió sus bárbaras divinidades.

Y de repente empezó a andar, lento como el océano. Oíase el rumor de la fronda que su pecho apartaba, su aliento de fragua que iba sin duda a estremecer la ciudad cambiándose en rugido.

A pesar de su fuerza prodigiosa y de su número, los caballos sublevados no resistieron semejante aproximación. Un solo ímpetu los arrastró por la playa, en dirección a la Macedonia, levantando un verdadero huracán de arena y de espuma, pues no pocos disparábanse a través de las olas.

En la fortaleza reinaba el pánico. Qué podrían contra semejante enemigo? Qué gozne de bronce resistiría a sus mandíbulas ? Qué muro sus garras?...

Comenzaban ya a preferir el pasado riesgo (al fin era una lucha contra bestias civilizadas) sin aliento[17] ni para enflechar sus arcos, cuando el monstruo salió de la alameda.

No fue un rugido lo que brotó de sus fauces, sino un grito de guerra humano —el bélico *¡alalé!* de los combates, al que respondieron con regocijo triunfal los *hoyohei* y los *hoyotoho* de la fortaleza.

---

hombros y estuvo cierto tiempo sin saber cómo desollarlo, hasta que tuvo la inspiración de emplear sus propias garras. Con aquella piel, cuyo atributo era la invulnerabilidad, se cubrió a modo de armadura, usando la cabeza como casco protector. Así se explica esta aparición que aquí registra el relato.

[17] En 1906: «alientos».

Glorioso prodigio!

Bajo la cabeza del felino, irradiaba luz superior el rostro de un numen; y mezclados soberbiamente con la flava piel, resaltaban su pecho marmóreo, sus brazos de encina, sus muslos estupendos.

Y un grito, un solo grito de libertad, de reconocimiento, de orgullo, llenó la tarde:

—¡Hércules[18], es Hércules que llega!

---

[18] Este héroe helénico es protagonista de numerosas hazañas imposibles de resumir aquí. Digamos que su carácter divino procede de que su padre fue Zeus, al adoptar la figura del marido de su madre, el rey de Micenas, Anfitrión.

Viola Acherontia[1]

Lo que deseaba aquel extraño jardinero, era crear la flor de la muerte. Sus tentativas remontaban a diez años, con éxito negativo siempre, porque considerando al vegetal sin alma[2], ateníase exclusivamente a la plástica. Injertos, combinaciones, todo había ensayado. La producción de la rosa negra ocupóle un tiempo; pero nada sacó de sus investigaciones. Después interesáronlo[3] las pasionarias y los tulipanes, con el único resultado de dos o tres ejemplares monstruosos, hasta que Bernardin de Saint-Pierre[4] lo[5] puso en el

---

[1] Con este neologismo latino (que podríamos traducir: «violeta mortal»), de indudable semejanza con el sistema binómico empleado en botánica, se sugiere la planta que al fin quiere descubrir el «extraño jardinero» que protagoniza el cuento. Puede señalarse que la línea fantástica de contemplar el mundo vegetal como fantástico es seguida por Silvina Ocampo en *Sábanas de tierra*, incluido en *Informe del cielo y del infierno*, y acaso también pudiéramos sugerir *Hombres, animales y enredaderas* (en *Los días de la noche*, Madrid, Alianza, 1983). Un relato de esta misma escritora pone en ejecución una de las ideas de Lugones apuntadas en este relato, la mágica impresión que las embarazadas proyectan en el feto en gestación: *El cuaderno* (en *Informe del cielo y del infierno*, Caracas, Monte Ávila, 1970). Pero la mayor proximidad temática la hallamos en *La inteligencia de las flores* del dramaturgo simbolista Maurice Maeterlink, publicado en 1907, es decir, posterior a los cuentos de Lugones.
[2] También Maeterlink habla constantemente del alma de las flores: «Pero la mayor parte de las flores dejan aprisionar menos fácilmente su alma» (en «Biblioteca personal de Jorge Luis Borges», Barcelona, 1987, pág. 79).
[3] En 1906: «le interesaron».
[4] Escritor francés (1737-1814) que alcanzó fama gracias a su *Pablo y Virginia* (1787). Aquí lo cita Lugones como autor de *Estudios de la naturaleza* (1784) y *Armonías de la naturaleza* (1815-1817).
[5] En 1906: «le».

buen camino, enseñándole cómo puede haber analogías entre la flor y la mujer encinta, supuestas ambas capaces de recibir por «antojo» imágenes de los objetos deseados.

Aceptar este audaz postulado, equivalía a suponer en la planta un mental suficientemente elevado para recibir, concretar y conservar una impresión; en una palabra, para sugestionarse con intensidad parecida a la de un organismo inferior. Esto era, precisamente, lo que había llegado a comprobar nuestro jardinero.

Según él, la marcha de los vástagos en las enredaderas, obedecía a una deliberación seguida por resoluciones[6] que daban origen a una serie de tanteos. De aquí las curvas y acodamientos, caprichosos al parecer, las diversas orientaciones y adaptaciones a diferentes planos, que ejecutan las guías, los gajos, las raíces. Un sencillo sistema nervioso presidía esas obscuras funciones. Había también en cada planta su bulbo cerebral y su corazón rudimentario, situados respectivamente en el cuello de la raíz y en el tronco. La semilla, es decir el ser resumido para la procreación, lo dejaba ver con toda claridad. El embrión de una nuez tiene la misma forma del corazón, siendo asaz parecida al cerebro la de los cotiledones. Las dos hojas rudimentarias que salen de dicho embrión, recuerdan con bastante claridad dos ramas bronquiales cuyo oficio desempeñan en la germinación.

Las analogías morfológicas, suponen casi siempre otras de fondo; y por esto la sugestión ejerce una influencia más vasta de lo que se cree sobre la forma de los seres. Algunos claro videntes de la historia natural, como Michelet[7] y Fries[8], presintieron esta verdad que la experiencia va confirmando. El mundo de los insectos, pruébalo enteramente.

---

[6] Coincide Maeterlink en asignar inteligencia a los vegetales: «Se me figura que no sería temerario sostener que no hay seres más o menos inteligentes, sino una inteligencia esparcida, general, una especie de fluido universal que penetra diversamente, según sean buenos o malos conductores del espíritu, los organismos que encuentra» (op. cit., pág. 72).

[7] Probablemente se refiere al historiador francés Jules Michelet (1798-1874), quien destacó por su concepción de una historia total, lo que le sitúa como antecesor de los historiadores modernos.

[8] Elías Magnus Fries, botánico sueco (1794-1878).

Los pájaros ostentan colores más brillantes en los países cuyo cielo es siempre puro (Gould[9]). Los gatos blancos y de ojos azules, son comúnmente sordos (Darwin[10]). Hay peces que llevan fotografiadas en la gelatina de su dorso, las olas del mar (Strindberg[11]). El girasol mira constantemente al astro del día, y reproduce con fidelidad su núcleo, sus rayos y sus manchas (Saint Pierre).

He aquí un punto de partida. Bacon[12] en su *Novum Organum* establece que el canelero y otros odoríferos colocados cerca de lugares fétidos, retienen obstinadamente el aroma, rehusando su emisión, para impedir que se mezcle con las exhalaciones graves...[13].

Lo que ensayaba el extraordinario jardinero con quien iba a verme, era una sugestión sobre las violetas. Habíalas encontrado singularmente nerviosas, lo cual demuestra, agregaba, la afección y el horror siempre exagerados que les profesan las histéricas, y quería llegar a hacerlas emitir un tósigo mortal sin olor alguno: una ponzoña fulminante e imperceptible. Qué se proponía con ello, si no era puramente una extravagancia, permaneció siempre misterioso para mí.

Encontré un anciano de porte sencillo, que me recibió con cortesía casi humilde[14]. Estaba enterado de mis pretensiones, por lo cual entablamos acto continuo la conversación sobre el tema que nos acercaba.

Quería sus flores como un padre, manifestando fanática adoración por ellas. Las hipótesis y datos consignados más

---

[9] John Gould (1804-1881), naturalista británico cuya obra se centró en la descripción de la fauna en el continente australiano.

[10] El naturalista británico (1809-1882) recoge en el *Origen de las especies* la siguiente afirmación: «¿Qué puede haber más singular que la relación que existe en los gatos entre la blancura completa y los ojos azules con la sordera...?» (Cap. V, «Leyes de la variación»).

[11] Habla del dramaturgo sueco (1849-1912), que además de escribir obras literarias fue aficionado a la alquimia y al espiritismo.

[12] Filósofo inglés (1561-1626). Con *Novum organum* (1620) trató de formular un nuevo método de razonamiento basado en el experimentalismo y opuesto a Aristóteles.

[13] En 1906: «hediondas».

[14] En 1906: «cortesías casi humildes».

arriba, fueron la introducción de nuestro diálogo; y como el hombre hallara en mí un conocedor, se encontró más a sus anchas.

Después de haberme expuesto sus teorías con rara precisión, me invitó a conocer sus violetas.

—He procurado —decía mientras íbamos—, llevarlas a la producción del veneno que deben exhalar, por una evolución de su propia naturaleza; y aunque el resultado ha sido otro, comporta[15] una verdadera maravilla; sin contar con que no desespero de obtener la exhalación mortífera. Pero ya hemos llegado; véalas usted.

Estaban al extremo del jardín, en una especie de plazoleta rodeada de plantas extrañas. Entre las hojas habituales, sobresalían sus corolas que al pronto tomé por pensamientos, pues eran negras.

—Violetas negras! —exclamé.

—Sí, pues; había que empezar por el color, para que *la idea* fúnebre se grabara mejor en ellas. El negro es, salvo alguna fantasía china, el color natural del luto, puesto que lo es de la noche —vale decir de la tristeza, de la diminución vital y del sueño, hermano de la muerte. Además estas flores no tienen perfume, conforme a mi propósito, y éste es otro resultado producido por un efecto de correlación. El color negro parece ser, en efecto, adverso al perfume; y así tiene usted que sobre mil ciento noventa y tres especies de flores blancas, hay ciento setenta y cinco perfumadas y doce fétidas; mientras que sobre dieciocho especies de flores negras, hay diecisiete inodoras y una fétida. Pero esto no es lo interesante del asunto. Lo maravilloso está en otro detalle, que requiere, desgraciadamente, una larga explicación...

—No tema usted —respondí—; mis deseos de aprender son todavía mayores que mi curiosidad.

—Oiga usted, entonces, cómo he procedido:

»Primeramente, debí proporcionar a mis flores un medio favorable para el desarrollo de la idea fúnebre; luego, sugerirles esta idea por medio de una sucesión de fenómenos;

---

[15] En 1906: «él comporta».

después poner su sistema nervioso en estado de recibir la imagen y fijarla; por último, llegar a la producción del veneno, combinando en su ambiente y en su savia diversos tósigos vegetales. La herencia se encargaría del resto.

»Las violetas que usted ve, pertenencen a una familia cultivada bajo ese régimen durante diez años. Algunos cruzaminentos, indispensables para prevenir la degeneración, han debido retardar un tanto el éxito final de mi tentativa. Y digo éxito final, porque conseguir la violeta negra e inodora, es ya un resultado.

»Sin embargo, ello no es difícil; redúcese[16] a una serie de manipulaciones en las que entra por base el carbono con el objeto de obtener una variedad de añilina. Suprimo el detalle de las investigaciones a que debí entregarme sobre las toluidinas y los xilenos, cuyas enormes series me llevarían muy lejos, vendiendo por otra parte mi secreto. Puedo darle, no obstante, un indicio: el origen de los colores que llamamos añilinas, es una combinación del hidrógeno y carbono; el trabajo químico posterior, se reduce a fijar oxígeno y nitrógeno, produciendo los álcalis artificiales cuyo tipo es la añilina, y obteniendo derivados después. Algo semejante he hecho yo. Usted sabe que la clorofila es muy sensible, y a esto se debe más de un resultado sorprendente. Exponiendo matas de hiedra a la luz solar, en un sitio donde ésta entraba por aberturas romboidales solamente, he llegado a alterar la forma de su hoja, tan persistente, sin embargo, que es el tipo geométrico de la curva cisoides; y luego, es fácil observar que las hierbas rastreras de un bosque, se desarrollan imitando los arabescos de la luz a través del ramaje...

»Llegamos ahora al procedimiento capital. La sugestión que ensayo sobre mis flores es muy difícil de efectuar, pues las plantas tienen su cerebro debajo de tierra: son seres inversos[17]. Por esto me he fijado más en la influencia del medio como elemento fundamental. Obtenido el color negro de las violetas, estaba conseguida la primera nota fúnebre. Planté luego en torno, los vegetales que usted ve: estramo-

---

[16] En 1906: «se reduce».
[17] En 1906: «invertidas».

nio, jazmín y belladona. Mis violetas quedaban, así, sometidas a influencias química y fisiológicamente fúnebres. La solanina[18] es, en efecto, un veneno narcótico; así como la daturina contiene hioscyamina y atropina, dos alcaloides dilatadores de la pupila que producen la megalopsia, o sea el agrandamiento de los objetos. Tenía, pues, los elementos del sueño y de la alucinación, es decir dos productores de pesadillas; de modo que a los efectos específicos del color negro, del sueño y de las alucinaciones, se unía el miedo. Debo añadirle que para redoblar las impresiones alucinantes, planté además el beleño, cuyo veneno radical es precisamente la hioscyamina.

—Y de qué sirve, puesto que la flor no tiene ojos? —pregunté.

—Ah, señor; no se ve únicamente con los ojos —replicó el anciano—. Los sonámbulos ven con los dedos de la mano y con la planta de los pies. No olvide usted que aquí se trata de una sugestión.

Mis labios rebosaban de objeciones; pero callé, por ver hasta dónde iba a llevarnos el desarrollo de tan singular teoría.

—La solanina y la daturina —prosiguió mi interlocutor— se aproximan mucho a los venenos cadavéricos, ptomaínas y leucomaínas, que exhalan olores de jazmín y de rosa. Si la belladona y el estramonio me dan aquellos cuerpos, el olor está suministrado por el jazminero y por ese rosal cuyo perfume aumento, conforme a una observación de de Candolle[19], sembrando cebollas en sus cercanías. El cultivo de las rosas está ahora muy adelantado, pues los injertos han hecho prodigios; en tiempo de Shakespeare se injertó recién las primeras rosas en Inglaterra...

Aquel recuerdo que tendía a halagar visiblemente mis inclinaciones literarias, me conmovió.

—Permítame —dije— que admire de paso su memoria verdaderamente juvenil.

---

[18] En 1906: «Solarina» (error).
[19] Botánico suizo (1778-1841). Fue el inventor de la palabra taxonomía para denominar la ciencia de la clasificación.

—Para extremar aún la influencia sobre mis flores —continuó él sonriendo vagamente— he mezclado a los narcóticos plantas cadavéricas. Algunos arum y orchis[20], una stapelia aquí y allá, pues sus olores y colores recuerdan los de la carne corrompida. Las violetas sobrexcitadas por su excitación amorosa natural, dado que la flor es un órgano de reproducción, aspiran el perfume de los venenos cadavéricos añadido al olor del cadáver mismo; sufren la influencia soporífica de los narcóticos que las predisponen a la hipnosis, y la megalopsia alucinante de los venenos dilatadores de la pupila. La sugestión fúnebre comienza así a efectuarse con toda intensidad; pero todavía aumento la sensibilidad anormal en que la flor se encuentra por la inmediación de esas potencias vegetales, aproximándole de tiempo en tiempo una mata de valeriana y de espuelas de caballero cuyo cianuro la irrita notablemente. El etileno de la rosa colabora también en este sentido.

»Llegamos ahora al punto culminante del experimento, pero antes deseo hacerle esta advertencia: el ¡ay! humano es un grito de la naturaleza.

Al oír este brusco aparte, la locura de mi personaje se me presentó evidente; pero él, sin darme tiempo a pensarlo bien siquiera, prosiguió:

—El ¡ay! es, en efecto, una interjección de todos los tiempos[21]. Pero lo curioso es que entre los animales sucede también así. Desde el perro, un vertebrado superior, hasta la esfinge calavera, una mariposa, el ¡ay! es una manifestación de dolor y de miedo. Precisamente el extraño insecto que acabo de nombrar, y cuyo nombre proviene de que lleva dibujada una calavera en el coselete, recuerda bien la fauna lú-

---

[20] En el interés por las orquídeas coinciden Lugones y Maeterlink: «Del conjunto, que evoca la idea de las peores enfermedades y parece desarrollarse no sé en qué país de pesadillas irónicas y de maleficios, se desprende un horrible y fuerte olor de macho cabrío pestilente, que se esparce a distancia y revela la presencia del monstruo. Señalo y describo así esa nauseabunda orquídea, porque es bastante común en Francia...» *(La inteligencia de las flores,* ed. cit., pág. 49).

[21] En 1906 se incluye: «El hombre se ha quejado siempre de lo mismo.» En 1926 se ha suprimido.

gubre en la cual el ¡ay! es común. Fuera inútil recordar a los búhos; pero sí debe mencionarse a ese extraviado de las selvas primitivas, el perezoso, que parece llevar el dolor de su decadencia en el ¡ay! específico al cual debe uno de sus nombres...

»Y bien; exasperado por mis diez años de esfuerzos, decidí realizar ante las flores escenas crueles que las impresionaran más aún, sin éxito también; hasta que un día...

»... Pero aproxímese, juzgue por usted mismo.

Su cara tocaba las negras flores, y casi obligado hice lo propio. Entonces —cosa inaudita— me pareció percibir débiles quejidos. Pronto hube de convencerme. Aquellas flores se quejaban en efecto, y de sus corolas obscuras surgía una pululación de pequeños ayes muy semejantes a los de un niño. La sugestión habíase operado en forma completamente imprevista, y aquellas flores, durante toda su breve existencia, no hacían sino llorar.

Mi estupefacción había llegado al colmo, cuando de repente una idea terrible me asaltó. Recordé que al decir de las leyendas de hechicería, la mandrágora llora también cuando se la ha regado con la sangre de un niño; y con una sospecha que me hizo palidecer horriblemente me incorporé.

—Como las mandrágoras —dije.

—Como las mandrágoras —repitió él palideciendo aún más que yo.

Y nunca hemos vuelto a vernos. Pero mi convicción de ahora es que se trata de un verdadero bandido, de un perfecto hechicero de otros tiempos, con sus venenos y sus flores de crimen. Llegará a producir la violeta mortífera que se propone? Debo entregar su nombre maldito a la publicidad?...

Yzur[1]

Compré el mono en el remate de un circo que había quebrado.

La primera vez que se me ocurrió tentar la experiencia a cuyo relato están dedicadas estas líneas, fue una tarde, leyendo no sé dónde, que los naturales de Java atribuían la falta de lenguaje articulado en los monos a la abstención, no a la incapacidad. «No hablan —decían— para que no los hagan trabajar.»

Semejante idea, nada profunda al principio, acabó por preocuparme hasta convertirse en este postulado antropológico:

Los monos fueron hombres que por una u otra razón dejaron de hablar. El hecho produjo la atrofia de sus órganos de fonación y de los centros cerebrales del lenguaje; debilitó casi hasta suprimirla la relación entre unos y otros, fijando el idioma de la especie en el grito inarticulado, y el humano primitivo descendió a ser animal.

Claro está que si llegara a demostrarse esto, quedarían explicadas desde luego todas las anomalías que hacen del mono un ser tan singular; pero ello[2] no tendría sino una demostración posible: volver el mono al lenguaje.

---

[1] La revista *Caras y caretas* publica el 9 de junio de 1900 en su núm. 88 un artículo con el siguiente encabezamiento: «Un mono que está aprendiendo a hablar». Quizá la anécdota dé idea del público que leía los cuentos de Lugones.

[2] En 1906: «esto».

Entre tanto había corrido el mundo con el mío, vinculándolo cada vez más por medio de peripecias y aventuras. En Europa llamó la atención, y de haberlo querido, llego a darle la celebridad de un *Cónsul*; pero mi seriedad de hombre de negocios, mal se avenía con tales payasadas.

Trabajado por mi idea fija del lenguaje de los monos, agoté toda la bibliografía concerniente al problema, sin ningún resultado apreciable. Sabía únicamente, con entera seguridad, *que no hay ninguna razón científica para que el mono no hable*. Esto llevaba cinco años de meditaciones.

Yzur (nombre cuyo origen nunca pude descubrir, pues lo ignoraba igualmente su anterior patrón) Yzur era ciertamente un animal notable. La educación del circo, bien que reducida casi enteramente al mimetismo, había desarrollado mucho sus facultades; y esto era lo que me incitaba más a ensayar sobre él mi en apariencia disparatada teoría.

Por otra parte, sábese que el chimpancé (Yzur lo era) es entre los monos el mejor provisto de cerebro y uno de los más dóciles, lo cual aumentaba mis probabilidades. Cada vez que lo veía avanzar en dos pies, con las manos a la espalda para conservar el equilibrio, y su aspecto de marinero borracho, la convicción de su humanidad detenida se vigorizaba en mí.

No hay a la verdad razón alguna para que el mono no articule absolutamente. Su lenguaje natural, es decir el conjunto de gritos con que se comunica a sus semejantes, es asaz variado; su laringe, por más distinta que resulte de la humana, nunca lo es tanto como la del loro, que habla, sin embargo; y en cuanto a su cerebro, fuera de que la comparación con el de este último animal desvanece toda duda, basta recordar que el del idiota es también rudimentario, a pesar de lo cual hay cretinos que pronuncian algunas palabras. Por lo que hace a la circunvolución de Broca[3], depen-

---

[3] Cirujano y antropólogo francés (1824-1880): «Demostró en 1862 por autopsia que al dañar un cierto punto del cerebro (la tercera circunvolución del lóbulo frontal izquierdo) se asociaba con la pérdida de aptitudes para hablar» (I. Asimov, *Enciclopedia biográfica de ciencia y tecnología*, ed. cit., tomo II, pág. 530).

de, es claro, del desarrollo total del cerebro; fuera de que no está probado que ella sea *fatalmente* el sitio de localización del lenguaje. Si es el caso de localización mejor establecido en anatomía, los hechos contradictorios son desde luego incontestables.

Felizmente los monos tienen, entre sus muchas malas condiciones, el gusto por aprender, como lo demuestra su tendencia imitativa; la memoria feliz, la reflexión que llega hasta una profunda facultad de disimulo, y la atención comparativamente más desarrollada que en el niño. Es, pues, un sujeto pedagógico de los más favorables.

El mío era joven además, y es sabido que la juventud constituye la época más intelectual del mono, parecido en esto al negro. La dificultad estribaba solamente en el método que emplearía para comunicarle la palabra.

Conocía todas las infructuosas tentativas de mis antecesores; y está de más decir, que ante la competencia de algunos de ellos y la nulidad de todos sus esfuerzos mis propósitos fallaron más de una vez; cuando el tanto pensar sobre aquel tema, fue llevándome a esta conclusión:

Lo primero consiste en desarrollar el aparato de fonación del mono.

Así es, en efecto, como se procede con los sordomudos antes de llevarlos a la articulación; y no bien hube reflexionado sobre esto, cuando las analogías entre el sordomudo y el mono se agolparon en mi espíritu.

Primero de todo, su extraordinaria movilidad mímica que compensa al lenguaje articulado, demostrando que no por dejar de hablar se deja de pensar, así haya diminución de esta facultad por la paralización de aquélla. Después, otros caracteres más peculiares por ser más específicos: la diligencia en el trabajo, la fidelidad, el coraje, aumentados hasta la certidumbre por estas dos condiciones cuya comunidad es verdaderamente reveladora: la facilidad para los ejercicios de equilibrio y la resistencia al mareo.

Decidí, entonces, empezar mi obra con una verdadera gimnasia de los labios y de la lengua de mi mono, tratándolo en esto como a un sordomudo. En lo restante, me favorecía el oído para establecer comunicaciones directas de palabra, sin necesidad de apelar al tacto. El lector verá que en esta parte prejuzgaba con demasiado optimismo.

Felizmente, el chimpancé es de todos los grandes monos el que tiene labios más movibles; y en el caso particular, habiendo padecido Izur de anginas, sabía abrir la boca para que se la examinaran.

La primera inspección confirmó en parte mis sospechas. La lengua permanecía en el fondo de su boca, como una masa inerte, sin otros movimientos que los de la deglución. La gimnasia produjo luego su efecto, pues a los dos meses ya sabía sacar la lengua para burlar. Ésta fue la primera relación que conoció entre el movimiento de su lengua y una idea; una relación perfectamente acorde con su naturaleza, por otra parte.

Los labios dieron más trabajo, pues hasta hubo que estirárselos con pinzas; pero apreciaba —quizá por mi expresión— la importancia de aquella tarea anómala y la acometía con viveza. Mientras yo practicaba los movimientos labiales que debía imitar, permanecía sentado, rascándose la grupa con su brazo vuelto hacia atrás y guiñando en una concentración dubitativa, o alisándose las patillas con todo el aire de un hombre que armoniza sus ideas por medio de ademanes rítmicos. Al fin aprendió a mover los labios.

Pero el ejercicio del lenguaje es un arte difícil, como lo prueban los largos balbuceos del niño, que lo llevan, paralelamente con su desarrollo intelectual, a la adquisición del hábito. Está demostrado, en efecto, que el centro propio de las inervaciones vocales, se halla asociado con el de la palabra en forma tal, que el desarrollo normal de ambos, depende de su ejercicio armónico; y esto ya lo había presentido en 1875 Heinicke[4], el inventor del método oral para la enseñanza de los sordomudos, como una consecuencia filosófica. Hablaba de una «concatenación dinámica de las ideas»,

---

[4] Obsérvese la ausencia casi total de nombres que avalen el desarrollo de este cuento. Quizá podamos destacar éste como uno de los aciertos del autor: la narración avanza casi en línea recta hasta el momento en que Izur habla, el clímax del relato.

frase cuya profunda claridad honraría a más de un psicólogo contemporáneo.

Yzur se encontraba, respecto al lenguaje, en la misma situación del niño que antes de hablar entiende ya muchas palabras; pero era mucho más apto para asociar los juicios que debía poseer sobre las cosas, por su mayor experiencia de la vida.

Estos juicios, que no debían ser sólo de impresión, sino también inquisitivos y disquisitivos, a juzgar por el carácter diferencial que asumían, lo cual supone un raciocinio abstracto, le daban un grado superior de inteligencia muy favorable por cierto a mi propósito.

Si mis teorías parecen demasiado audaces, basta con reflexionar que el silogismo, o sea el argumento lógico fundamental, no es extraño a la mente de muchos animales. Como que el silogismo es originariamente una comparación entre dos sensaciones. Si no, por qué los animales que conocen al hombre huyen de él, y no aquellos que nunca lo[5] conocieron?...

Comencé, entonces, la educación fonética de Yzur.

Tratábase de enseñarle primero la palabra mecánica, para llevarlo progresivamente a la palabra sensata.

Poseyendo el mono la voz, es decir, llevando esto de ventaja al sordomudo, con más ciertas articulaciones rudimentarias —tratábase de enseñarle las modificaciones de aquélla, que constituyen los fonemas y su articulación, llamada por los maestros estática o dinámica, según que se refiera a las vocales o a las consonantes.

Dada la glotonería del mono, y siguiendo en esto un método empleado por Heinike con los sordomudos, decidí asociar cada vocal con una golosina: *a* con papa; *e* con leche; *i* con vino; *o* con coco; *u* con azúcar —haciendo de modo que la vocal estuviese contenida en el nombre de la golosina, ora con dominio único y repetido como en *papa*, *coco*, *leche*, ora reuniendo los dos acentos, tónico y prosódico, es decir como sonido fundamental: *vino*, *azúcar*.

Todo anduvo bien, mientras se trató de las vocales, o sea

---

[5] En 1906: «le».

de los sonidos que se forman[6] con la boca abierta. Yzur los aprendió en quince días. La *u* fue lo que más le costó pronunciar.

Las consonantes diéronme[7] un trabajo endemoniado; y a poco hube de comprender que nunca llegaría a pronunciar aquellas en cuya formación entran los dientes y las encías. Sus largos colmillos[8] lo estorbaban enteramente.

El vocabulario quedaba reducido, entonces, a las cinco vocales; la b, la k, la m, la g, la f y la c, es decir todas aquellas consonantes en cuya formación no intervienen sino el paladar y la lengua.

Aun para esto no me bastó el oído. Hube de recurrir al tacto como con un sordomudo, apoyando su mano en mi pecho y luego en el suyo para que sintiera las vibraciones del sonido.

Y pasaron tres años, sin conseguir que formara palabra alguna. Tendía a dar a las cosas, como nombre propio, el de la letra cuyo sonido predominaba en ellas. Esto era todo.

En el circo había aprendido a ladrar, como los perros sus compañeros de tareas; y cuando me veía desesperar ante las vanas tentativas para arrancarle la palabra, ladraba fuertemente como dándome todo lo que sabía. Pronunciaba aisladamente las vocales y consonantes, pero no podía asociarlas. Cuando más, acertaba con una repetición vertiginosa de *pes* y de *emes*.

Por despacio que fuera, se había operado un gran cambio en su carácter. Tenía menos movilidad en las facciones, la mirada más profunda, y adoptaba posturas meditabundas[9]. Había adquirido, por ejemplo, la costumbre de contemplar las estrellas. Su sensibilidad se desarrollaba igualmente; íbasele notando una gran facilidad de lágrimas.

Las lecciones continuaban con inquebrantable tesón, aunque sin mayor éxito. Aquello había llegado a convertirse en una obsesión dolorosa, y poco a poco sentíame incli-

---

[6] Corregimos por «forma».
[7] En 1906: «me dieron».
[8] En 1906: «sus largos colmillos y sus abazones...»
[9] En 1906: «meditativas».

nado a emplear la fuerza. Mi carácter iba agriándose con el fracaso, hasta asumir una sorda animosidad contra Yzur. Éste se intelectualizaba más, en el fondo de su mutismo rebelde, y empezaba a convencerme de que nunca lo sacaría de allí, cuando supe de golpe que no hablaba porque no quería.

El cocinero, horrorizado, vino a decirme una noche que había sorprendido al mono «hablando verdaderas palabras». Estaba, según su narración, acurrucado junto a una higuera de la huerta; pero el terror le impedía recordar lo esencial de esto, es decir, las palabras. Sólo creía retener dos: *cama* y *pipa*. Casi le doy de puntapiés por su imbecilidad.

No necesito decir que pasé la noche poseído de una gran emoción; y lo que en tres años no había cometido, el error que todo lo echó a perder, provino del enervamiento de aquel desvelo, tanto como de mi excesiva curiosidad.

En vez de dejar que el mono llegara naturalmente a la manifestación del lenguaje, llamélo[10] al día siguiente y procuré imponérsela por obediencia.

No conseguí sino las *pes* y las *emes* con que me tenía harto, las guiñadas hipócritas y —Dios me perdone— una cierta vislumbre de ironía en la azogada ubicuidad de sus muecas.

Me encolericé, y sin consideración alguna, le di de azotes. Lo único que logré fue su llanto y un silencio absoluto que excluía hasta los gemidos.

A los tres días cayó enfermo, en una especie de sombría demencia complicada con síntomas de meningitis. Sanguijuelas, afusiones frías, purgantes, revulsivos cutáneos, alcoholaturo de brionia, bromuro —toda la terapéutica del espantoso mal le fue aplicada. Luché con desesperado brío, a impulsos de un remordimiento y de un temor. Aquél por creer a la bestia una víctima de mi crueldad; éste por la suerte del secreto que quizá se llevaba a la tumba.

Mejoró al cabo de mucho tiempo, quedando, no obstante, tan débil, que no podía moverse de la cama. La proximi-

---

[10] En 1906: «llaméle».

dad de la muerte habíalo ennoblecido y humanizado. Sus ojos llenos de gratitud, no se separaban de mí, siguiéndome por toda la habitación como dos bolas giratorias, aunque estuviese detrás de él; su mano buscaba las mías en una intimidad de convalecencia. En mi gran soledad, iba adquiriendo rápidamente la importancia de una persona.

El demonio del análisis, que no es sino una forma del espíritu de perversidad, impulsábame, sin embargo, a renovar mis experiencias. En realidad el mono había hablado. Aquello no podía quedar así.

Comencé muy despacio, pidiéndole las letras que sabía pronunciar. Nada! Dejélo solo durante horas, espiándolo por un agujerillo del tabique. Nada! Habléle con oraciones breves, procurando tocar su fidelidad o su glotonería. Nada! Cuando aquéllas eran patéticas, los ojos se le hinchaban de llanto. Cuando le decía una frase habitual, como el «yo soy tu amo» con que empezaba todas mis lecciones, o el «tú eres mi mono» con que completaba mi anterior afirmación, para llevar a su espíritu la certidumbre de una verdad total, él asentía cerrando los párpados; pero no producía un sonido, ni siquiera llegaba a mover los labios.

Había vuelto a la gesticulación como único medio de comunicarse conmigo; y este detalle, unido a sus analogías con los sordomudos, redoblaba mis precauciones, pues nadie ignora la gran predisposición de estos últimos a las enfermedades mentales. Por momentos deseaba que se volviera loco, a ver si el delirio rompía al fin su silencio.

Su convalecencia seguía estacionaria. La misma flacura, la misma tristeza. Era evidente que estaba enfermo de inteligencia y de dolor. Su unidad orgánica habíase roto al impulso de una cerebración anormal, y día más, día menos, aquél era caso perdido.

Mas, a pesar de la mansedumbre que el progreso de la enfermedad aumentaba en él, su silencio, aquel desesperante silencio provocado por mi exasperación, no cedía. Desde un obscuro fondo de tradición petrificada en instinto, la raza imponía su milenario mutismo al animal, fortaleciéndose de voluntad atávica en las raíces mismas de su ser. Los antiguos hombres de la selva, que forzó al silencio, es decir al suicidio intelectual, quién sabe qué bárbara injusticia, mantenían su secreto formado por misterios de bosque y abismos de prehistoria, en aquella decisión ya inconsciente, pero formidable con la inmensidad de su tiempo.

Infortunios del antropoide retrasado en la evolución cuya delantera tomaba el humano con un despotismo de sombría barbarie, habían, sin duda, destronado a las grandes familias cuadrumanas del dominio arbóreo de sus primitivos edenes, raleando sus filas, cautivando sus hembras para organizar la esclavitud desde el propio vientre materno, hasta infundir a su impotencia de vencidas el acto de dignidad mortal que las llevaba a romper con el enemigo el vínculo superior también, pero infausto de la palabra, refugiándose como salvación suprema en la noche de la animalidad.

Y qué horrores, qué estupendas sevicias no habrían cometido los vencedores con la semibestia en trance de evolución, para que ésta, después de haber gustado el encanto intelectual que es el fruto paradisíaco de las biblias, se resignara a aquella claudicación de su estirpe en la degradante igualdad de los inferiores[11]; a aquel retroceso que cristalizaba por siempre su inteligencia en los gestos de un automatismo de acróbata; a aquella gran cobardía de la vida que encorvaría eternamente, como en distintivo bestial, sus espaldas de dominado, imprimiéndole ese melancólico azoramiento que permanece en el fondo de su caricatura.

He aquí lo que al borde mismo del éxito, había despertado mi malhumor en el fondo del limbo atávico. A través del millón de años, la palabra, con su conjuro, removía la antigua alma simiana; pero contra esa tentación que iba a violar las tinieblas de la animalidad protectora, la memoria

---

[11] Obsérvese que esta idea aparece de nuevo en la *Cosmogonía*: «Pero Darwin, urgido por imperativos teológicos, habló del hombre como del "coronamiento de la escala animal". La lógica anuló bien pronto esa capitulación con la Biblia; pues si el hombre no era más que un peldaño, no había razón para que fuese el superior y el último, sino uno de tantos. Así, pues, el mono antecesor se ha convertido en un primo, lo cual ya es algo.» («Décima lección»).

ancestral, difundida en la especie bajo un instintivo horror, oponía también edad sobre edad como una muralla.

Yzur entró en agonía sin perder el conocimiento. Una dulce agonía a ojos cerrados, con respiración débil, pulso vago, quietud absoluta, que sólo interrumpía para volver de cuando en cuando hacia mí, con una desgarradora expresión de eternidad, su cara de viejo mulato triste. Y la última tarde, la tarde de su muerte, fue cuando ocurrió la cosa extraordinaria que me ha decidido a emprender esta narración.

Habíame dormitado a su cabecera, vencido por el calor y la quietud del crepúsculo que empezaba, cuando sentí de pronto que me asían por la muñeca.

Desperté sobresaltado. El mono, con los ojos muy abiertos, se moría definitivamente aquella vez, y su expresión era tan humana, que me infundió horror; pero su mano, sus ojos, me atraían con tanta elocuencia hacia él, que hube de inclinarme inmediato a su rostro; y entonces, con su último suspiro, el último suspiro que coronaba y desvanecía a la vez mi esperanza, brotaron —estoy seguro— brotaron en un murmullo (¿cómo explicar el tono de una voz que ha permanecido sin hablar diez mil siglos!) estas palabras cuya humanidad reconciliaba las especies:

—AMO, AGUA. AMO, MI AMO...

La estatua de sal

He aquí cómo refirió el peregrino la verdadera historia del monje Sosístrato:

—Quien no ha pasado alguna vez por el monasterio de San Sabas, diga que no conoce la desolación. Imaginaos un antiquísimo edificio situado sobre el Jordán, cuyas aguas saturadas de arena amarillenta, se deslizan ya casi agotadas hacia el Mar Muerto, por entre bosquecillos de terebintos y manzanos de Sodoma[1]. En toda aquella comarca no hay más que una palmera cuya copa sobrepasa los muros del monasterio. Una soledad infinita, sólo turbada de tarde en tarde por el paso de algunos nómades que trasladan sus rebaños; un silencio colosal que parece bajar de las montañas cuya eminencia amuralla el horizonte. Cuando sopla el viento del desierto, llueve arena impalpable; cuando el viento es del lago, todas las plantas quedan cubiertas de sal. El ocaso y la aurora confúndense[2] en una misma tristeza. Sólo aquellos que deben expiar grandes crímenes, arrostran semejantes soledades. En el convento se puede oír misa y comulgar. Los monjes que no son ya más que cinco, y todos por lo menos sexagenarios, ofrecen al peregrino una

---

[1] Vuelve Lugones al tema bíblico; ahora con la destrucción de Sodoma. Ya hemos señalado las vinculaciones de este relato con el titulado *La lluvia de fuego*; éste se ve, en cierta medida completado por el otro. El capítulo 19 del *Génesis* refiere la transformación de la mujer de Lot en estatua de sal; episodio que constituye el punto de partida de esta narración.
[2] En 1906: «se confunden».

modesta colación de dátiles fritos, uvas, agua del río y algunas veces vino de palmera. Jamás salen del monasterio, aunque las tribus vecinas los respetan porque son buenos médicos. Cuando muere alguno, lo sepultan en las cuevas que hay debajo a la orilla del río, entre las rocas. En esas cuevas anidan ahora parejas de palomas azules amigas del convento; antes, hace ya muchos años, habitaron en ellas los primeros anacoretas, uno de los cuales fue el monje Sosistrato cuya historia he prometido contaros. Ayúdame Nuestra Señora del Carmelo y vosotros escuchad con atención. Lo que vais a oír, me lo refirió palabra por palabra el hermano Porfirio, que ahora está sepultado en una de las cuevas de San Sabas, donde acabó su santa vida a los ochenta años en la virtud y la penitencia. Dios lo haya acogido en su gracia. Amén.

Sosistrato era un monje armenio, que había resuelto pasar su vida en la soledad con varios jóvenes compañeros suyos de vida mundana, recién convertidos a la religión del crucificado. Pertenecía, pues, a la fuerte raza de los estilitas. Después de largo vagar por el desierto, encontraron un día las cavernas de que os he hablado y se instalaron en ellas. El agua del Jordán, los frutos de una pequeña hortaliza que cultivaban en común, bastaban para llenar sus necesidades. Pasaban los días orando y meditando. De aquellas grutas surgían columnas de plegarias, que contenían con su esfuerzo la vacilante bóveda de los cielos próxima a desplomarse sobre los pecados del mundo. El sacrificio de aquellos desterrados, que ofrecían diariamente la maceración de sus carnes y la pena de sus ayunos a la justa ira de Dios, para aplacarla, evitaron muchas pestes, guerras y terremotos. Esto no lo saben los impíos que ríen con ligereza de las penitencias de los cenobitas. Y, sin embargo, los sacrificios y oraciones de los justos son las claves del techo del universo.

Al cabo de treinta años de austeridad y silencio, Sosistrato y sus compañeros habían alcanzado la santidad. El demonio, vencido, aullaba de impotencia bajo el pie de los santos monjes. Éstos fueron acabando sus vidas uno tras otro, hasta que al fin Sosístrato se quedó solo. Estaba muy viejo, muy pequeñito. Se había vuelto casi transparente. Oraba arrodillado quince horas diarias, y tenía revelaciones. Dos palomas amigas, traíanle cada tarde algunos granos de granada y se los daban a comer con el pico. Nada más que de eso vivía; en cambio olía bien como un jazminero por la tarde. Cada año, el viernes doloroso, encontraba al despertar, en la cabecera de su lecho de ramas, una copa de oro llena de vino y un pan con cuyas especies comulgaba absorbiéndose en éxtasis inefables. Jamás se le ocurrió pensar de dónde vendría aquello, pues bien sabía que el señor Jesús puede hacerlo. Y aguardando con unción perfecta el día de su ascensión a la bienaventuranza, continuaba soportando sus años. Desde hacía más de cincuenta, ningún caminante había pasado por allí.

Pero una mañana, mientras el monje rezaba con sus palomas, éstas, asustadas de pronto, echaron a volar abandonándolo[3]. Un peregrino acababa de llegar a la entrada de la caverna. Sosístrato, después de saludarlo[4] con santas palabras, lo[5] invitó a reposar indicándole un cántaro de agua fresca. El desconocido bebió con ansia como si estuviese anonadado de fatiga; y después de consumir un puñado de frutas secas que extrajo de su alforja, oró en compañía del monje.

Transcurrieron siete días. El caminante refirió su peregrinación desde Cesárea[6] a las orillas del Mar Muerto, terminando la narración con una historia que preocupó a Sosístrato.

—He visto los cadáveres de las ciudades malditas —dijo una noche a su huésped—; he mirado humear el mar como una hornalla, y he contemplado lleno de espanto a la mujer de sal, la castigada esposa de Lot. La mujer está viva, her-

[3] En 1906: «abandonándole».
[4] En 1906: «saludarle».
[5] En 1906: «le».
[6] Fue denominada Cesárea de Palestina. Fundada por Herodes el Grande, fue lugar de residencia de los procuradores romanos hasta la caída de Jerusalén. En el siglo II fue sede episcopal. Tras ser conquistada por los árabes (siglo VII) fue destruida en el siglo XIII.

213

mano mío, y yo la he escuchado gemir y la he visto sudar al sol del mediodía.

—Cosa parecida cuenta Juvencus[7] en su tratado *De Sodoma* —dijo en voz baja Sosistrato[8].

—Sí, conozco el pasaje —añadió el peregrino—. Algo más definitivo hay en él todavía; y de ello resulta que la esposa de Lot ha seguido siendo fisiológicamente mujer. Yo he pensado que sería obra de caridad libertarla de su condena...

—Es la justicia de Dios —exclamó el solitario.

—¿No vino Cristo a redimir también con su sacrificio los pecados del antiguo mundo? —replicó suavemente el viajero que parecía docto en letras sagradas—. ¿Acaso el bautismo no lava igualmente el pecado contra la Ley que el pecado contra el Evangelio?...

Después de estas palabras, ambos entregáronse al sueño. Fue aquella la última noche que pasaron juntos. Al siguiente día el desconocido partió, llevando consigo la bendición de Sosistrato; y no necesito deciros que, a pesar de sus buenas apariencias, aquel fingido peregrino era Satanás en persona.

El proyecto del maligno fue sutil. Una preocupación tenaz saltó desde aquella noche el espíritu del santo. ¡Bautizar la estatua de sal, libertar de su suplicio aquel espíritu encadenado! La caridad lo exigía, la razón argumentaba. En esta lucha transcurrieron meses, hasta que por fin el monje tuvo una visión. Un ángel se le apareció en sueños y le ordenó ejecutar el acto.

Sosistrato oró y ayunó tres días, y en la mañana del cuarto, apoyándose en su bordón de acacia, tomó, costeando el Jordán, la senda del Mar Muerto. La jornada no era larga,

---

[7] Fue un poeta religioso que vivió hacia el 330 en Hispania («presbítero español Juvenco», le llama Ernst Robert Curtius en su *Literatura europea y Edad Media Latina*, México, F. C. E., 1955) y escribió una epopeya bíblica a imitación de las epopeyas clásicas paganas (*Harmonía evangélica*).

[8] Quizá por la cita de Juvencus y los paralelismos entre la vida de Sosistrato y Simeón Estilita (el Viejo), podríamos situar la acción en torno al siglo IV o al siglo V.

pero sus piernas cansadas apenas podían sostenerlo[9]. Así marchó durante dos días. Las fieles palomas continuaban alimentándolo[10] como de ordinario, y él rezaba mucho, profundamente, pues aquella resolución afligíalo[11] en extremo. Por fin, cuando sus pies iban a faltarle, las montañas se abrieron y el lago apareció.

Los esqueletos de las ciudades destruidas poco a poco iban desvaneciéndose. Algunas piedras quemadas, era todo lo que restaba ya: trozos de arcos, hileras de adobes carcomidos por la sal y cimentados en betún... El monje[12] reparó apenas en semejantes restos, que procuró evitar a fin de que sus pies no se manchasen a su contacto. De repente, todo su viejo cuerpo tembló. Acababa de advertir hacia el sur, fuera ya de los escombros, en un recodo de las montañas desde el cual apenas se los percibía, la silueta de la estatua.

Bajo su manto petrificado que el tiempo había roído, era larga y fina como un fantasma. El sol brillaba con límpida incandescencia, calcinando las rocas, haciendo espejear la capa salobre que cubría las hojas de los terebintos. Aquellos arbustos, bajo la reverberación meridiana, parecían de plata. En el cielo no había una sola nube. Las aguas amargas dormían en su característica inmovilidad. Cuando el viento soplaba, podía escucharse en ellas, decían los peregrinos, cómo se lamentaban los espectros de las ciudades.

Sosístrato se aproximó a la estatua. El viajero había dicho verdad. Una humedad tibia cubría su rostro. Aquellos ojos blancos, aquellos labios blancos, estaban completamente inmóviles bajo la invasión de la piedra, en el sueño de sus siglos. Ni un indicio de vida salía de aquella roca. El sol la quemaba con tenacidad implacable, siempre igual desde hacía miles de años; y sin embargo, esa efigie estaba viva puesto que sudaba! Semejante sueño resumía el misterio de

---

[9] En 1906: «sostenerle».
[10] En 1906: «alimentándole».
[11] En 1906: «afligíale».
[12] En 1906: «monge»

los espantos bíblicos. La cólera de Jehová había pasado sobre aquel ser, espantosa amalgama de carne y de peñasco. ¿No era temeridad el intento de turbar ese sueño? ¿No caería el pecado de la mujer maldita sobre el insensato que procuraba redimirla? Despertar el misterio es una locura criminal, tal vez una tentación del infierno. Sosistrato, lleno de congoja, se arrodilló a orar en la sombra de un bosquecillo...

Cómo se verificó el acto, no os lo voy a decir[13]. Sabed únicamente que cuando el agua sacramental cayó sobre la estatua, la sal se disolvió lentamente, y a los ojos del solitario apareció una mujer[14], vieja como la eternidad, envuelta en andrajos terribles, de una lividez de ceniza, flaca y temblorosa, llena de siglos. El monje que había visto al demonio sin miedo, sintió el pavor de aquella aparición. Era el pueblo réprobo lo que se levantaba en ella. Esos ojos vieron la combustión de los azufres llovidos por la cólera divina sobre la ignominia de las ciudades; esos andrajos estaban tejidos con el pelo de los camellos de Lot; esos pies hollaron las cenizas del incendio del Eterno! Y la espantosa mujer le habló con su voz antigua.

Ya no recordaba nada. Sólo una vaga visión del incendio, una sensación tenebrosa despertada a la vista de aquel mar. Su alma estaba vestida de confusión. Había dormido mucho, un sueño negro como el sepulcro. Sufría sin saber por qué, en aquella sumersión de pesadilla. Ese monje acababa de salvarla. Lo sentía. Era lo único claro en su visión reciente. Y el mar... el incendio... la catástrofe... las ciudades ardidas... todo aquello se desvanecía en una clara[15] visión de muerte. Iba a morir. Estaba salvada, pues. Y era el monje quien la había salvado!

---

[13] Contrariamente a lo que en otros cuentos del libro sucede, en éste la estrategia consiste en no decir, como en este punto explicita el narrador.

[14] El final del relato de Poe *The Facts in the Case of Mr. Valdemar* es de un efecto muy parecido al aquí descrito: un ser que ha permanecido en estado latente vuelve al mundo, pero experimenta un proceso de vertiginosa transformación hasta situarse en el presente.

[15] En 1906: «clarividente».

Sosistrato temblaba, formidable. Una llama roja incendiaba sus pupilas. El pasado acababa de desvanecerse en él, como si el viento de fuego hubiera barrido su alma. Y sólo este convencimiento ocupaba su conciencia: *la mujer de Lot estaba allí!* El sol descendía hacia las montañas. Púrpuras de incendio manchaban el horizonte. Los días trágicos revivían en aquel aparato de llamaradas. Era como una resurrección del castigo, reflejándose por segunda vez sobre las aguas del lago amargo. Sosistrato acababa de retroceder en los siglos. Recordaba. Había sido actor en la catástrofe. Y esa mujer... ¡esa mujer le era conocida!

Entonces un ansia espantosa le quemó las carnes. Su lengua habló, dirigiéndose a la espectral resucitada:

—Mujer, respóndeme una sola palabra.

—Habla... pregunta...

—Responderás?

—Sí, habla; me has salvado!

Los ojos del anacoreta brillaron, como si en ellos se concentrase el resplandor que incendiaba las montañas.

—*Mujer, dime qué viste cuando tu rostro se volvió para mirar.*

Una voz anudada de angustia, le respondió:

—Oh, no... Por Elohim[16], no quieras saberlo!

—Dime qué viste!

—No... no... Sería el abismo!

—Yo quiero el abismo.

—Es la muerte...

—Dime qué viste!

—No puedo... no quiero!

—Yo te he salvado.

—No... no...

El sol acababa de ponerse.

—Habla!

La mujer se aproximó. Su voz parecía cubierta de polvo; se apagaba, se crepusculizaba, agonizando.

—Por las cenizas de tus padres!...

—Habla!

---

[16] Uno de los nombres bíblicos para referirse a Dios.

Entonces aquel espectro aproximó su boca al oído del cenobita, y dijo una palabra. Y Sosistrato, fulminado, anonadado, sin arrojar un grito, cayó muerto. Roguemos a Dios por su alma[17].

---

[17] Omitir la explicación entre dos hechos cuya causalidad supone una realidad distinta es una forma de postular la magia —diría Borges en un ensayo publicado en 1932 (*Discusión*). Pondremos esta idea en relación con la formulación que de lo fantástico hace Todorov en su *Introducción a la literatura fantástica*: «lo fantástico exige la duda» (Barcelona, EBA, 1982, pági-na 101). Ambos ciernen lo fantástico a la ausencia de explicaciones, de demostraciones discursivas. Tal es el camino hacia la literatura fantástica moderna que Lugones inicia en este relato.

El Psychon[1]

El doctor Paulin, ventajosamente conocido en el mundo científico por el descubrimiento del telectróscopo, el electroide y el espejo negro, de los cuales hablaremos algún día, llegó a esta capital hará próximamente ocho años, de incógnito, para evitar manifestaciones que su modestia repudiaba. Nuestros médicos y hombres de ciencia leerán correctamente el nombre del personaje, que disimuló bajo un patronímico supuesto, tanto por carecer de autorización para publicarlo, cuanto porque el desenlace de este relato ocasionaría polémicas, que mi ignorancia no sabría sostener en campo científico.

Un reumatismo vulgar, aunque rebelde a todo tratamiento, me hizo conocer al doctor Paulin cuando todavía era aquí un forastero. Cierto amigo, miembro de una sociedad de estudios psíquicos a quien venía recomendado desde Australia el doctor, nos puso en relaciones. Mi reumatismo desapareció mediante un tratamiento helioterápico original del médico; y la gratitud hacia él, tanto como el interés que sus experiencias me causaban, convirtió nuestra aproximación en amistad, desarrollando un sincero afecto.

Una ojeada preliminar sobre las mencionadas experiencias, servirá de introducción explicativa, necesaria para la mejor comprensión de lo que sigue.

---

[1] Sabemos de la inclinación de Lugones a la etimología (en edición póstuma apareció un incompleto *Diccionario Etimológico del castellano usual*, 1944). El título de este relato juega con la etimología, y a lo largo del relato inventa diversos neologismos de apariencia científica.

219

El doctor Paulin era, ante todo, un físico distinguido. Discípulo de Wroblewski[2] en la universidad de Cracovia, habíase dedicado con preferencia al estudio de la licuación de los gases, problema que planteado imaginativamente por Lavoisier[3], debía quedar resuelto luego por Faraday[4], Cagniard-Latour[5] y Thilorier[6]. Pero no era éste el único género de investigaciones en que sobresalía el doctor. Su profesión se especializaba en el mal conocido terreno de la terapéutica sugestiva, siendo digno émulo de los Charcot[7], los Dumontpallier, los Landolt[8], los Luys[9]; y aparte el sistema helioterápico citado más arriba, mereció ser consultado por Guimbail y por Branly[10] repetidas veces, sobre temas tan delicados como la conductibilidad de los neurones,

---

[2] Físico polaco (1845-1888), profesor de la universidad de Cracovia (1882). Obsérvese la relación del cuento con las experiencias de este científico en la licuación de gases.

[3] Químico francés (1743-1794): «Lavoisier fue el primero que expuso claramente lo que otros grandes químicos de la época (...) habían sospechado; el aire estaba formado por dos gases, uno de los cuales mantenía la combustión y el otro no». (Asimov, *Enciclopedia biográfica...*, ed. cit., tomo II, pág. 275).

[4] Químico inglés (1791-1897). Fue el primer inventor de un generador eléctrico, a lo que dedicó la mayor parte de su vida. Aquí lo cita Lugones por la siguiente experiencia: «Michael Faraday descubrió que, incluso a temperaturas ordinarias, algunos gases se licuefactan bajo presión. Empleó un fuerte tubo de vidrio inclinado en forma de bumerang. En el extremo cerrado, colocó una sustancia que podría contener el gas tras el que iba. Luego, cerró el extremo abierto. El extremo con la materia sólida lo situó en agua caliente, con lo que se liberó el gas en una cantidad cada vez más creciente (...) El otro extremo del tubo lo mantuvo Faraday en un cubilete lleno de hielo picado. En ese extremo, el gas se hallaría sometido tanto a una presión elevada como a baja temperatura, y se licuaría. En 1823, Faraday licuefactó de esta forma el gas cloro». (Asimov, *Nueva guía...*, ed. cit., pág. 269).

[5] Físico francés (1777-1859) inventor de la sirena. Demostró que la fermentación alcohólica se debía a la presencia de un organismo vivo.

[6] En 1835, este químico francés, empleó el método de Faraday para licuar dióxido de carbono (Asimov, *Nueva guía de la ciencia*, ed. cit., pág. 269).

[7] Médico francés (1825-1893) iniciador de la moderna psiquiatría.

[8] Químico suizo (1831-1910).

[9] Neuropsiquiatra francés (1828-1895).

[10] Físico francés (1844-1940) que estudió la incidencia de la luz sobre diversos cuerpos electrizados.

cuya ley recién determinada entonces por ambos sabios, era el caso palpitante de la ciencia.

Forzoso es confesar, no obstante, que el doctor Paulin adolecía de un defecto grave. Era espiritualista, teniendo para mayor pena, la franqueza de confesarlo. Siempre recordaré a este respecto el final de una carta que dirigió en julio del 98, al profesor Elmer Gates, de Washington, contestando otra en la cual éste le comunicaba particularmente sus experiencias sobre la sugestión en los perros y sobre la «dirigación», o sea la acción modificadora ejercida por la voluntad sobre determinadas partes del organismo[11].

«Y bien, sí —decía el doctor—; tenéis razón para vuestras conclusiones que acabo de ver publicadas junto con el relato de vuestras experiencias, en el *New york Medical Times*. El espíritu es quien rige los tejidos orgánicos y las funciones fisiológicas, porque es él quien crea esos tejidos y asegura su facultad vital. Ya sabéis si me siento inclinado a compartir vuestra opinión», etc.

Así, el doctor Paulin era mirado de reojo por las academias. Como a Crookes[12], como a de Rochas[13], lo[14] aceptaban con agudas sospechas. Sólo faltaba la estampilla materialista para que le expidieran su diploma de sabio.

¿Por qué estaba en Buenos Aires el doctor Paulin? Parece que a causa de una expedición científica con la que procuraba coronar ciertos estudios botánicos aplicados a la medicina. Algunas plantas que por mi intermedio consiguió, entre otras la jarilla cuyas propiedades emenagogas[15] habíales[16] yo descrito, dieron pie para una súplica a que su amabilidad defirió de buen grado. Le pedí autorización

---

[11] La voluntad es la fuerza en que se centran algunos cuentos de Poe, *v. gr.* «Ligheia».

[12] Ya ha sido citado este químico inglés (1832-1919) en *Un fenómeno inexplicable*.

[13] Investigador francés (1837-1914) que trabajó sobre problemas de magnetismo al tiempo que se ocupó de temas ocultistas.

[14] En 1906: «le».

[15] Supuestamente, sustancias que provocan la aparición de la menstruación de la mujer.

[16] En 1906: «habíale».

para asistir a sus experimentos, siendo testigo de ellos desde entonces.

Tenía el doctor, en el pasaje X, un laboratorio al cual se llegaba por la sala de consultas. Todos cuantos lo[17] conocieron, recordarán perfectamente éste y otros detalles, pues nuestro hombre era tan sabio como franco y no hacía misterio de su existencia. En aquel laboratorio fue donde una noche, hablando con el doctor sobre las prescripciones rituales que afectan a los cleros de todo el mundo, obtuve una explicación singular de cierto hecho que me traía muy atareado.

Comentábamos la tonsura, cuya explicación yo no hallaba, cuando el doctor me lanzó de pronto este argumento que no pretendo discutir:

—Sabe usted que las exhalaciones fluídicas[18] del hombre, son percibidas por los sensitivos en forma de resplandores, rojos los que emergen del lado derecho, azulados los que se desprenden del izquierdo. Esta ley es constante, excepto en los zurdos cuya polaridad se trueca, naturalmente, lo mismo para el sensitivo que para el imán. Poco antes de conocerlo[19], experimentando[20] sobre ese hecho con Antonia, la sonámbula que nos sirvió para ensayar el electroide, me hallé en presencia de un hecho que llamó extraordinariamente mi atención. La sensitiva veía desprenderse de mi occipucio una llama amarilla, que ondulaba alargándose hasta treinta centímetros de altura. La persistencia con que la muchacha afirmaba este hecho, me llenó de asombro. No podía siquiera presumir una sugestión involuntaria, pues en este género de investigaciones empleo el método del doctor Luys, hipnotizando solamente las retinas para dejar libre la facultad racional.

El doctor se levantó de su asiento y empezó a pasearse por la habitación.

—Con el interés que se explica ante un fenómeno tan

---

[17] En 1906: «le».

[18] Aquí incorpora la exposición aspectos esotéricos u ocultistas: los seres humanos emanan un fluido que explicaría la propagación de informaciones o efectos psicocinéticos.

[19] En 1906: «conocerle».

[20] En 1926: «experimentado».

222

inesperado, ensayé al otro día una experiencia con cinco muchachos pagados al efecto. Antonia no vio en ninguno la misteriosa llama, aunque sí las aureolas ordinarias: mas cuál no sería mi sorpresa, al oírla exclamar en presencia del portero don Francisco, usted sabe, llamado por mí como último recurso: «El señor sí la tiene, clarita pero menos brillante.» Cavilé dos días sobre aquel fenómeno; hasta que de pronto, por ese hábito de no desperdiciar detalle adquirido en semejantes estudios, me ocurrió una idea que, ligeramente ridícula primero, no tardó en volverse aceptable.

Chupó vigorosamente su cigarro y continuó:

—Tengo la costumbre de operar llevando puesto mi fez casero; la calvicie me obliga a esta incorrección... Cuando Antonia vio sobre mi cabeza el fulgor amarillo, estaba sin gorro, habiéndomelo quitado por el excesivo calor. ¿No habría sido el cabello de los muchachos lo que impidió la emisión de la llama? Según Fugairon, la capa córnea que constituye la epidermis, es mal conductor de la electricidad animal; de modo que el pelo, substancia córnea también, posee idéntica propiedad. Además, don Francisco es calvo como yo, y la coincidencia del fenómeno en ambos, autorizaba una presunción atendible. Mis investigaciones posteriores la confirmaron plenamente; y ahora comprenderá usted la razón de ser de la tonsura. Los sacerdotes primitivos, observarían sobre la cabeza de algunos apóstoles *electrógenos*, diremos, aceptando un término de reciente creación, el resplandor que Antonia percibía en las nuestras. El hecho, de Moisés acá, no es raro en las cronologías legendarias. Luego se notaría el obstáculo que presentaba el cabello, y se establecería el hábito de rapar aquel punto del cráneo por donde surgía el fulgor, a fin de que este fenómeno, cuyo prestigio se infiere, pudiera manifestarse con toda intensidad. Le parece convincente mi explicación?

—Me parece, por lo menos, tan ingeniosa como la de Volney[21], para quien la tonsura es el símbolo del sol...

---

[21] Volney, Constantin-François de Chasseboeuf, Comte de (1757-1820), historiador y filósofo, cuyos trabajos fueron el epítome del racionalismo dieciochesco en los campos de la historia y la política.

Tenía la costumbre de contradecirlo así, indirectamente, para que llegase hasta el fin en sus explicaciones.

—Podría usted citar, asimismo, la de Brillat-Savarin[22], según el cual se ha prescrito la tonsura a los monjes para que tengan fresca la cabeza —replicó el doctor entre picado y sonriente.

—No obstante, hay algo más —prosiguió animándose—. Desde mucho tiempo antes, proyectaba una experiencia sobre esas emanaciones fluídicas, sobre la *lohé*, para usar la expresión de Reichenbach[23], su descubridor: quería obtener el espectro de esos fulgores. Lo intenté, haciéndome describir por la sensitiva, minuciosamente, todos los fenómenos...

—... Y qué resulta? —pregunté entusiasmado.

—Resulta una raya verde en el índigo para la coloración roja, y dos negras en el verde para la coloración azul. En cuanto a la amarilla descubierta por mí, el resultado es extraordinario. Antonia dice ver en el rojo una raya violeta claro.

—Absurdo!

—Lo que usted quiera; pero yo[24] le he presentado un espectro, y ella me ha indicado en él la posición de la raya que ve o cree ver. Según estos datos, y con todas las suposiciones de error posible, creo que esa raya es la número 5.567. De ser así, habría una identidad curiosa; pues la raya 5.567, coincidiría exactamente con la hermosa raya número 4 de la aurora boreal...

—Pero, doctor, todo esto es fantasía pura! —exclamé alarmado por aquellas ideas vertiginosas.

—No, amigo mío. Esto significaría sencillamente que el polo es algo así como la coronilla del planeta (!).

Poco después de la conversación que he referido y cuya última frase concluyó entre la más afable sonrisa del doctor

---

[22] Escritor francés (1755-1826) famoso por su tratado de gastronomía *Fisiología del gusto* (1826).

[23] Este filósofo naturalista alemán (ha sido ya citado) se propuso descubrir las emanaciones o radiaciones que los humanos desprendían, sin éxito.

[24] En 1906: «ya».

Paulin, éste me leyó una tarde, entusiasmado, las primeras noticias sobre la licuación del hidrógeno efectuada por Dewar[25] en mayo de aquel año, sobre el descubrimiento hecho algunos días después por Travers y Ramsay[26], de tres elementos nuevos en el aire: el *kryptón*, el *neón* y el *metargón*, aplicando precisamente el procedimiento de licuación de los gases; y a propósito de estos hechos, recuerdo aún su frase de labor y de combate:

—No; no es posible que yo muera sin ligar mi nombre a uno de estos descubrimientos que son la gloria de una vida. Mañana mismo continuaré mis experiencias.

Desde el siguiente día, púsose a trabajar en efecto con ardor febril; y aunque ya debía estar curado de asombro ante sus éxitos, no pude menos de estremecerme cuando una tarde me dijo con voz tranquila:

—¿Creerá usted que he visto con mis propios ojos esa raya en el espectro del neón?

—¿De veras? —dije con evidente descortesía.

—De veras. Creo que la tal raya me ha puesto en buen camino. Pero a fin de satisfacer su curiosidad, me es menester hablarle de ciertas indagaciones que he mantenido reservadas.

Agradecí calurosamente y me dispuse a oír con avidez.

El doctor empezó:

—Aunque las noticias sobre la licuación del hidrógeno eran harto breves, mis conocimientos en la materia me permitieron completarlas, bastándome modificar el aparato de Olzewski[27], que uso en la preparación del aire líquido. Apli-

---

[25] Afirma Asimov a propósito de la experiencia llevada a cabo por este químico escocés que vivió a finales del siglo pasado: «El hidrógeno resistió todos los esfuerzos para licuefactarlo hasta 1900» (*Nueva guía...*, ed. cit., pág. 271).

[26] Ramsay licuó el argón —del que extrajo el neón, el criptón y el xenón— con su colaborador Lord Rayleigh (el físico británico John W. Strutt). No se le conoce como Travers en las habituales enciclopedias científicas.

[27] Probablemente se refiere a Olszewski (Carlos); químico polaco que en 1846 se especializó en la licuefacción de los gases permanentes. En 1883 licuefactó el oxígeno en colaboración con Wroblewsky. También se el atribuyen aparatos para licuar el hidrógeno —a los que quizá se refiere Lugones.

cando después el principio de la destilación fraccionada, obtuve como Travers y Ramsay los espectros del kryptón, el neón y el metargón. Dispuse luego extraer estos cuerpos, por si aparecía algún espectro nuevo en el residuo, y efectivamente, cuando ya no quedó más, vi aparecer la raya mencionada.

—Y cómo se opera la extracción?

—Evaporando[28] lentamente el aire líquido, y recogiendo en un recipiente el gas desprendido por esa evaporación. Si tuviera aquí una máquina Linde[29] que me suministraría sesenta kilogramos de aire líquido por hora, podría operar en grande escala; pero he debido contentarme con una producción de ochocientos centímetros cúbicos.

»Obtenido el gas en el recipiente, lo trato por el cobre calentado para retirar el oxígeno, y por una mezcla de cal con magnesio para absorber el ázoe. Queda, pues, aislado el argón; y entonces es cuando aparece la doble raya verde del kryptón, descubierta por Ramsay. Licuando el argón aislado, y sometiéndolo a una evaporación lenta, los productos de la destilación suministran en el tubo de Geissler[30] una luz rojo-anaranjada, con nuevas rayas, que por la interposición de una botella de Leyden[31] aumentan, caracterizando el espectro del neón. Si la destilación prosigue, se obtiene un producto sólido de evaporación muy lenta, cuyo espectro se caracteriza por dos líneas, una verde y la otra amarilla, denunciando la existencia del metargón o *eosium*, según propone Berthelot[32]. Hasta aquí, es todo lo que se sabe.

---

[28] En 1906: «haciendo evaporar».

[29] Inventor alemán (1842-1934) que construyó una máquina de refrigeración por compresión: En 1895, el ingeniero químico inglés William Hampson y el físico alemán Karl von Linde, independientemente, idearon una forma de licuefactar el aire a gran escala. El aire era primero comprimido y enfriado a temperaturas ordinarias. Luego se le dejaba expansionar y, en el proceso, quedaba por completo helado» (*Nueva guía...*, ed. cit., página 271).

[30] Inventor alemán (1814-1879) que creó una bomba de aire conocida con el nombre de «tubo de Geissler».

[31] Médico alemán (1832-1910) investigador de los procesos asmáticos.

[32] Químico francés (1827-1907) que se dedicó a la síntesis de compuestos orgánicos —a lo que parece aludir Lugones.

—Y la raya violeta?

—Vamos a verla dentro de algunos instantes. Sepa usted, entretanto, que para llegar a resultados iguales, yo procedo de otro modo. Retiro el oxígeno y el ázoe por medio de las substancias indicadas; luego el argón y el metargón con hiposulfito de soda; el kryptón en seguida con fosfuro de cinc, y por último el neón con ferrocianuro de potasio. Este método es empírico. Queda todavía en el recipiente un residuo comparable a la escarcha, que se evapora con suma lentitud. El gas resultante, es mi descubrimiento.

Me incliné ante aquellas palabras solemnes.

—He estudiado sus constantes físicas llegando a determinar algunas. Su densidad es de 25,03, siendo la del oxígeno de 16 como es sabido. He determinado también la longitud de la onda sonora en ese fluido, y el número encontrado, permitiéndome evaluar la relación de los calores específicos, me ha indicado que es monoatómico. Pero el resultado sorprendente está en su espectro, caracterizado por una raya violeta en el rojo, la raya 5.567 coincidente con la número 4 de la aurora boreal, la misma que presentaba el fulgor amarillo percibido por Antonia sobre mi cabeza.

Ante tal afirmación, dejé escapar esta pregunta inocente:

—Y qué será ese cuerpo, doctor?

Con gran sorpresa mía, el sabio sonrió satisfecho.

—Ese cuerpo... hum! Ese cuerpo bien podría ser pensamiento volatilizado.

Di un salto en la silla, pero el doctor me impuso silencio con un ademán.

—Por qué no? —siguió diciendo—. El cerebro irradia pensamiento en forma de fuerza mecánica, habiendo grandes probabilidades de que lo haga también en forma fluídica. La llama amarilla no sería en este caso más que el producto de la combustión cerebral, y la analogía de su espectro con el de la substancia descubierta por mí, me hace creer que sean algo idéntico. Figúrese por el consumo diario de pensamiento, la enorme irradiación que debe producirse. ¿Qué se harían, efectivamente, los pensamientos inútiles o extraños, las creaciones de los imaginativos, los éxtasis de los místicos, los ensueños de los histéricos, los

227

proyectos de los ilógicos, todas esas fuerzas cuya acción no se manifiesta por falta de aplicación inmediata? Los astrólogos decían que los pensamientos *viven* en la luz astral, como fuerzas latentes susceptibles de actuar en determinadas condiciones. ¿No sería esto una intuición del fenómeno que la ciencia está en camino de descubrir? Por lo demás, el pensamiento como entidad psíquica es inmaterial; pero sus manifestaciones deben ser fluídicas, y esto es quizás lo que he llegado a obtener como un producto de laboratorio.

A horcajadas en su teoría, el doctor lanzábase audazmente por aquellas regiones, desarrollando una temible lógica a la que yo intentaba resistir en vano.

—He dado a mi cuerpo el nombre de *Psychon* —concluyó—: ya comprende usted por qué[33]. Mañana intentaremos una experiencia: licuaremos el pensamiento (el doctor me agregaba, como se ve, a sus experimentos, y me guardé bien de rehusar). Después calcularemos si es posible realizar su oclusión en algún metal, y acuñaremos medallas psíquicas. Medallas de genio, de poesía, de audacia, de tristeza... Luego determinaremos su sitio en la atmósfera, llamando «psicósfera», si se permite la expresión, a la capa correspondiente... Hasta mañana a las dos, entonces, y veremos lo que resulta de todo esto.

A las dos en punto estábamos en obra.

El doctor me enseñó su nuevo aparato. Consistía en tres espirales concéntricas formadas por tubos de cobre y comunicadas[34] entre sí. El gas desembocaba en la espiral exterior, bajo una presión de seiscientas cuarenta y tres atmósferas, y una temperatura de −136° obtenida por la evaporación del etileno según el sistema circulatorio de Pictet[35]; recorriendo las otras dos serpentinas, iba a distenderse en la extremidad inferior de la espiral interna, y atravesando sucesivamente los compartimientos anulares en que se encontraban aqué-

---

[33] En 1906: «ya comprende por qué».
[34] En 1906: «comunicados».
[35] Químico suizo (1846-1929) cuya labor fue, como la de tantos científicos citados en el presente relato, la licuación de gases.

llas, desembocaba cerca de su punto de partida en el extremo superior de la segunda. El aparato medía en conjunto 70 cm de altura por 17,5 cm de diámetro. La distensión del fluido compresionado, ocasionaba el descenso de temperatura requerido para su licuación, por el método llamado de la cascada, también perteneciente al profesor Pictet.

La experiencia comenzó, previos los trámites del caso que sólo interesarían a los profesionales, siendo por ello suprimidos.

Mientras el doctor operaba, yo me disponía a escribir los resultados que me dictase, en un formulario. Doy a continuación esas anotaciones tal como las redactó, en gracia de la precisión indispensable.

Decía el doctor:

«Cuando la distensión llega a cuatrocientas atmósferas, se obtiene una temperatura de $-237°3$ y el fluido desemboca en un vaso de dobles[36] paredes separadas por un espacio vacío de aire; la pared interior está plateada, para impedir aportes de calor por convexión o por irradiación.»

«El producto es un líquido transparente e incoloro que presenta cierta analogía con el alcohol.»

«Las constantes críticas del psychon, son, pues, cuatrocientas atmósferas y $-237°3$.»

«Un hilo de platino cuya resistencia es de 5.038 ohms en el hielo fundente, no presenta más que una de 0,119 en el psychon hirviendo. La ley de variación de la resistencia de este hilo con la temperatura, me permite fijar la de la ebullición del psychon en $-265°$.»

—¿Sabe usted lo que quiere decir esto? —me preguntó suspendiendo bruscamente el dictado.

No le respondí; la situación era demasiado grave.

—Esto quiere decir —prosiguió como hablando consigo mismo— que ya no estaríamos más que a ocho grados del cero absoluto.

Yo me había levantado, y con la ansiedad que es de suponer, examinaba el líquido cuyo menisco se destacaba clara-

---

[36] En 1926: «doble».

mente en el vaso. El pensamiento!... El cero absoluto!... Vagaba con cierta lúcida embriaguez en el mundo de las temperaturas imposibles.

Si pudiera traducirse, pensaba, *¿qué diría* este poco de agua clara que tengo ante mis ojos? Qué oración pura de niño, qué intento criminal, qué proyectos estarán encerrados en este recipiente? O quizá alguna malograda creación de arte, algún descubrimiento perdido en las oscuridades del ilogismo?...

El doctor, entretanto, presa de una emoción que en vano intentaba reprimir, medía el aposento a grandes pasos. Por fin se aproximó al aparato diciendo:

—El experimento está concluido. Rompamos ahora el recipiente para que este líquido pueda escapar evaporándose. Quién sabe si al retenerlo no causamos la congoja de alguna[37] alma...

Practicóse un agujero en la pared superior del vaso, y el líquido empezó a descender, mientras el ruido mate de un escape se percibía distintamente.

De pronto noté en la cara del doctor una expresión sardónica enteramente fuera de las circunstancias; y casi al mismo tiempo, la idea de que sería una inconveniencia estúpida saltar por encima de la mesa, acudió a mi espíritu; mas, apenas lo hube pensado, cuando ya el mueble pasó bajo mis piernas, no sin darme tiempo para ver que el doctor arrojaba al aire como una pelota su gato, un siamés legítimo, verdadera niña de sus ojos. El cuaderno fue a parar con una gran carcajada en las narices del doctor, provocando por parte de éste una pirueta formidable en honor mío. Lo cierto es que durante una hora, estuvimos cometiendo las mayores extravagancias, con gran estupefacción de los vecinos a quienes atrajo el tumulto y que no sabían cómo explicarse la cosa. Yo recuerdo apenas, que en medio de la risa, me asaltaban ideas de crimen entre una vertiginosa enunciación de problemas matemáticos. El gato mismo se mezclaba a nuestras cabriolas con un ardor extraño a su apatía tropical, y aquello no cesó sino cuando los especta-

---

[37] En 1906: «algún».

dores abrieron de par en par las puertas; pues el pensamiento puro que habíamos absorbido, era seguramente el elixir de la locura.

El doctor Paulin desapareció al día siguiente, sin que por mucho tiempo me fuese dado averiguar su paradero.

Ayer, por primera vez, me llegó una noticia exacta. Parece que ha repetido su experimento, pues se encuentra en Alemania en una casa de salud.

Ensayo de una cosmogonía[1] en diez lecciones

PROEMIO

Hallándome cierta vez en un paso de la Cordillera de los Andes, trabé[2] conocimiento con un caballero que allá[3] moraba desde poco tiempo atrás, por cuenta de cierto sindicato para el cual estaba efectuando una mensura.

Era un hombre alto, moreno, en cuyo tipo resaltaba ante todo una gran distinción, a poco acentuada por el encanto de su lenguaje.

Un accidente montañés, que inutilizó por varios días a mi peón de mano, me obligó a compartir su real de agrimensor con cierto exceso quizá; pero mi hombre merecía aquel corto sacrificio de tiempo, y yo, además, no llevaba prisa.

Arrobado verdaderamente por su conversación, confieso que las horas se me iban sin sentirlo, así las ideas expresadas por aquellos labios fuesen de las más extraordinarias; pero entre ellas y su autor, había cierta correlación de singularidad que las hacía enteramente aceptables mientras él hablaba.

---

[1] Los teóricos de la ciencia diferencian entre cosmogonía —génesis y evolución del cosmos— y cosmología —interpretación del universo como totalidad. Lugones parece atender a ambas definiciones aunque con predominio de la primera.

[2] En 1906: «hice».

[3] En 1906: «allí».

En el hombre aquel, el tipo era tan indefinible como la edad, bien que a primera vista se le atribuyera una vigorosa juventud y una procedencia americana; pero éstas pueden ser ocurrencias mías en las cuales ruego al lector que no insista.

Nuestras pláticas —sus conferencias mejor dicho— dejaron en mi ánimo una gran impresión a la cual contribuirían ciertamente la soledad inspiradora de las noches andinas, la comunión de naturaleza que sugería su serenidad, y el silencio divino de las estrellas; pero cuyo mérito intrínseco bien merecía el estupor de un mortal.

Una de aquellas noches, cerca del fuego medio apagado, mientras los peones reparaban en el sueño las fatigas del día, escuché la revelación que procuraré transmitir tan fielmente como me sea posible, ya que no se me exigió secreto alguno. Por mucho que difiera de las ideas científicas dominantes, el lector apreciará su concepción profunda, su lógica perfecta, y comprenderá que explica bastantes cosas con mayor claridad aún. He meditado bien antes de decidirme a publicarla, pero dos circunstancias me han impulsado sobre todo. La primera es que, a pesar de las más prolijas indagaciones, no he podido encontrar indicio alguno de aquel casual interlocutor, pues todas las señas que me dio a su respecto han resultado inciertas; la segunda es la facilidad con que me hizo el confidente de sus revelaciones. Estas dos circunstancias, me hacen creer que yo fui tomado como agente para comunicar tales ideas, papel que acepto desde luego con la más perfecta humildad[4].

La ocultación del revelador podría infundir sospechas; pero el lector verá que ella era innecesaria dada la naturale-

   [4] Borges ha atribuido a Lugones el propósito de teorizar seriamente, aunque la modestia le lleva a anteponer este prólogo literario. También ha dicho que tras la *Cosmogonía* de Lugones está *Eureka*, de Poe. El comienzo de ambas exposiciones incorpora esta suerte de *captacio benevolentiae*: «Con verdadera humildad, sin afectación y hasta con un sentimiento de temor, escribo la primera frase de esta obra, pues de todos los temas imaginables acerco al lector al más solemne, al más amplio, al más difícil, al más augusto» (Madrid, Alianza, 1990 (5ªreimp.), pág. 15).

za de sus enseñanzas, y que, en todo caso, responde a la decisión de no decir más, o a la modestia. Ambas cosas respetables.

Para no caer en conjeturas, lo mejor será abordar cuanto antes el asunto.

La vida, que es la eterna conversión de las cosas en otras distintas, abarca con su ley primordial el universo entero. Todas las cosas que son dejarán de ser, y vienen de otras que ya han dejado de ser. Tan universal como la vida misma, es esta periodicidad de sus manifestaciones.

El día y la noche, el trabajo y el reposo, la vigilia y el sueño, son como quien dice los polos de la manifestación de la vida. Engendrándose unos a otros y permutándose, es como engendran los fenómenos. Toda fuerza será inercia y toda inercia será fuerza. Siendo ambas *vida* en su esencia, su identidad radical es lo que produce sus permutaciones.

Su diferencia aparente, la contradicción en que parecen hallarse, es sencillamente una diferencia de magnitudes: *la noche es menos día*, y así en lo demás.

Ahora bien, toda magnitud es una progresión y de esto depende que no haya brusquedad en los cambios de estado de las cosas. Así es como la continuidad de la vida se mantiene en la periodicidad.

Vivir es estar continuamente viniendo a ser y dejando de ser. Cada uno de los focos donde esto se opera —átomo o planeta, célula u organismo— es una vida. Ese equilibrio infinitamente inestable, sin duración puesto que la más mínima permanencia en uno u otro de los estados que lo forman, lo anularía ya; y sin tiempo, puesto que es una coincidencia de ser y de no ser —ese equilibrio es lo que se llama la existencia. Dejar de existir es acabarse ese equilibrio: entrar el ser a un estado inconcebible. En nuestro universo, *lo que viene a ser* se llama *materia*, y *lo que deja de ser* se llama *energía*; pero claro está que estas cosas figuran aquí como entidades abstractas. No obstante, como las manifestaciones polares de la vida se permutan, lo que viene a ser, es decir la materia, proviene de la energía y vice-versa.

Si toda magnitud es una progresión, su crecimiento y su decrecimiento deben tener una duración equivalente, y éste es otro carácter de la periodicidad en las manifestaciones de la vida. El isocronismo de las oscilaciones pendulares, materializa en forma visible tal ley.

Estas consideraciones que en nada afectan a las ideas científicas y filosóficas de nuestra época, son necesarias para que se comprenda mejor la exposición del sistema cosmogónico.

Un universo que nace, es el producto de un universo que fue, y basta para demostrarlo, que ese universo haya nacido: *ex nihilo nihil*[5].

Los universos acaban como manifestación material, convirtiéndose en energía pura según la ley fundamental de la vida, y en este último estado permanecen por una duración equivalente a la que tuvieron como materia. Esta duración, que respecto a la materia es un reposo absoluto en el cual no hay tiempo ni ninguna otra idea proveniente de la relación de magnitudes, pues al no existir la materia no hay magnitud de ningún género —esta duración es la eternidad. Eternidad significa, como es sabido, ausencia de tiempo.

Semejante estado, que es el no existir del que hablábamos más arriba, es un estado inconcebible como decíamos también. Hay, pues, una imposibilidad absoluta para especular a su respecto. Sólo podemos saber que es energía incondicionada.

Los antiguos decían que las tinieblas son luz absoluta; y siendo la luz una forma de energía, la forma más elevada mejor dicho para nuestra percepción, luz pura, es decir, energía pura, equivale a aquel estado inconcebible, o sea a las tinieblas: luz absoluta. La ciencia habla ahora de *luz negra*, exactamente como el *Zohar*[6], libro hebreo más antiguo

---

[5] Poe es también partidario de concebir el origen de la materia como creada de la nada: «La materia, al surgir de la unidad, surgió de la nada, esto es, fue creada» *(op. cit.,* pág. 10).

[6] Borges nos proporciona una referencia al *Zohar* que coincide con lo que será el final de la *Cosmogonía*: «Cuando el remoto compilador del *Zohar* tuvo que arriesgar alguna noticia de su indistinto Dios —divinidad tan pura que ni siquiera el atributo de *ser* puede sin blasfemia aplicársele— discurrió un modo prodigioso de hacerlo. Escribió que su cara era trescientas setenta veces más ancha que diez mil mundos; entendió que lo gigantesco puede ser una forma de lo invisible y aun de lo abstracto» («El otro Withman», en *Discusión, Prosa completa,* Barcelona, Bruguera, 1980, pág. 45).

que la Biblia; y esta luz negra parece ser la forma más sutil del éter, teniendo una absoluta fuerza de penetración. Resulta superior a la otra luz, bien que sea invisible*.

Transcurrida la duración de un universo como energía pura, la ley de periodicidad lo llama de nuevo a la existencia material; pero esta nueva existencia no será, naturalmente, una repetición de la antigua. Constituirá, por el contrario, una continuación de las actividades que cesaron al dejar de existir ese universo, y que han permanecido latentes en el seno de la absoluta energía**. De otro modo se volvería atrás, y la naturaleza nunca vuelve atrás.

¿Pero qué habrá podido ser, supongamos, el universo anterior al nuestro; aquél de que el nuestro procede?

Siendo una realidad la ley que rige las manifestaciones de la vida bajo determinadas formas, la más simple desviación de ella comporta[7] el cambio de todas esas[8] formas. Así, por ejemplo, nuestro universo tiene por base la curva; todo la presupone en él; todas nuestras percepciones dependen de este acomodo fundamental. Supongamos que en vez de ser la curva fuese la recta. El universo se convertiría en algo enteramente imperceptible para nosotros, y hasta podría coexistir con nuestro universo actual, sin la más mínima sospecha de nuestra parte[9]. Ahora, si conjeturamos —lo que es bien posible— otros conceptos geométricos y otras formas de universos, el problema se simplifica más aún. Quizá el «mundo invisible» que nos rodea y se comunica a veces con nosotros bajo formas tan extrañas, no sea sino esto; y con

---

* «Luz negra» y «tinieblas» no equivalen naturalmente a *sombra*, es decir a una disminución de luz. Son la «no-luz» en absoluto.

** Esta causalidad, que es la ley suprema de toda vida, tiene un símbolo admirable en el paganismo. Queremos hablar del destino (o sea el determinismo de las causas anteriores) que era superior a todos los dioses, sin ser él mismo un dios.

---

[7] En 1906: «implica».
[8] En 1906: «estas».
[9] Esta idea sirve de base a Poe para sustentar que el universo es limitado (véase *op. cit.*, pág. 112-113).

una existencia tan real, tan material como el nuestro, nos resulte[10] del todo imperceptible.

El universo antecesor del nuestro, había regresado, pues a su estado de éter puro, de pura energía al concluir un ciclo de evolución bajo determinadas formas, cuyo desarrollo al entrar de nuevo en el período material, engendraría nuestro universo curvilíneo.

Este determinismo cósmico, nada tiene de violento para nuestros conceptos científicos; y quizá más pronto de lo que se cree, las especulaciones sobre la cuarta dimensión del espacio puedan darnos un esquema del origen de nuestra geometría.

Pero lo interesante es describir el proceso de la organización de la materia tal como la conocemos.

---

[10] En 1906: «resulta».

Cuando el éter puro en que se disolvió un universo, ha tenido una duración equivalente a la de este último[11], ocurre en él un cambio de estado. La vida, ya lo hemos dicho, es un eterno cambiar de estado.

La primera manifestación de esto en el éter del cual nuestro universo procede, fue un movimiento. Sabemos que las diversas manifestaciones de la electricidad, son cambios de estado por el movimiento; de tal modo que basta mover con velocidad uniforme un cuerpo cargado de electricidad estática, para que ésta se vuelva corriente voltaica; y que basta con variar esa velocidad, para producir la inducción: es decir tres electricidades distintas.

Ahora bien, los primeros fenómenos del éter que va a organizarse en materia, presentan una gran analogía con estos cambios de estado, pues la primera manifestación del éter es, en efecto, electricidad.

Para seguir con la analogía, conviene recordar que la electricidad en el vacío produce los rayos catódicos y los rayos x. La ciencia acaba de descubrir los rayos γ[12] más poderosos aún, pues atraviesan todos los obstáculos y no hay fuerza que pueda desviarlos. Este estado todavía mal conocido de la electricidad, esta «luz» invisible que sólo presenta una analogía lejana con la luz habitual, es la primera manifestación material del éter. Es electricidad puramente dinámica en una forma que no podemos concebir ahora, según lo prueba su indiferencia ante todos los obstáculos y todas las fuerzas. Es el primer ser del universo, el universo mismo, puesto que todas las formas que han de componerlo, serán sus desdoblamientos; y he aquí por qué la antigua sabiduría llamaba a la electricidad *alma del mundo*. Repre-

---

[11] En 1906 no consta esta palabra.
[12] Fue obra de Paul Ulrich Vilard en torno a 1900.

senta el mundo de una sola dimensión, el mundo de la longitud absoluta, inconcebible para nosotros a no ser como una mera abstracción.

La propagación de este rayo es rectilínea, pero su forma es ondulada; y a medida que se propaga, van agrandándose naturalmente sus ondulaciones. Como el absoluto dinamismo posee una tendencia a convertirse en electricidad* estática, pues a todo esto se debe su manifestación en forma de «luz» γ, llega un momento en que las ondulaciones dividen el rayo en trozos venciendo su cohesión; y como estas ondulaciones son arcos de circo, sus estremos, libres de toda solicitación por otras fuerzas, se buscan, se unen y forman ruedas en el espacio.

La ondulación, levísima al principio en el rayo γ, empieza siendo una tendencia hacia la segunda dimensión, la latitud; pero ésta no alcanza manifestación real sino al formarse los primeros círculos. El mundo de la longitud absoluta, el mundo de una dimensión, era, como es claro, el mundo de lo uniforme; un simple movimiento sin puntos de referencia, tan abstracto para nosotros como una idea, pero con existencia real. La transformación de la electricidad puramente estática en electricidad dinámica, es pues, lo que engendra la segunda dimensión —la latitud— y con ella la superficie, es decir la forma.

Esta tendencia de la energía a permanecer, cambiando su movimiento absoluto en equilibrio, o sea engendrando el principio de inercia, constituye la fuerza original en el nacimiento y organización de la materia; sin serlo todavía en nuestro supuesto universo de dos dimensiones, aunque en él existan ya la forma y la magnitud. Predomina en él todavía el dinamismo, pues la materia, es decir el equilibrio de fuerzas que conocemos bajo semejante nombre, no es posible sino en el espacio de tres dimensiones: cuando el equilibrio entre la electricidad estática y la dinámica, engendra la tercera dimensión.

Sábese, en efecto, que el único carácter constante de la

---

* Conviene tener presente siempre que esta electricidad es la del rayo γ, y no la que conocemos habitualmente.

materia, el que permanece bajo los diversos estados que ella puede asumir, es el peso[13]; y el peso no puede existir sin volumen, o lo que es lo mismo, sin la tercera dimensión[14].

Así, pues, las ruedas formadas por la división del rayo original, son simples manchas de luz en el espacio, pero carecen de volumen. Tienen magnitud y forma, pero no son materia aún, pues la forma y la magnitud *anteceden* a la materia. Por absurdo que esto pueda parecer, basta recordar la mancha de luz producida por la reflexión solar en un espejo. Tiene forma y magnitud; pero, es materia?*...

* La ciencia empieza a considerar como materia a la luz y a la electricidad, porque está obligada a suponerlas atómicas. Nosotros también; pero si son materia porque son objetivas y ésta es la verdadera definición, carecen de la propiedad substancial *única* de la materia: el peso. No sabemos si la ciencia creerá que no hay, entonces, diferencia substancial entre la materia y la energía; pero la lógica obliga a esta conclusión.

[13] La argumentación de Lugones no es sostenida por la ciencia, como puede deducirse de interpretaciones como ésta en torno al valor constante del peso. Aspiraba, creemos, a provocar la duda, la inseguridad, en el lector de la *Cosmogonía*; quizá a revelarle lo inconsistente de su propia idea de la realidad.

[14] En *La penúltima versión de la realidad* Borges desconfía de las clasificaciones humanas a propósito de las tres dimensiones —también ha hablado de la cuarta dimensión en relación a Hinton (*Cuentos científicos*, Madrid, Siruela, 1986, pág. 11)— que él considera meras convenciones. Quizá pudiera este tema servir de ejemplo de cómo algunos temas iniciados por Lugones son ulteriormente continuados en otra «dimensión»: «Tres dimensiones tiene la vida, según Korzybski. Largo, ancho y profundidad. La primera dimensión corresponde a la vida vegetal. La segunda dimensión pertenece a la vida animal. La tercera dimensión equivale a la vida humana. La vida de los vegetales es una vida en longitud. La vida de los animales es una vida en latitud. La vida de los hombres es una vida en profundidad.

»Creo que una observación elemental, aquí es permisible; la de lo sospechoso de una sabiduría que se funda, no sobre un pensamiento, sino sobre una mera comodidad clasificatoria, como lo son las tres dimensiones convencionales. Escribo *convencionales* porque —separadamente— ninguna de las dimensiones» existe: siempre se dan volúmenes, nunca superficies, líneas ni puntos» (*Obras completas*, Buenos Aires, Emecé, 1974, pág. 198).

Entre tanto, el espacio ha nacido con la manifestación de la vida, pues el dinamismo absoluto del éter puro excluye el espacio. El mundo de una dimensión, que supone un espacio de una dimensión también, da a éste su propio carácter inconcebible a no ser como abstracción. Conviene recordar que el concepto del espacio, nace para nuestra mente por comparación entre magnitudes de materia y de movimiento; y que siendo así, son éste y aquélla los que engendran el espacio.

Por incomprensible que sea el espacio, su objetividad es evidente, pues siempre lo concebiremos como un cuerpo, aunque sea ilimitado e inmaterial. El hecho de que es *algo*, prueba su objetividad, y desde este punto de vista su materialidad también*. Spencer[16] ha demostrado en los *Primeros Principios*, que científicamente equivale a un sólido perfecto, pues si se le supusiera la más mínima solución de continuidad, la transmisión de la luz sería imposible, por ejemplo; pero como no es un sólido, y como los sólidos tampoco poseen la continuidad perfecta que excluiría, por otra parte, toda vibración, debe ser algo homogéneo e inmaterial a la vez, desde el punto de vista de la materia ponderable: el mundo de una dimensión, es decir, la primera mani-

---

* Recuérdese nuestra definición de la materia en la nota anterior: materia es todo lo objetivo.

---

[15] El tema del tiempo ha sido crucial para Borges. Las reflexiones de Lugones pudieron estar en el origen de lo que se alza como uno de los temas permanentes del autor de *Historia de la eternidad*, que es además uno de los problemas esenciales de la literatura fantástica.
[16] Filósofo y sociólogo británico (1820-1903). Publicó *Primeros principios* en 1862. Podríamos definirlo como un evolucionista, es decir, intérprete del darwinismo desde particulares posiciones en temas de cultura y sociología que dieron lugar a diversas prácticas aberrantes entre sus discípulos.

festación de la vida, que está eternamente convirtiéndose en los otros estados más complejos.

Precisamente al convertirse en el segundo estado, adquiere el espacio la extensión, si bien continúa siendo inconcebible para nuestra mente. Necesita llegar a la tercera para ser el espacio concebible, el objeto ilimitadamente hueco donde todo se mueve; pues ésta es nuestra concepción intuitiva[17] del espacio.

El tiempo es lo mismo que el espacio esencialmente, si el bien no existe en el mundo de una dimensión. Es también una relación de magnitudes, pero con referencia a la duración de los seres, mientras que el espacio no necesita de ella para existir. Ahora bien, el rayo absolutamente longitudinal del primer mundo, es eterno como manifestación vital, puesto que sólo puede concluir en un estado negativo donde no hay espacio ni abstracciones siquiera: la energía absoluta de donde procede; pero las manchas luminosas del segundo estado de vida, pueden morir, es decir transformarse, y aquí cabe ya el tiempo. Por lo demás, el rayo primordial es unidad absoluta como manifestación vital*, mientras las manchas son varios seres; cabe ya entre ellas la relación de existencia a que debe la suya el tiempo, pues una puede morir mientras las otras permanecen, engendrando así la relación.

Tenemos, entonces, que en el mundo de dos dimensiones, poblado únicamente por estas vastas y sencillas existencias cósmicas que son las manchas de luz, existe ya el espacio como *magnitud*, si bien no como *extensión*** todavía; y el tiempo en su concepto actual.

---

* La unidad absoluta en abstracto, es la energía absoluta; por eso decimos que el rayo es unidad absoluta *como manifestación vital*.

** No se nos escapa lo imperfecto de estas expresiones, pues parece en realidad que la extensión debiera preceder a la magnitud; pero creemos haber demostrado en el caso de la mancha de luz, que ésta puede tener magnitud sin tener volumen, mientras que la extensión lo requeriría. El valor convencional que damos a las palabras, resulta de la novedad de las ideas.

---

[17] Se incluye esta palabra en 1926.

244

Podrá objetarse que siendo el tiempo y el espacio estados de conciencia, nuestras consideraciones son pura dialéctica; pero nosotros replicamos —y muy luego se verá el desarrollo de esto— que todas esas manifestaciones de la vida, de las cuales proceden el espacio y el tiempo, son estados de conciencia, *puesto que son pensamiento*. Así pues, seguiremos la descripción del proceso vital de nuestro planeta*.

* Nosotros llegamos a Dios, es decir, al Ser Supremo (que de ninguna manera se nos representa como un tipo semejante al humano) a través de la materia y de la fuerza, sin necesidad de negarlas, antes refundiéndolas en su propio ser una de cuyas manifestaciones las consideramos. De aquí que tengamos a las manifestaciones de la vida absoluta (Dios) por estados de conciencia.

Las ruedas de luz continúan moviéndose en el espacio con la velocidad del rayo de que proceden; pero esta velocidad que era infinita en la longitud absoluta, lo cual da un carácter más abstracto aún a ese primer mundo de una dimensión, se convierte en rotatoria por la forma circular de las manchas. Éstas, seres unitarios como formas, si bien como vidas* resultan[19] ya compuestas por el equilibrio de dos fuerzas, constituyen toda la población del espacio.

Sin embargo, la luz no era uniforme en todos los puntos de su superficie, pues se debilitaba hacia el centro; y sucedió que los puntos de mayor intensidad fueron los vértices de otros tantos polígonos regulares, primeras formas en la rueda luminosa que era la única hasta entonces.

Nuestra electricidad reproduce ahora este fenómeno; pues sabido es[20] que en el fluido eléctrico acumulado sobre la superficie de un cuerpo, se provoca la formación de polígonos regulares por la proximidad de varios mecheros que ioniza** la electricidad. Esta propiedad de engendrar en su seno formas geométricas por acciones análogas, es común a todos los fluidos, así sean líquidos dispuestos en capas del-

---

* Recuérdese nuestra definición de la vida.
** Es decir que producen iones. Los iones surgidos de los mecheros, son los productores del fenómeno. En las manchas de luz primordial, los puntos más luminosos vienen a ser las fuentes de ionización.

---

[18] Que la materia está formada por partículas pequeñísimas indivisibles fue una teoría sustentada ya por Demócrito de Abdera en el siglo V antes de Cristo. La concepción de Demócrito comenzó en cierta forma a constatarse experimentalmente a partir de John Dalton (1766-1844): «El hecho es que la química se hizo atomista con Dalton y aún lo es» (Asimov, *Enciclopedia biográfica...*, ed. cit., tomo II, pág. 321).

[19] En 1906: «son».

[20] En 1906: «es sabido».

gadas, o metales en fusión bruscamente enfriados: y es ella la que, constituyendo una ley primordial como acaba de verse, engendra la tendencia hacia la cristalización, que todos los sólidos manifiestan. Pero ya veremos esto mejor en la parte relativa al origen de la vida orgánica.

Dichos polígonos son las primeras diferenciaciones individuales de la energía absoluta, consistiendo su tarea vital en marchar armónica y proporcionalmente con la rotación y la traslación de la mancha luminosa donde toman origen, y en el mismo sentido que ella. No existe, pues, para ellos, *adelante* ni *atrás*, conservando desde este punto de vista la tendencia del rayo primordial hacia el movimiento en un solo sentido. Disminuidas o aceleradas sus velocidades, la línea que los forma se rompe y el ser perece: reingresa en el no ser, que es para él el ser absoluto, el infinito. Éste es el concepto superior de la muerte.

Semejantes seres, son lo que en nuestro lenguaje se llama «espíritus», es decir existencias incorpóreas, bien que limitadas y dinámicas; y así es cómo procediendo la materia, de la energía pura localizada en movimiento, en forma, en extensión, el espiritualismo resulta una consecuencia lógica de la organización universal, y la inmortalidad del alma un fenómeno natural en el universo[21]. Más adelante veremos que esas fuerzas primordiales tienen que ser inteligencias y voluntades en acción, si la ciencia positiva no quiere caer en el mismo contrasentido que las religiones, asignando al hombre un papel extranatural.

La vida que para esos seres rectilíneos es moverse en una sola dirección, dinamiza a su paso la luz amorfa incorporándola a cada uno de ellos, pero sin conservarla en él. En realidad lo único que permanece *es la idea de la figura*, una existencia puramente espiritual*, como que es una idea so-

---

* Las analogías entre estas vidas con los fenómenos del mundo actual, no implican identidades. Los fenómenos de aquéllas, son prototipos de nuestros fenómenos; son parecidos, pero no iguales.

---

[21] Lo teosófico es ingrediente fundamental de la exposición de Lugones y, tras ello, siempre aparece la presentación del espíritu o la inteligencia universal como base unitaria de su concepción del cosmos.

lamente, y a la vez inmaterial, sin emociones y sin desgaste. Rotos los polígonos, se desvanecen en un ángulo infinito, pues son organismos unitarios en su esencia, bien que ya poseen forma, magnitud y movimiento. Su tarea es preparar la luz amorfa para la futura atomización, pues estas formas geométricas superficiales son los esbozos de los átomos.

Las ruedas luminosas han seguido, entre tanto, su curso por el infinito; pero como proceden de muchos puntos a la vez, y como su traslación se verifica en sentido rectilíneo bajo el impulso del rayo primordial, hay entre ellas acercamientos y conflictos. Éstos no son otra cosa que la absorción de unas ruedas por otras de mayor magnitud o velocidad, es decir nuevos cambios de estado equivalentes a nuevas formas de vida.

Pero las fuerzas tangenciales que estos choques engendran*, unidas a una menor actividad central de las ruedas, por efecto de su propia forma, inicia en éstas un principio de expansión que las convierte en lentejas, originando la tercera dimensión y por consiguiente nuestro espacio. Esta fuerza obra de dentro hacia afuera, hasta convertir las lentejas en esferas huecas, existiendo en nuestro mundo una analogía sencillísima para objetivar el procedimiento. Nos referimos a las pompas de jabón, que la fuerza del soplo originario agranda, engendrando a la vez un rapidísimo movimiento rotatorio de sus partículas, perceptible claramente a simple vista**.

Esta fuerza expansiva transforma los polígonos absolutamente superficiales, en poliedros; es decir, divide la luz dentro de la cual eran formas lineales, en partículas poliédricas. Ahora bien, si las ruedas de luz conservaban la velocidad del rayo primordial, y los polígonos formados en ellas marchaban con la misma velocidad según hemos visto, como

* Como siempre que hay choque de dos magnitudes de forma circular.
** El sol, que es sin duda una esfera fluida, no tiene achatamiento polar alguno, como una pompa de jabón, aunque su densidad sea sólo una cuarta parte de la terrestre, y su fuerza centrífuga cuatro veces mayor. A su tiempo recordaremos esta singularidad solar.

248

en cada punto donde se hallaban dichas figuras dinamiza-
ban la luz amorfa, geometrizándola* a la vez en otros tantos polígonos; y como aquella velocidad era prácticamente
infinita, resulta que no había punto de la rueda que no estuviera contenido en una de dichas formas. Al convertirse
éstas en poliédricas por efecto de la expansión de toda la
masa, que adquirió así la tercera dimensión, dicha masa
quedó formada por poliedros innumerables, que constituyeron los átomos. Las masas fueron lo que conocemos as-
tronómicamente por nebulosas.

Ahora, una explicación más detallada del fenómeno:

Cualquiera entiende que el número de puntos en que
puede dividirse una superficie (las ruedas de luz) es infinito;
y si es infinita también la velocidad de la fuerza divisora,
quiere decir que la masa, en cualquier momento, se encuentra dividida en infinito número de puntos. No pudiendo éstos ser materiales por causa de su divisibilidad infinita, deben ser simples centros de fuerza, y la expansión de ésta tiene que resultar poliédrica para que todos sus planos de
desarrollo puedan coincidir y no queden huecos en la
masa.

Esto fue lo que sucedió, según hemos visto**.

Así, pues, tenemos que la primera manifestación de la
energía absoluta en que se resolvió, al concluir su ciclo de
existencia, el universo predecesor del nuestro, fue un movimiento de desarrollo absolutamente longitudinal, un rayo
γ; y que este movimiento engendró el espacio. El rayo en
cuestión llevaba en su propio curso la segunda dimensión,
puesto que serpenteaba; y sus ondulaciones, al acentuarse,
concluyeron por dividirlo en arcos cuyos extremos, faltos
de toda solicitud hacia una u otra parte, por no haber en el

* El pensamiento divino geometriza en el Cosmos, decía Platón que sabía a qué atenerse.
** Conviene quizá advertir que el hexaedro es la única forma material
perceptible que realice estas condiciones, si bien un agregado de hexaedros
nunca puede componer un todo perfecto, estando limitado siempre por
ángulos abiertos. Es lo que ocurre con la materia en eterno trabajo de desintegración que la pone en contacto con la absoluta energía, como los ángulos abiertos con el infinito a nuestro conjunto de hexaedros.

infinito más existencias, se unieron formando ruedas y engendrando el espacio de segunda dimensión.

En el ámbito de estas ruedas formáronse (ya vimos cómo) polígonos que fueron los primeros seres, con una existencia análoga a la de los que conocemos, y que constituyeron los prototipos lineales de los átomos.

Las ruedas luminosas se atrajeron, y al chocar o absorberse según sus magnitudes, se desarrolló en ellas el volumen a que tendían, transformándolas en lentejas, en ovoides y en esferoides, y engendrando por consecuencia el espacio de tercera dimensión, nuestro espacio, al par que la rotación planetaria. Los polígonos se convirtieron en poliedros y nacieron los átomos, que son centros de fuerza individualizada.

Naturalmente, esto no es más que un desarrollo esquemático del proceso cósmico.

Quinta lección
Nuestra teoría ante la ciencia

Fácilmente se echa de ver que estas ideas nada tienen de semejante con el sistema de Laplace, hoy en vigencia; pero intentemos demostrar que no son anticientíficas.

El sistema de Laplace[22], empieza suponiendo una nebulosa ígnea surgida del espacio *ex nihilo*, o al impulso del azar que es la misma cosa*. Cualquiera nota la inferioridad de este comienzo, así como la consiguiente embrolla en la organización de los movimientos que impulsan a la nebulosa en cuestión, haciéndola girar, aplastarse, desprender anillos, dividirlos y reunirlos en esferoides; si bien existe con nuestra teoría un punto común: los arcos procedentes de la división de los anillos en que se descompone la nebulosa, tienden a unirse por sus extremos engendrando los esferoides, así como los provenientes de la división de nuestro rayo primordial, lo hacen para formar las ruedas luminosas. La diferencia está en que el sistema de Laplace, supone la

---

* En efecto, el azar que es una causa sin causa, equivale a los dioses de las religiones positivas, cuyo carácter más saliente y común es la arbitrariedad.

---

[22] Astrónomo y matemático francés (1749-1827). Es el autor de un libro de divulgación que es el que le ha dado fama, a pesar de haber realizado una labor investigadora de mayor importancia en trabajos como *Mecánica Celeste* (aparecida entre 1799 y 1825). Debemos señalar que es el autor en quien se apoya Poe para desarrollar *Eureka* y, por el contrario, el fundamental objetivo de las críticas de Lugones. Asimov resume así su teoría: «... Laplace sugirió que el Sol se originó como una gigantesca nebulosa o nube de gas en rotación. A medida que el gas se fue contrayendo el movimiento de rotación se aceleró y un anillo exterior de gas quedó fuera del núcleo central (por la fuerza centrífuga). Este anillo de gas se condensaría más tarde para formar los planetas y con posteriores contracciones del Sol se formarían el resto de los planetas de la misma forma, que aún giran en el mismo sentido de la nebulosa original. El núcleo de la nube se condensaría finalmente en lo que habría de ser el Sol» (*Enciclopedia biográfica...*, ed. cit., tomo II, pág. 297).

existencia previa del espacio y de la materia tal como los conocemos, para describir la vida de su nebulosa; mientras el nuestro acomete radicalmente el problema de los orígenes. El positivismo[23] nada quiere saber de esto, y le daríamos razón, si no empezara por faltar a su propio método construyendo a su vez hipótesis como ésta de Laplace; pero cuando él lo hace, el mismo derecho nos asiste y usaremos ampliamente de él.

Ahora bien, como la ciencia quiere hechos y el método positivo afirma que teoría es «hipótesis verificada», diremos que de todas las nebulosas conocidas, ninguna confirma la hipótesis de Laplace. Algunas se hallan en un estado de homogeneidad muy primitivo, pues su espectro sólo manifiesta la raya del hidrógeno, lo cual hace suponer que están formadas de este gas exclusivamente; pero ninguna presenta uno solo de los supuestos anillos. Adoptan las más variadas formas, bajo un aspecto común de masas profundamente atormentadas, y algunas han cambiado de forma, imposibilitando así el argumento de que si no se las ve anillarse, es debido a la gran lentitud de su evolución. Las más regulares, las que afectan precisamente una forma lenticular, han resultado no ser nebulosas sino sistemas de estrellas, vías lácteas semejantes a la nuestra*. Ya veremos de dónde resulta esa forma atormentada de las nebulosas.

Falta entonces, el testimonio de los hechos; a no ser que se quiera darle por confirmación, harto lejana ciertamente,

---

* La astronomía moderna se inclina a creer que todo el universo estelar tiene esta forma, y que nuestra vía láctea se halla próxima a su centro; pues el número de estrellas de dos puntos opuestos del cielo, ya estén situadas en la vía misma o en su polos, es casi igual. Siendo esto así, el universo estelar presentaría la forma de una lenteja o esferoide muy achatado en la misma dirección que la vía láctea. Dividiendo el cielo en nueve círculos paralelos al plano de ésta (las zonas 1ª y 9ª abarcarían sus polos) resulta la siguiente relación de densidades: 1, 2.8; 2, 3.0; 3, 3.5; 4, 5.3; 5, 8.2; 6, 6.1; 7, 3.7; 8, 3.2; 9, 3.1: lo cual establece el puesto central de la vía láctea (5, 8.2), así como la forma del universo estelar. Nuestras *lentejas* no son, pues, pura fantasía.

---

[23] Es evidente el anti-positivismo de Lugones a lo largo de toda la obra.

la subordinación planetaria al sol de nuestro sistema; pero como la ciencia admite que esta subordinación puede ser ejercida por los soles sobre los cometas, no queda ya mucho para la teoría.

No hemos olvidado, naturalmente, a Saturno, que con sus anillos parece presentar un testimonio, bien que ellos estén considerados sólidos lo cual es un obstáculo sobremanera grave; pero una excepción evidente entre los astros, no puede servir para verificar una hipótesis, con mayor razón cuando ella se refiere a las nebulosas donde no hay nada parecido, y cuando de conformidad a su enunciado, los astros sólidos *no debieran* presentar esa conformación*.

Saturno es realmente un defectuoso del espacio, y de aquí que la astrología lo considere el planeta de las malas influencias; pero esto puede ser desdeñado por el lector, sin más trámite.

Otra cosa que la hipótesis de Laplace no explica, es el origen del movimiento rotatorio, ya muy complicado, de su supuesta nebulosa originaria, que como todas las masas esferoidales del espacio giraba sobre sí misma y se trasladaba a la vez; para no hablar de los movimientos secundarios engendrados por los dos anteriores. La nebulosa en cuestión era un organismo bastante complejo, según se ve, y por templada que sea la curiosidad positivista, ha de sentir tentaciones de buscar más simples antecedentes.

Pero cuando la hipótesis pierde todo su valor, quedando reducida a un mero juego de gabinete, es cuando se considera que una masa rotatoria debe forzosamente trasladarse en una órbita espiral, tal como se acepta actualmente. Suprimidas entonces las curvas cerradas, vale decir las elipses perfectas de la hipótesis, los supuestos anillos desprendidos de la nebulosa serían largas espirales de materia cósmica difusa, que tenderían a concretarse en cometas, no en plane-

---

* Dadas su velocidad rotatoria y la condensación de la materia gaseosa de los anillos en materia sólida, esta última es inexplicable. En efecto, si es del mismo peso y densidad que la del planeta, no ha podido condensarse sin romperse; y si no es del mismo peso y de la misma densidad, ¿cómo gira armónicamente con él?

tas concéntricos. El experimento de Plateau[24] falla, entonces, por su base, y los anillos de Saturno se desvanecen definitivamente esta vez*.

Al experimento de Plateau, que empieza por suponer la nebulosa originaria parada en el espacio (la gota de aceite en el seno del agua alcoholizada) nosotros oponemos nuestra modesta pompa de jabón, que le lleva de ventaja su sencillez, siendo ésta, como es sabido, un atributo de la verdad; y consecutivamente alegamos contra la hipótesis, la falta completa de hechos confirmatorios**.

Tampoco es admisible la nebulosa infinita que supondría esa supuesta falta de movimiento traslaticio, necesario para que el experimento de Plateau se realice; pues con sólo tener en cuenta la aparición en ella de focos que serán los futuros soles centrales, y sus diversas magnitudes, la suposición se vuelve insostenible.

Por otra parte, la astronomía se aleja cada vez más de la suposición de un universo infinito[25], o siquiera de ilimitadas dimensiones; pues piensa que si ello fuera así, los rayos de las estrellas infinitas llenarían todo el espacio (dado que el rayo de luz no se pierde por razones de distancia, según enseña la física); no habría punto del espacio sin un rayo de luz, y por consiguiente no existiría la noche.

* Los cambios de conformación de algunas nebulosas, manifiestan tendencia a definirse en torbellinos espirales. El capítulo siguiente expresará en detalle estos movimientos. *(N. del autor.)*

** En cambio abundan los contradictorios, y entre éstos son los más notables: la densidad de Venus, menor que la de la tierra, no obstante su mayor proximidad al sol; la de Urano mayor que la de Saturno, a pesar de hallarse más lejano que éste; la de los satélites de Júpiter mucho mayor que la de éste; el movimiento retrógrado de los satélites de Urano y de Neptuno; la falta de achatamiento polar del Sol, antes mencionada; la depresión polar de Mercurio, diez veces mayor que la de la tierra, a pesar de que su rotación equivale apenas a un tercio de la de ésta, siendo mayor su densidad en una cuarta parte tan sólo; las depresiones polares igualmente desproporcionadas de Saturno y de Júpiter...

[24] Físico belga (1801-1883) inventor del fenaquistiscopio.

[25] Coincide en esto con Poe, quien afirma: «El universo de los astros (a diferencia del universo espacial) es limitado» (*Eureka*, ed. cit., pág. 9).

Newcomb[26] supone, basándose sobre las paralajes de las estrellas y por medio de complicados cálculos cuyo resumen es imposible sin confusión, que nuestro universo es una esfera de *siete mil millones de millones* de leguas de radio*. Sin aceptar especialmente ningún cálculo, opinamos que nuestro universo es limitado en efecto, es decir un organismo en evolución por enorme que se lo considere; si bien esto no supone que rechacemos la eterna actividad del cosmos en el infinito**.

Nuestra teoría va apoyada en todo su desarrollo por hechos científicos, desde el rayo primordial hasta la generación de los átomos; consistiendo su diferencia con el criterio positivista, en que no hace distinción fundamental entre fuerza y materia, o considera[27] los elementos permutables y provenientes de una sola causa: la energía absoluta. Salvo esta última parte, la ciencia va aceptando la identidad substancial de fuerza y materia e inclinándose más a nuestra definición: materia es todo lo objetivo, sea o no ponderable. La electricidad y el radium le imponen esta conclusión.

---

* Es curioso que el número 7, el número sagrado por excelencia, reaparezca como cifra inicial de este resultado; pero lo es más aún el que la *docena* y la *decena*, también números sagrados, estén significados en la población de ciento veinte millones (diez docenas de millones) de estrellas que los mismos cálculos asignan al universo.

** Del propio modo que no se niega la continuidad de la vida, porque los organismos individuales acaben.

---

[26] Matemático y astrólogo norteamericano (1835-1909). Efectivamente el universo se ha determinado mediante la medición por paralaje —según da cuenta Asimov en *El universo* (Madrid, Alianza, 1973). Se comprenderá que los cálculos realizados en la época de Lugones estén muy superados. Asimov no da una cifra, estima el aumento de los cálculos a que da lugar cada nueva propuesta: «En resumen, hacia 1900 [época en que escribe Lugones] la situación respecto a las distancias estelares era la misma que, respecto a las planetarias, en 1700. En este último año se sabía ya la distancia que nos separa de la Luna, pero sólo podían sospecharse las distancias hasta los planetas más lejanos. En 1900 se conocía la distancia de las estrellas más próximas, pero sólo podía conjeturarse la que existía hasta las estrellas más remotas» (*Nueva guía...*, ed. cit., pág. 37).

[27] En 1906: «considera pues los elementos».

Los estados de la materia y de la conciencia, así como la generación de unos elementos por otros, puesto que la vida, como hemos dicho, es un perpetuo cambiar de estado, explican mejor la evolución total del universo que la hipótesis cosmogónica de la ciencia, sin subordinarla exclusivamente a la materia ni al azar que es lo arbitrario, antes conciliando el doble aspecto substancial de los fenómenos y dando a su producción incial un carácter determinista; todo lo cual es, por cierto, mucho más filosófico y aceptable.

Expresaremos, para concluir este capítulo, algo que acentúa aún el carácter científico de la teoría.

Apenas la luz primordial se individualiza, comienza ya en el espacio la lucha por la vida (la absorción de unas ruedas por otras) que acarrea de consiguiente la supervivencia de los más aptos, principio progresivo de toda evolución; lo que está lejos de suceder en la demasiado perfecta maquinaria de la nebulosa de Laplace. Las leyes de la vida, ya lo hemos dicho, son las mismas para el insecto que para la nebulosa.

El lector está ya lo bastante informado para elegir entre esa hipótesis o la nuestra; entre el proceso puramente material, o el cambio de estado de la absoluta energía, que al volverse materia, engendra simultáneamente al tiempo y al espacio, o mejor dicho la extensión por el movimiento; la magnitud, la forma, el átomo, es decir los fundamentos del universo bajo sus múltiples aspectos de ideación, de conciencia, de número y de objetividad.

Veamos ahora cómo prosiguió la evolución de ese universo.

Al adquirir la tercera dimensión, las lentejas se hacen perceptibles bajo la forma de copos de luz blanca, pues mientras fueron simples cambios de estado de la energía tuvieron una existencia tan invisible como la de las «luces» α, β, γ, que la ciencia conoce ahora. Entonces es cuando empieza a haber propiamente materia y fuerza, y a desarrollarse fenómenos más familiares para nosotros.

El primero de ellos (y en relación con la materia ponderable, el primordial) es el calor, o sea la electricidad bajo este aspecto, resultante de la fricción de los átomos*.

Átomos dotados de una velocidad casi infinita, producen al chocar entre sí una incandescencia enorme, cuyo primer efecto es consumir a muchos, o mejor dicho refundirlos en otros, condensando así la materia al revés de lo que el calor hace ahora. Los átomos sobrevivientes de esa verdadera lucha por la existencia, representan, pues, sumas colosales de energía en equilibrio, explicándose así la procedencia[28] de esta energía que tiene perpleja a la ciencia. La armonía vibratoria formada por proporciones numéricas, que resulta de este acomodo tanto como de la estructura poliédrica de los átomos, es el prototipo de las vibraciones armónicas que llamamos música, y que explica a la vez la «música de las esferas» de Pitágoras y el poder constructor de la lira de Amphion; pues siendo el sonido fuerza primordial, es naturalmente fuerza creadora**.

El calor se manifiesta al mismo tiempo que la luz roja, la luz caliente como es sabido; del propio modo que la elec-

---

* En la materia no atómica, es claro que no puede haber calor.
** Sábese que el sonido aumenta la producción de rayos N.

---

[28] En 1906:«proveniencia».

tricidad fría de los anteriores estados, había coincidido con los rayos ultravioletas excitadores de la fosforescencia y de la fluorescencia, manifestaciones a su vez de la radioactividad de la materia.

De aquí que el calor y la luz carezcan (en sentido material) de magnitud y de tiempo respectivamente. Basta con reflexionar que la más pequeña llama puede encender los fuegos de toda la tierra sin disminuir absolutamente; y que el rayo de luz, según queda enunciado más arriba, no se pierde por razones de distancia, viajando incesantemente. No era necesario el radium, como se ve, para hacer perceptible la infinitud de la energía, pues bastaba observar la más mísera candela como fuente de luz y de calor; pero la ciencia requiere también sus maravillas. Por lo demás, sostenemos que el olor es también una forma de radioactividad[29], como lo prueba el ejemplo bien conocido de la partícula de almizcle que perfuma durante un siglo sin variar de peso. Ya veremos todo el alcance de estas consideraciones*.

La materia, pues, existía ya, cada vez con mayor tendencia hacia la inercia; y para valernos de una analogía gráfica, que encierra una verdad, por otra parte, diremos que la tensión eléctrica se había transformado en gravedad, identificándose con el volumen. La materia es, si se tiene esto en cuenta, electricidad neutra cuya tensión se ha transformado en gravedad**.

---

* La emanación continua del radium, tanto como la propagación de la luz, el desprendimiento odorífero, etc., resultan ser movimiento perpetuo. La locura del pasado, es la razón del presente.

** No damos a la palabra *gravedad*, su acepción corriente. Para nosotros, gravedad es atracción magnética, por más extraño que esto pueda parecer. Por lo demás, la atracción en razón directa de las masas e inversa del cuadrado de las distancias, no se efectúa conforme a esta ley, según es sabido, en las masas muy pequeñas; y en las grandes, existe un hecho por demás curioso: los cometas desarrollan su cola (materia más tenue que el núcleo) en oposición al sol por el cual son atraídos en razón directa de las masas, etc. Se ve, entonces, que la gravedad ofrece[30] contradicciones harto serias.

---

[29] He aquí otra de esas ideas insostenibles por la ciencia en la actualidad, y aún tampoco en vida de Lugones.
[30] En 1906: «tiene»

Pero, qué era esta materia? Esta materia era el hidrógeno, cuya raya figura *única* es el espectro de las nebulosas, propiamente dicho. El hidrógeno es la electricidad bajo forma de gas, y de aquí sus cualidades características. Todos los gases son formas alotrópicas del hidrógeno, provienen de su átomo; pero este átomo, que es el hexaedro primordial antes mencionado, desarrolla al girar un torbellino formado por espirales concéntricas, según resulta de su forma de rotación, y este torbellino constituye como quien dice su cuerpo. Así, cuando la ciencia *vea* los átomos, no ha de ser bajo la forma de menudas chispas*, sino de torbellinos espiraloides enteramente análogos a los sistemas solares.

Los tres estados que la energía debió asumir al convertirse en materia, son inapreciables para nosotros mientras no llegan al perfecto equilibrio y se manifiestan bajo forma de hidrógeno. He aquí por qué en los ocho grupos del sistema de los elementos, los compuestos hidrogenados primordiales no tienen clasificación sino a contar desde el cuarto (MH4); los tres restantes son materia radioactiva pura.

Esas masas de gas incandescente, sufren diversos percances: explosiones que las destruyen, absorciones, divisiones en regueros espirales que se convierten en cometas y desplazamientos que las arrojan al espacio con movimiento parabólico, bajo forma de cometas igualmente**. Este desplazamiento eterno de las masas estelares, va dejando el sitio necesario para nuevas formaciones, y así es como vive el infinito, convirtiéndose perpetuamente; todo ello sin contar los cataclismos que semejantes movimientos suponen, y que explican la forma atormentada de las nebulosas.

La lucha por la vida es activísima entre esos errantes del espacio. Unos son devorados por los que ya se convirtieron en soles; otros se conjugan y forman seres mixtos; otros se organizan en sistemas; pero al cabo de cierto tiempo, ninguno es simple ya, sino suma de otros, exactamente como

---

* Como en el último aparato de Crookes, que pone al radium en presencia del sulfuro de cinc fosforescente a la distancia de medio milímetro.

** La astronomía supone que algunos cometas son masas desprendidas de las nebulosas.

el animal que incorpora a su organismo los de diversos seres; y su vida se vuelve singularmente compleja. Menester es que aquí dejemos el astro hipotético, para seguir la evolución de la vida en nuestro planeta.

Antes de pasar a otro capítulo, conviene tener presente, sin embargo, que las leyes primordiales de la vida son comunes a todos los astros y a todos aplicables por analogía; así como que dichos astros nunca pierden su relación substancial, continuando ésta bajo comunicaciones luminosas, magnéticas, etc. El átomo originario sigue siendo el prototipo de cada ser, tanto en el insecto como en la estrella[31].

---

[31] Esta idea se repite con variaciones en su formulación al final de algunos capítulos.

A cada uno de los cambios de estado del movimiento que engendra el espacio de tres dimensiones, corresponde, como hemos visto, una clase de electricidad, una clase de formas, una clase de luz. En la tierra corresponde también a cada uno un elemento.

En el gas, predomina la fuerza expansiva del rayo primordial; en el líquido, la expansión horizontal del segundo estado; en el sólido, el equilibrio del tercero que es la tensión eléctrica convertida en gravedad: la electricidad neutra.

Prototipo de todos los líquidos, el agua es una permutación del hidrógeno, cuyo nombre significa, como es sabido, generador del agua. El agua viene a ser así electricidad líquida[32], como el hidrógeno es electricidad gaseosa*. A esto se debe que las leyes de distribución de la electricidad y de los líquidos, sean las mismas; aunque éstos se hallen sometidos a la gravedad y aquélla no; pero tensión y gravedad son una misma cosa como hemos visto. Lo líquido es, pues, dado nuestro punto de vista, más vivo, es decir más próximo al estado de energía pura o éter, y por esto el agua es la fuente de la vida orgánica. Los alquimistas decían

---

* Esta «agua» y este «hidrógeno», no son naturalmente los que conocemos; basta reflexionar que si todos los gases son formas alotrópicas, el hidrógeno primordial era todos estos gases, es decir, una cosa bien distinta de hoy, cuando ellos se encuentran ya diferenciados. Del propio modo el líquido primordial cuya forma actual es el agua, era un conjunto ahora diferenciado, una especie de fluido coloidal, como se verá luego. El hidrógeno y el agua primordiales, eran estados generales de materia: *lo* gaseoso y *lo* líquido.

---

[32] Podemos destacar en Lugones la tendencia a espiritualizar la materia como una de las características de los cuentos reunidos en este volumen. Tal vez influido por las diversas formas de energía que se descubren durante el siglo XIX se siente atraído por las fuerzas no visibles que se ocultan en la naturaleza. De ahí su permanente interés por la radioactividad, por la electricidad y fenómenos semejantes.

que el mercurio es el más vivo de los metales (en francés *vif argent*) y debe notarse que los vehículos esenciales de la vida orgánica —sangre, savia, leche—, son líquidos.

Tanto en el estado gaseoso como en el líquido, la forma poliédrica de los átomos continúa siendo el prototipo, y esto se encuentra asaz bien demostrado por las fórmulas químicas, para que debamos insistir; no obstante, en el estado líquido, los poliedros son ya cristales prototípicos de los futuros sólidos en que se manifestará el máximum de inercia de la materia.

La tierra era una especie de océano esferoidal, denso y glutinoso, en el cual los átomos se agruparon bajo formas cristalinas, es decir poliédricas, según su modelo fundamental. La ciencia produce cristales semifluidos en el seno de un líquido, por medio del calor y de la electricidad, y estos cristales, se portan como seres vivos, no sólo por su estructura semejante a la de las células, sino porque poseen propiedades tan notables como la de reparar sus mutilaciones. Esto bastará, según creemos, para demostrar que el estado líquido no es un estado amorfo, y que el sólido ha podido perfectamente derivar de él. De ahí la tendencia de todos los sólidos a cristalizar, es decir a modelarse bajo el patrón originario.

Cuando un planeta* ha organizado toda su materia en los tres estados[33], o en términos más generales: cuando la materia del planeta ha alcanzado su *maximum* de estabilidad, comienza el proceso de desintegración de esta materia. Ella ha de efectuarse[34] en un tiempo equivalente al que empleó para formarse, conforme a la ley de periodicidad, y en estados semejantes, bien que inversos**.

* Como el nuestro.
** Siendo el hidrógeno y el agua, el gas y el líquido prototípicos, cuál era el sólido de esta cualidad? Probablemente el radium, o una composición parecida, que al solidificarse del todo, debe perder muchas de sus cualidades radiantes (tensión eléctrica) para adquirir peso (gravedad). El radium posee la propiedad de descomponer el agua en hidrógeno y oxígeno, y esto es un fuerte indicio.)

[33] Error en 1906: «costados».
[34] En 1906: «se ha de efectuar».

La función vital preponderante, que era condensar éter, es reemplazada por la de «eterizar» la materia, aunque esto no quiere decir que haya sustitución completa de un proceso por otro. El equilibrio entre ambos persiste por mucho tiempo, exactamente como ahora lo vemos en nuestro mundo, sin diferencias apreciables, pero con tendencia progresiva hacia la eterización. A esto último responde la aparición de los seres orgánicos.

En los mundos de una y de dos dimensiones, no había sensibilidad, puesto que faltaba extensión y la vida de telación[35] no era posible por lo tanto. Al existir aquélla, o sea el espacio de tres dimensiones, la sensibilidad se hizo posible en la materia.

Pero, qué es la sensibilidad? La sensibilidad es la radioactividad de la materia, el fenómeno por el cual ésta se transforma en energía pura; y como toda materia es radioactiva, según lo prueba el descubrimiento de los rayos N, de Blondlot[36], toda materia posee sensibilidad.

La ciencia se encamina rápidamente a esta comprobación, que cuenta ya con una cantidad de hechos tan grande como singular. Los rayos N, la fatiga de los metales, sus propiedades eléctricas y terapéuticas, la vida de los cristales han demostrado ya hasta la evidencia que la sensibilidad no es una propiedad exclusiva de la materia llamada orgánica.

Ahora, en cuanto a la producción de los seres vivos, las fuerzas de las moléculas libres en el seno de los líquidos; la presión osmótica que es un fenómeno fundamental de la vida orgánica, las propiedades todavía vagas —mas no por ello menos prodigiosas— de los metales coloidales tan semejantes a los fermentos orgánicos en sus manifestaciones* —todo está indicando cómo debió producirse *grosso modo*

---

* Las diastasas, las toxinas, presentan también analogías sorprendentes con los metales en estado coloidal. Éstos obran sobre ciertos cuerpos (formiatos, alcoholes) como las bacterias específicas de ciertas transformaciones, y son neutralizadas por los mismos cuerpos. El átomo, resumen de las fuerzas primordiales, lleva en sí resumida la potencia de todos los fenómenos, y le basta cambiar de estado para producirlos a todos.

---

[35] En 1906: «relación».
[36] Físico francés (1849-1930) que calculó la velocidad de propagación de la electricidad.

el fenómeno. La generación espontánea, es entonces un hecho real, bien que limitado a épocas, por la coexistencia en ellas de diversas circunstancias; todo depende de las condiciones en que se halle el átomo.

Los seres vivos son máquinas poderosas de eterización, porque son los cuerpos más sensibles, y la sensibilidad es —ya lo hemos dicho— la radioactividad de la materia. El amor es el producto eléctrico del contacto de dos cuerpos heterogéneos*. La sangre es un potentísimo reservorio de electricidad.

Ahora bien, los organismos siguieron, al formarse, las mismas leyes que la materia. Un solo ser, primero difuso y de constitución unitaria, desarrolló de sí mismo los primeros órganos y se propagó por los conocidos procedimientos de generación —fisiparidad, ovulación, hermafrodismo— hasta alcanzar en la sexualidad su *maximum* de materialización.

Poderosas oxidaciones habían engendrado la vegetación, cuyas formas asumió previamente el reino mineral como un intento prototípico, debiéndose a dichas oxidaciones el nacimiento de la vida orgánica.

El sexo único que concebía y paría por los métodos ya descritos, era naturalmente femenino. Todos los seres eran madres, llevando resumido, y luego latente en su facultad de autoengendrar, el sexo masculino futuro.

De aquí que la materia haya sido considerada por las antiguas filosofías como la «gran madre» (*mater-ia*) personificada en el agua, pues el agua es, a contar desde el punto en que la energía pura se manifiesta como materia, una permutación de la electricidad, o sea su cuarto estado.

Procuraremos hacer tangibles estas permutaciones de la energía absoluta, en un esquema que será un resumen a la vez de todo lo estudiado.

Lo que concibe y produce por sí mismo, llevará el signo (–) el signo de la pasividad o femenino; y el elemento en-

---

* Basta este contacto, como es sabido, para producir electricidad; y es claro que aquí nos referimos solamente al amor físico en su más simple expresión.

gendrador del signo (+), el signo de la actividad o masculino.

El ser absoluto, la absoluta energía en que todo se reasume al concluir el universo su ciclo de manifestación material —será los dos elementos a la vez en un absoluto equilibrio equivalente a cero (+ –); mas como de eso sale el rayo primordial, puede ser considerado como elemento femenino: auto engendra.

Previa esta explicación, véase el esquema:

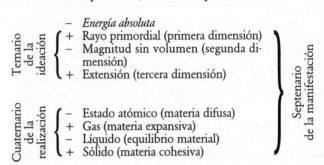

Ternario de la ideación
{
– *Energía absoluta*
+ Rayo primordial (primera dimensión)
– Magnitud sin volumen (segunda dimensión)
+ Extensión (tercera dimensión)
}

Cuaternario de la realización
{
– Estado atómico (materia difusa)
+ Gas (materia expansiva)
– Líquido (equilibrio material)
+ Sólido (materia cohesiva)
}

Septenario de la manifestación

Estas propiedades lo son *por excelencia* de los diversos estados de materia, pero no excluyen las otras; forman sus características, pero no son exclusivas.

Se ve, entonces, que el elemento femenino es el primordial, y que la situación del estado líquido (agua) en el cuadro de las manifestaciones materiales, justifica su símbolo*.

La biología moderna considera primitivo también al sexo femenino, y cree que desarrolló su contrario antecediéndolo con la fase hermafrodita. No tenemos, pues, por qué esforzarnos en buscar mayores razones.

---

* Haremos notar, sin embargo, que el símbolo físico del agua en todas las filosofías antiguas, es la cruz; pero ello viene de que cuando se parte del espacio de tres dimensiones, o sea de la materia tal como podemos percibirla, el agua ocupa el cuarto lugar; siendo la cruz el símbolo cuaternario. Las dos líneas horizontal y vertical que la componen, simbolizan también el equilibrio material que es la forma líquida, y ésta era otra razón.

Conviene hacer notar ahora que esas formas de vida eran fluídicas, verdaderos moldes de las actuales por causa del enorme calor del globo y de la todavía escasa diferenciación de sus elementos; y si el radium u otra cosa análoga, era el sólido prototípico, dichas formas debían ser luminosas, o en otros términos manifestar más intensamente la radiación que hoy perciben apenas los sensitivos (el *od* de Reichenbach, la exteriorización de la sensibilidad del coronel de Rochas) y que la placa fotográfica revela como rayos N.

La fluidez de esos seres, tanto como su relación de magnitud con la tierra que, al ser casi gaseosa, era de mucho mayor volumen, debía darles una estructura gigantesca y a la vez sencillísima, para que resistieran mejor los vastos conflictos de fuerzas a que se veían sometidos.

El hombre, o mejor dicho el ser inteligente que devendría[37] hombre con el tiempo, bogaba en el fluido glutinoso del mar universal como una célula gigantesca, sin órganos, sin conciencia, sin mente, reproduciéndose como los zoófitos y desvaneciéndose como ellos, sin morir realmente, en los seres que de su masa engendraba.

---

[37] En 1906: «sería».

Lo que acabamos de expresar es de tal modo extraño a las ideas corrientes, que requiere una explicación de los fenómenos estudiados, bajo un aspecto no percibido hasta aquí: el aspecto intelectual del universo, o mejor dicho el universo como manifestación inteligente.

Si el pensamiento es un producto de las combinaciones físico-químicas del organismo humano, donde quiera que haya análogas combinaciones, existirán efectos análogos. A iguales causas idénticos efectos.

Ahora, cuando se piensa que la vida obedece a leyes muy simples en su comienzo, y que no hay realmente diferencia entre la materia orgánica y la inorgánica, siéndoles común la sensibilidad, parece que no es ya tan absurdo buscar pensamiento en toda manifestación de la vida. Atribuirlo solamente al hombre, es caer ya en el antropocentrismo del ser singular creado *ex profeso* por los dioses de las religiones positivas; decir que es una actividad peculiar a su organismo, es negar la perfecta analogía e identidad substancial de éste con los del resto del mundo animal, sin excluir a los insectos cuya inteligencia es tan notable; limitarlo a los seres vivos, es volver a la separación de materias que no existe en realidad.

¿Qué derecho tendría el hombre para considerarse como el único ser inteligente del universo, si apenas es superior en su pequeño mundo?

Superior en absoluto? De ningún modo. Superior a él es el mineral en estabilidad; el vegetal en duración como ser vivo; el animal en muchas facultades. Víctima de la bacteria microscópica durante edades, hace muy poco que ha empezado contra ella una lucha desigual en la que, hasta ahora, lleva la peor parte. Durante edades ha sido la víctima de los más ínfimos del reino animal.

Esto para los materialistas. Los espiritualistas, especialmente los fieles de las religiones positivas, creen en entidades espirituales o inteligencias superiores al hombre, conforme lo manifiestan sus complicadas angelologías, y en otras inferiores a él según sus demonologías más complicadas aún. Con éstos nos bastará ponernos de acuerdo sobre el *modus operandi* de semejantes inteligencias.

Sentadas estas advertencias, podemos ya iniciar el asunto.

El pensamiento, nadie puede negarlo, es una forma de la energía, si bien no presenta identidad con ninguna de las otras. No es luz, calor, electricidad, aroma ni[38] sonido; pero es lo que percibe de un modo consciente esas formas de energía, puesto que las estudia o[39] investiga sus leyes. El pensamiento es la energía absoluta de que todo procede y a la que todo regresa, lo que en sí lleva potencialmente todas las formas de energía, sin tener sus cualidades, como es natural, pues no es ninguna de ellas parcialmente considerada. Él es realmente el ser absoluto cuya primera manifestación consiste en electricidad puramente dinámica, como se recordará, o sea el movimiento absolutamente lineal e inconcebible. Sabe todo el mundo que la actividad cerebral produce fenómenos eléctricos; y los sensitivos y lúcidos de Rochas, dicen que durante dicho trabajo ven a las células cerebrales relumbrar como estrellas. Más recientemente aún, se ha observado que la actividad nerviosa aumenta la producción de rayos N.

Como energía sensible, el pensamiento es imponderable y no objetivo a la vez: no es materia absolutamente. Su indiferencia a la distancia y al tiempo, puesto que se traslada con abstracción[40] de ambos y sin que ambos le estorben, prueba su superioridad sobre ellos; así como demuestra al concebirlos, que los contiene y que puede crearlos. Las consecuencias de su lógica, anteriores al conocimiento de los hechos, puesto que los predice en ciertos casos, establece cuando menos la identidad de sus leyes con las que rigen el universo. Maxwell encontró como un resultado matemáti-

---

38 En 1906: «o».
39 En 1906: «e».
40 En 1906: «prescindencia».

co, la onda eléctrica que Hertz hizo perceptible, sin realizar ninguna experiencia y bastante tiempo antes que Hertz. Estos hechos podrían multiplicarse.

Todas las manifestaciones de la vida son formas de pensamiento, puesto que lo son de la energía absoluta en su eterno doble trabajo de integrarse y desintegrarse; pero entonces, también, las fuerzas son seres inteligentes en proporción con su mayor vecindad a la energía de donde proceden.

Así el primer movimiento en sentido lineal, o bien la electricidad puramente dinámica, sería la primera idea, el primer ser que en su simple unidad lleva potencialmente todo el universo por desarrollarse —un dios verdaderamente—; pero no la unidad neutra y extra-cósmica de las religiones, sino la síntesis de todas las energías, que hasta su tercer estado no es materia en realidad.

Oímos ya que se objeta con el panteísmo; pero los estados sucesivos no tienen lugar por disminución o desaparición del primero, según lo prueba nuestro pensamiento en acción, pues coexiste con todos[41] ellos y nunca deja de estar convirtiéndose. Así se explica que los universos acaben y vuelvan a empezar en el punto donde acabaron, no como un nuevo proceso de repetición, sino como una continuación del que lo precediera.

No siendo esa energía una magnitud, no puede disminuir, lo que explica su permanencia; y así está eternamente convirtiéndose y siendo la misma.

Las ruedas de luz en que luego se divide, forman la primera hueste de seres, multiplicados en los polígonos inscriptos en ellas[42], y sucesivamente en los poliedros del primer estado atómico; pero como estos seres no son materia de la nuestra, digamos así, es forzoso considerarlos entidades incorpóreas, o sea espíritus*.

Unitarios en un principio, como que no son sino formas, se

---

* He aquí por qué llamamos *ideación* al ternario superior de nuestro esquema.

---

[41] En singular en las dos eds.
[42] En 1906: «ellos».

convierten en hermafroditas al volverse átomos, no por razones de sexo, naturalmente, sino por reunir en el perfecto equilibrio que constituye su existencia, la materia y la fuerza bajo el estado potencial. El átomo es así un espíritu puro, y su conversión al estado de materia y de fuerza ya definido, su caída.

Entre tanto, los seres que fueron las primeras ruedas, y que como estados de energía no han dejado de existir, van dirigiendo su propio fraccionamiento evolucionario, por actos de conciencia y de voluntad; pues se recordará que no siendo nada material, resultan forzosamente espíritus: pensamiento en acción.

¿Quién duda, por otra parte, que cada pensamiento es una individualidad? Cuando leemos un pensamiento, no necesitamos recordar a su autor, ni se ve que aquél tenga ninguna identidad con éste, pues de ninguna manera es necesario conocer al autor de un pensamiento, ni saber nada sobre él, para entenderlo. Una vez creado, el pensamiento es una individualidad con vida propia; y si esto sucede en la humanidad, cualquiera advierte la importancia que revestirá cuando se trate de seres cósmicos.

La fuerza, cualquiera que ella sea, nunca posee esta individualidad; y he aquí otra demostración de que son cosas distintas, así sea toda fuerza una manifestación de pensamiento, como son cosas distintas el rastro y la planta que lo imprimió.

Aquellas primeras energías cósmicas debían poseer una potencia prodigiosa, dadas su libertad y la asimilación de energías que constituía su ser; pero esto no querrá significar nunca la omnipotencia ni la omnisciencia, sino relativamente al intelecto humano. Los fracasos de mundos estallados en asteroides o consumidos en las hogueras solares, tanto como la desaparición de especies animales que convivieron con otras aún existentes, revelan[43] errores de criterio y de procedimiento en esas inteligencias primordiales*.

---

* Conviene no olvidar que si el pensamiento es la energía primordial, todas las fuerzas (energía manifestada) son pensamiento, es decir seres inteligentes.

---

[43] En 1906: «prueban».

Ahora, lo que es existencia corpórea, no la tuvieron sino cuando hubo materia voluminosa y extensión, correspondiendo entonces al calor su puesto[44] de primer numen*; pero el catálogo de las existencias cósmicas no tendría interés para el lector, sino como una nomenclatura estéril de personajes fantásticos.

Lo que sí interesa saber, es que todas estas manifestaciones son atómicas y susceptibles de transformarse en otras, es decir, de *crear*, si ha de darse a este verbo su único sentido aceptable**. Son atómicas, como el hombre es celular, sin que su unidad de ser individual se resienta; y si están sujetas a la evolución que hemos descrito como una serie de consecuencias, este determinismo es el resultado de las causas desconocidas que actuaron sobre ellas en el universo anterior; pero ellas *sabían lo que les pasaba*, y ayudaban a la evolución dirigiéndola en los seres emanados de ellas, si bien no sin conflictos es decir sin errores, como lo prueban los cataclismos cósmicos***. Si hubiera un Creador omnisciente[45] y omnipotente, el universo sería una maquinaria perfecta, sin ningún tropiezo posible.

Por lo demás, las fuerzas están demostrándonos a cada momento su inteligencia. Todos los fenómenos naturales nos revelan operaciones complicadísimas, ejecutadas con una precisión, con una economía tal de esfuerzo, con una adaptación tan perfecta a su objeto, que revelan direcciones muy superiores a nuestra razón. Compárese el trabajo que ésta ha debido ejecutar para repetir el más insignificante de esos fenómenos, y se tendrá la relación entre ella y las fuerzas directoras de éstos.

* El calor, como se recordará, es una forma de la electricidad, que en estado puramente dinámico, es pensamiento.
** Si de la nada, nada sale, crear es sólo transformar.
*** El calor mata o vivifica según el poder y las circunstancias de su acción. Por otra parte, no hay evolución posible sin errores; es decir progreso, causalidad, fenómenos. La absoluta perfección, o sea el Dios de las religiones, implica la absoluta esterilidad.

---

[44] En 1906: «rango».
[45] En las dos eds.: «omniciente».

La ley del menor esfuerzo, la tendencia a la regularidad de las formas, que la ciencia llama «inclinación natural» de la materia ¿qué son sino deliberaciones inteligentes? No implican, acaso, comparación entre dos términos? Todavía si el universo fuera de una estabilidad perfecta, se explicaría esa precisión como un equilibrio resultante de largas oscilaciones; pero cuando todo cambia incesantemente, las fuerzas ciegas son inexplicables.

Al no asignar inteligencia sino al hombre, la ciencia cae en el error antropocéntrico de las religiones, o está obligada a suponerla en toda manifestación físico-química, en todo fenómeno cuya dirección tenga analogía con un raciocinio, una comparación, una modalidad intelectual en una palabra; mucho más cuando esa modalidad resulte, como hemos visto, superior a la suya. Efectos análogos, suponen causas semejantes.

¿Qué será, finalmente, si parangonamos al hombre con el planeta que habita, y cuyas manifestaciones físico-químicas mucho más poderosas y complicadas que la suya (como que él es una en el planeta) supone una inteligencia mucho más vasta, así sea ella la causa (espiritualismo) o el efecto (materialismo) de esas manifestaciones?

¿O sería osado el hombre a suponerse más perfecto como ser, que el planeta —el ser enorme— en el cual aquél no es sino una célula?...*

Hay, sin embargo, otro aspecto muy interesante del asunto.

Si la radioactividad de la materia en forma de luz, calor, electricidad, olor, sonido, es un trabajo de regreso hacia la energía absoluta, percibir esas manifestaciones por medio de los sentidos es incorporarlas a dicha energía, es decir al pensamiento. Esto explica a la vez la percepción y la naturaleza etérea (radioactividad absoluta) del pensamiento. De aquí que el mejor aparato para apoderarse de la energía etérea, sea el hombre, que al llevarla en sí está en ella y es ella como entidad espiritual naturalmente.

* El capítulo siguiente dilucidará la cuestión.

Así, pues, toda luz, todo sonido, todo calor, todo fenómeno olfatorio o gustativo, son trabajos de desintegración de la materia, y toda percepción inteligente de estos fenómenos es reintegración de materia a la energía absoluta.

Esto acarrea una consecuencia racional inesperada, y que resuelve uno de los más obscuros problemas filosóficos.

Sábese, en efecto, que el espacio como extensión infinita e incorpórea, vale decir el movimiento absoluto, puesto que es el movimiento lo que engendra al espacio, es a un tiempo inconcebible e imprescindible para nuestra mente. Si el pensamiento es la energía absoluta, nuestro pensamiento y el espacio son una misma cosa, o sea éter infinito e incondicionado donde no hay magnitud ni tiempo; resultando así inconcebible como sensación, bien que imprescindible porque constituye nuestro propio ser. Los términos, al parecer antagónicos, se hallan así conciliados.

He aquí el espiritualismo y la inmortalidad del alma como soluciones racionales de una concepción cosmogónica, es decir aceptables sin conflicto con la ciencia o con la razón. Posición intermedia, bien que sólo por razones de distancia, entre el materialismo y el super-naturalismo, la nuestra considera todos los fenómenos como naturales, pero no los deriva totalmente de la materia; y lejos de someterlos a la arbitrariedad del azar o de un dios *ex nihilo*, los considera determinados por una existencia anterior. Todas las consecuencias que se derivan del espiritualismo así concebido: solidaridad humana, inmortalidad, causalidad del destino humano, son consecuencias racionales.

Cuando vuelve a la vida un universo, los seres que lo poblaron vuelven también a la acción por orden de importancia; es decir que las fuerzas superiores, las más poderosas y activas, son las primeras en reaparecer. Esto explica la formación de los mundos como entidades primordiales, y todo el proceso de conversión de la energía en materia, hasta que ésta alcanza su *maximum* de estabilidad en el estado sólido. A partir de este punto, se inicia el proceso inverso, o de desintegración, y los seres van tendiendo a convertirse en focos de eterización cada vez más activa. Siendo éstos los seres vivos, según se expresó, y figurando entre ellos el hombre como el más activo de todos, alcanzar el estado humano viene a ser para los seres de la tierra la suprema perfección en este mundo. Conociendo este proceso, la Kábala había dicho muchos siglos antes que los darwinistas: «La piedra se convierte en árbol, el árbol en animal, el animal en hombre y el hombre en espíritu puro» —dando a las cosas un alcance bien superior como se ve.

Sabido esto, es claro que al aparecer en la tierra la vida animal, su primer representante ha tenido que ser el hombre; y ya hemos visto que la vida animal, tanto como vegetal y mineral, hubo en la tierra desde que ésta entró al estado líquido, bajo formas fluídicas, pero no menos reales por ello.

Antes del proceso cristalino y del vegetativo, en el cual la ciencia va encontrando ya las células poliédricas primordiales, así como los rudimentos de un sistema nervioso*, el espíritu del hombre existía ya, pero no dividido todavía en seres humanos, sino como una entidad sintética que dirigía la evolución todavía poco diferenciada de su planeta. Era un

---

* Porque el vegetal es un reino intermedio entre los otros dos y participa de la naturaleza de ambos.

habitante de la nebulosa ígnea que constituía la tierra entonces, y engendraba por acción mental, es decir *pensaba* su descendencia.

Cuando el planeta entró al estado líquido, aparecieron en su seno los cristales blandos, los rudimentos de existencias filamentosas que constituirían la vegetación, y las primeras células animales. El ser planetario se había dividido en existencias. De éstas, las destinadas a formar el reino animal, eran inteligencias, es decir hombres, según correspondía, dado que el hombre era la fuerza superior en la animalidad, y debía, por lo tanto, aparecer primero. Todas las formas animales son derivados de aquéllas células, ideaciones suyas, y la escala darwiniana se encuentra así totalmente invertida*. El hombre es, pues, el progenitor del reino animal, explicando esto por qué repite las características de la serie zoológica durante su vida intrauterina: argumento el más poderoso del darwinismo para demostrar que es la síntesis inversa de toda esa serie.

Pero Darwin, urgido por imperativos teológicos, habló del hombre como del «coronamiento de la escala animal». La lógica anuló bien pronto esa capitulación con la Biblia; pues si el hombre no era más que un peldaño, no había razón para que fuese el superior y el último, sino uno de tantos. Así, pues, el mono antecesor se ha convertido en un primo, lo cual ya es algo.

Sin embargo, hay un hecho bastante significativo; y es que el esqueleto o los rastros del hombre, coexisten con todas las formas de vertebrados extinguidos y en todas las épocas geológicas, sin mostrar alteraciones muy sensibles en su estructura y en su tamaño, lo cual revela, cuando menos, una estabilidad superior como especie; y teniendo en cuenta que semejante estabilidad no puede provenir sino de una organización superior a la de los coetáneos ya desaparecidos, así como que se requiere una antigüedad muy

---

* Esto explica por qué en el Génesis, Adán «da nombre» o lo que es igual especifica a los animales que ya estaban creados por Dios; es decir que existían como meras potencialidades sin objetividad alguna, en la mente del espíritu director del planeta.

grande para fijar los caracteres de una especie cuanto más complejos son*, parece que la misma ciencia va demostrando la situación *anterior* del hombre en el reino animal.

La división que hemos debido establecer entre el hombre como espíritu de la tierra y como ser material, requiere también una explicación.

En efecto, como espíritu de la tierra, o sea en su carácter de fuerza sintética animadora, el hombre es el progenitor de todos los reinos; pero como ser material, es decir dividido en mónadas** activas, se circunscribe al reino animal. Eso sí, como la ley de vida es una sola, al constituir el hombre la fuerza superior de la animalidad, aparece primero.

Teniendo en cuenta, sin embargo, que la vida de los planetas concluye dentro del ciclo de todo el universo, del propio modo que la del hombre dentro de la vida del planeta, muchas de esas mónadas quedan detenidas en su evolución hacia la espiritualidad, cuando el planeta sucumbe. Qué sucede entonces?

Hemos dicho que los astros de un sistema conservan relaciones magnéticas y luminosas, pudiendo agregar ahora que dichas relaciones son influencias evidentes, pues la ciencia dice que basta la incidencia de un rayo de luz sobre un punto para provocar múltiples fenómenos.

Siendo ello así, la energía de esas mónadas pasa a otros astros que se encuentran en evolución correlativa, para seguir su ciclo en ellos; y de aquí que el pretendido absurdo de la astrología sea sostenido por talentos superiores.

Callaremos, no obstante, lo que pasa para limitarnos a decir lo que pasó, continuando así nuestras descripciones.

Al entrar la tierra en el estado líquido, la vida orgánica de la luna había concluido su ciclo de manifestación, y las mó-

---

* Esta es la respuesta a los que objetan que ciertos insectos viven también con su forma adquirida, desde remotas edades geológicas, por más que ninguno alcance la antigüedad del hombre.
** Usamos el término como una semejanza, y advirtiendo que estas mónadas tienen la misma existencia incorpórea de los átomos, ya descrita en otro lugar, siendo substancialmente idénticas a los átomos minerales o vegetales, pero en otro estado de vida, según los antecedentes del ser que las engendra.

nadas de sus seres inteligentes debieron pasar a incorporarse en las nuestras. No lo hicieron como puras energías, sino también como agregados de materia sutil que se infiltró en la masa de la gigantesca célula humana a modo de influencia magnética, comunicándole nuevas propiedades, de la manera que el imán al acero. De aquí las relaciones magnéticas que el estado líquido conserva con la luna bajo la forma de mareas.

El vehículo de que esos espíritus lunares se valieron para venir a la tierra, fue el cono de sombra que ésta proyecta sobre la luna, y que durante los eclipses nos trae exhalaciones maléficas de aquel astro; pues siendo él un cadáver, no ha de exhalar vida naturalmente. Esto explica la tradición en cuya virtud los chinos y muchas otras gentes, alborotan durante los eclipses «para ahuyentar los malos espíritus».

El cono de sombra es tan objetivo para esas formas sutiles, como un chorro de agua o una columna de humo: pues siendo la luz el más poderoso agente de eterización de la materia, donde ella falta, es decir donde hay sombra, la materia es más densa y puede servir de vehículo. Cuando se dice que la luz ahuyenta los espectros, se expresa una verdad más grande de lo que parece; y cuando los «bárbaros» hacen ruido para producir un efecto igual, por estar la luna oculta, echan mano de un agente (el sonido) que según se ha visto es una fuerza primordial, pues es la que ordena los átomos en series armónicas. La luz y la música son enemigas de la muerte.

Muchos errores había cometido el hombre, espíritu puro sin conciencia, en sus engendros de la animalidad así como en los tanteos para adoptar su propia forma; y de este modo, sobre el glutinoso mar primitivo, iban formándose los monstruos (fracasos) cuya descendencia estudia nuestra paleontología.

Sobre un coágulo de temblorosa albúmina, aparecía de pronto un inmenso ojo azul; una pulida mano, que al carecer de huesos* era más tierna aún, surgía de la antena de un

---

* No se olvide que el estado sólido no existía aún, y téngase presente que aun después de existir, el fosfato de cal, producto de los moluscos primitivos, fue de los últimos en aparecer.

molusco monstruoso; peces con cara humana, copos de nácar fluido en cuyo centro latían con intermitente fosforescencia glándulas pineales; serpientes engendradas por el simple movimiento de las olas coloidales, y aniquiladas de pronto en una multitud de cabecitas de pájaro; membranas de colores, esbozando en su tornasol complicaciones intestinales y vesículas natatorias...

Los espíritus de la luna trajeron al hombre su experiencia, es decir le dieron la percepción mental que puso orden en aquella confusión; pero esto no bastaba; requeríase aún la conciencia y la memoria para que aquel espíritu tuviera responsabilidad, o sea para que se individualizara del todo, aprendiendo a causar su propio destino.

Entonces los espíritus solares se esparcieron por el planeta.

Iban a ayudar al hermano inferior en su obra, que la simple ley evolucionaria habría llevado a término; pero que por este acto, se adelantaba hacia la perfección, economizando edades*. Éste era un deber (como lo es todo acto caritativo) un deber de los espíritus solares; pero muchos de ellos no quisieron llenarlo, por no descender de su puesto superior. Llegó un momento, sin embargo, en que la ley evolucionaria los impelió a cumplir como fatalidad lo que habían rehusado como deber**; y entonces debieron encarnarse en las mónadas que les tocaba animar; pero éstas, mientras tanto, habían seguido cometiendo errores, que refluyeron sobre los que habrían debido impedirlos animándolas, y es así como esas mónadas se encontraron retrasadas en su evolución.

---

* Este es el origen del mito de Prometeo, un numen que roba fuego para los hombres. Cuando se sabe que Prometeo viene de *pro-methis*, «premeditación», el mito resulta enteramente claro.

** Cumplir un deber indicado por la razón, es adelantarse a la ley fatal, activando la vida consciente, o sea produciendo un acto meritorio; pues siendo la razón un ser superior al hombre, si bien encarnado en él —el espíritu solar mismo— ella es realmente la guía del hombre. Así se explica satisfactoriamente el bien y la superioridad en apariencia paradójica de la razón humana, que, estando en el hombre, es superior al hombre y da leyes a su existencia.

Comprendiendo, entonces, que durante la vida de este globo no pueden alcanzar la perfección de los otros, continúan entregados a la fatalidad, que es la transgresión del deber, es decir *haciendo mal*. El bien y el mal, las diferencias de calidad, de inteligencia, etc., en los hombres, quedan así explicados en carácter de fenómenos lógicos y productos de la conciencia espiritual. Así es como, únicamente, el mal no viene a ser una forma del bien, según el conocido sofisma deísta; y como el dualismo de Dios y de Satanás, no es tampoco un imperativo categórico. Hay condenados por su culpa (por no haber animado voluntariamente las mónadas) pero su condenación no es eterna, sino respecto al ciclo de evolución de este planeta. Los que han preferido obrar como fuerza ciega, son las víctimas de la fatalidad*.

Sólo falta por agregar ahora, que así como después de reingresar en la energía absoluta, el universo vuelve a ser materia, mundos y hombres hacen lo propio en ciclos equivalentes a la duración de sus vidas; y que de tal modo, la reencarnación humana resulta una ley racional y necesaria**. Necesaria, sobre todo, si a los actos de su corta vida no han de corresponder, contra toda razón y toda justicia, *eternidades* de gloria o de tormento. Una sola es la ley de la vida, lo mismo para el insecto que para la estrella***.

---

* Éste es el concepto del pecado, cuando se lo considera individualmente. Pecado es ignorancia, es decir fuerza ciega, según la propia definición teológica.

** Conviene no olvidar que la razón de estos regresos a la vida, está en la ley de causalidad puesta en acción por el mismo ser que sufre sus consecuencias.

*** Repetimos que toda esta cosmogonía es sólo un esquema. La evolución de las razas humanas, así como la explicación detallada de las relaciones interplanetarias, excederían de su objeto; pero algo me dice que he de volver a encontrar un día las huellas de mi augusto revelador...

Epílogo

Y mi extraño interlocutor calló durante una hora cuyo silencio no me atreví a turbar.

Sobre nuestras cabezas palpitaba de astros la inmensidad transparente y obscura. Su antigüedad formada por el transcurso de todos los tiempos, era, no obstante, ligera como un aroma; su profundidad estaba serena como un sueño en paz.

En el silencio de aquella noche, ante la Cordillera ahí erguida como una presencia superior, tenía realmente la elevación de una idea. Estrellas y sombra, infinito y eternidad, componían para mi mente en comunión con ellos, esa armonía del silencio que presta alas al éxtasis.

Pero semejante grandeza no me anonadaba. Era grata por el contrario a mi pequeñez, y experimentaba ante ella, como ante una madre, la dulce seguridad de un niño desnudo.

Los misterios cuya exposición había oído, eran poca cosa ante aquél mucho más grande de todos los astros del firmamento, concentrando sus rayos en mi pobre ojo humano, inconcebiblemente pequeño ante el universo, y subordinados por la mísera chispa de mi cerebro al imperio de una ley; pues a través del frágil cristal de mi ojo, el universo entero estaba en mí, y todos sus astros brillaban en mí como si yo hubiera sido el infinito.

Música de las esferas que el iniciado heleno concibió en su sistema: ¿qué necesidad tenía de oírte con mis orejas, si tu transporte comunicaba a mi ser beatitud inefable? Espectáculo de la bóveda estrellada, siempre el mismo y nunca monótono para el humano en meditación: ¿qué mérito mayor podía atribuirte que el de consolar mis tristezas? Condición humana, dulcemente grata en tu pequeñez, puesto que a ella debes la dicha de adorar; vida del hombre, preciosa en su fugacidad de soplo, ya que ésta misma te acerca a la inmortalidad: nunca como aquella noche comprendí vuestro destino, uno con el infinito y siendo el infinito mismo, a la manera del rayo solar que tamizado por el más pequeño poro, lleva no obstante a la pupila la sensación de todo el sol.

Mi interlocutor hizo un movimiento como si despertara, y alzando su mano señaló el cielo del sur.

Las nubes magallánicas rozaban el horizonte con sus lejanos tules, evocando recuerdos de navegación y de noches antiguas.

—Eso —dijo el sabio—, aquellas manchas negras, sombra de la sombra, que la astronomía llama sacos de carbón, son sitios de futuros universos, abismos de pensamiento eterno donde reposa la eterna vida.

Qué fueron, qué son, qué serán? Un silencio más hondo que la muerte, el silencio mismo del no ser, guarda ese secreto. Los rayos de todos los astros son impotentes para penetrar esa sombra cuya existencia es tan real como la de la luz, puesto que se destaca sobre la otra sombra que es diminución de luz, siendo tinieblas existentes por sí mismas.

Cómo explica la ciencia la impenetrabilidad de esas sombras al rayo estelar? No lo explica. Qué conjetura sobre su naturaleza? Nada conjetura. Ante esos abismos donde piensa la eternidad y no existe el tiempo; donde el sol más flamígero se apagaría como un candil en una cueva; donde el silencio mismo no existe, donde la extensión misma no es concebible —el pavor de lo absoluto paraliza aun al rayo de luz que la inmensidad no detiene.

Pero un día, cuando nuestro universo esté quizá disuelto en una nubecilla atómica, el seno de esas tinieblas se estremecerá al impulso del rayo inicial, y los abismos estelares volverán a transformarse en soles. Quizá nosotros mismos seamos los animadores de esa vida, y así como ahora pensamos ideas, pensemos entonces espíritus vivientes.

Pero nuestras ideas son también espíritus, espíritus que aspiran a realizar, como los astros en el cielo y las flores sobre la tierra, no la sombría *struggle for life* de la ciencia, sino la divina *struggle for light* de los seres superiores...

Su estatura parecía haber crecido hasta sobrepasar la vecina montaña; no era ya más que una larga niebla confundiéndose con la vía láctea en el fondo del horizonte. Y fuese ilusión de mi mente sobrexcitada, o maravillosa realidad, es lo cierto que sin darme cuenta del prodigio, estaba viendo, desde hacía un rato, emblanquecer su rostro entre las estrellas.

Colección Letras Hispánicas

DE PRÓXIMA APARICIÓN